W9-BYI-186

Office 2010

Office 2010

Jorge Campos Fernández
María Jesús Meléndez-Sánchez

GUÍAS PRÁCTICAS

Responsable editorial:
Eugenio Tuya Feijoó

Realización de cubierta:
Cecilia Poza Melero

Juan Ignacio Luca de Tena, 15. 28027 Madrid
Depósito legal: M. 25.066-2010
ISBN: 978-84-415-2784-3
Printed in Spain
Impreso en: Fernández Ciudad, S. L.

Para ti y para mí, nos completamos, somos uno.
Para los amigos de verdad, los que siempre están ahí.
Para nuestra familia, sombra de nuestras mentes.
Siempre Major.

Agradecimientos

A Carlos y Chuss, sin vosotros no apareceríamos en la portada de este libro.

A cada persona que nos apoyó durante la elaboración del libro y a las que nos siguen apoyando en lo que hacemos.

Al tiempo, por permitirnos disfrutar trabajando juntos.

A usted, lector/a, por confiar en nuestras palabras.

Índice

Introducción 19

Descripción general de las novedades de Microsoft Office 2010 19

Cómo usar este libro 23

1. Instalación Office 2010 27

1.1. Requisitos del sistema 27
1.1.1. Otros requisitos 28
1.2. Instalación paso a paso 29
1.3. Agregar o quitar funciones de Office 30

2. Principios Básicos 33

2.1. Novedades en la interfaz 33
2.2. Iniciar y cerrar una aplicación 33
2.3. Herramientas de Office 34
2.4. Crear un documento nuevo 35
2.4.1. Abrir un documento 35
2.5. Crear una plantilla 35
2.5.1. Modificar una plantilla de Word 36
2.6. Portapapeles de Office 37
2.7. Otras herramientas 39
2.7.1. Etiquetas inteligentes 39
2.7.2. Opciones de autocorrección 39
2.7.3. Ayuda en Office 40
2.7.4. La barra de herramientas de acceso rápido 41
2.7.5. Documentos y lugares recientes 42

2.7.6. Información y propiedades de un documento 43

3. Word 45

3.1. Introducción 45
3.2. La ventana de Word 45
3.3. La cinta de opciones 48
3.3.1. La ficha Inicio 48
3.3.2. La ficha Insertar 49
3.3.3. La ficha Diseño de página 50
3.3.4. La ficha Referencias 50
3.3.5. La ficha Correspondencia 50
3.3.6. La ficha Revisar 50
3.3.7. La ficha Vista 51
3.3.8. La ficha Complementos 51
3.3.9. La ficha Programador 51
3.4. Tareas básicas para manejar archivos 52
3.4.1. Crear un documento 52
3.4.2. Abrir un documento 52
3.4.3. Guardar un documento 53
3.4.4. Cerrar un documento 54
3.4.5. Crear una plantilla 55
3.4.6. Blogs en Word 2010 57
3.4.7. Desplazamiento por un documento 58
3.4.8. Acercar o alejar un documento 60
3.4.9. Mostrar u ocultar marcas de formato 61
3.5. Trabajar con texto 61
3.5.1. Seleccionar texto 62
3.5.2. Mover, copiar, cortar y pegar 66
3.5.3. Buscar y reemplazar 67
3.6. Ortografía y gramática 69
3.6.1. Diccionario de sinónimos 72
3.6.2. Traducir texto a otro idioma 73
3.7. Formato y estilo de un documento 75
3.7.1. Márgenes de página 75
3.7.2. Seleccionar la orientación de la página 79
3.7.3. Seleccionar tamaño del papel 80
3.7.4. Escribir en columnas 81
3.7.5. Encabezado, pie y número de página 83
3.7.6. Formato de texto 87

3.7.7. Estilo de texto 88
3.7.8. Párrafos 89
3.7.9. Tabulaciones 95
3.7.10. Numeración y viñetas 98
3.7.11. Bordes y sombreados 100
3.8. Insertar una portada 104
3.9. Trabajar con tablas 105
3.9.1. Agregar o eliminar una celda, fila o columna 108
3.9.2. Crear una tabla de contenido 111
3.9.3. Convertir texto en tabla o viceversa 113
3.9.4. Aplicar estilo a una tabla 114
3.9.5. Combinar y dividir celdas 115
3.9.6. Dividir una tabla 115
3.10. Trabajar con ilustraciones 115
3.10.1. Insertar una imagen 116
3.10.2. Modificar una imagen 117
3.10.3. Crear un dibujo 120
3.10.4. Modificar un dibujo 121
3.10.5. Insertar una captura 122
3.10.6. Ajustar texto 123
3.11. Vista e impresión de documentos 124
3.11.1. Vistas de un documento 124
3.11.2. Configurar una impresora 126
3.11.3. Establecer una impresora como predeterminada 126
3.11.4. Imprimir documentos 126
3.11.5. Cancelar la impresión 128
4. Excel 129
4.1. Introducción 129
4.2. La ventana de Excel 130
4.3. La cinta de opciones 132
4.4. Tareas básicas para manejar archivos 134
4.4.1. Crear un libro 134
4.4.2. Abrir, guardar y cerrar un libro 135
4.4.3. Insertar y eliminar una hoja de cálculo 136
4.4.4. Desplazamiento por un libro 137
4.5. Trabajar con hojas de cálculo 138
4.5.1. Celdas 138
4.5.2. Filas y columnas 138

4.5.3. Cuadro de nombres y barra de fórmulas...... 139
4.5.4. Seleccionar celdas, filas, columnas y hojas de cálculo...... 139
4.5.5. Mover o copiar celdas, filas y columnas...... 140
4.5.6. Insertar celdas, filas y columnas...... 141
4.5.7. Eliminar celdas, filas y columnas...... 142
4.6. Trabajar con datos en hojas de cálculo...... 143
4.6.1. Copiar y pegar datos en una celda...... 143
4.6.2. Arrastrar...... 144
4.6.3. Ortografía...... 144
4.6.4. Buscar y reemplazar...... 145
4.7. Formato y estilo...... 146
4.7.1. Formato y estilo en celda, fila y columna...... 146
4.7.2. Formato de página...... 149
4.8. Trabajar con ilustraciones...... 152
4.8.1. Insertar dibujos e imágenes...... 152
4.8.2. Insertar una captura...... 153
4.8.3. Elaborar gráficos y minigráficos...... 154
4.8.4. Cambiar la ubicación de un gráfico...... 160
4.9. Fórmulas...... 161
4.9.1. Crear una fórmula sencilla...... 162
4.9.2. Fórmulas y funciones...... 163
4.9.3. Referencias...... 164
4.9.4. Fórmulas y funciones comunes...... 165
4.9.5. Mover y copiar fórmulas...... 168
4.10. Trabajar con divisas, EUROCONVERT...... 170
4.11. Vista e impresión de documentos...... 175
4.11.1. Vistas...... 175
4.11.2. Configurar impresora...... 176
4.11.3. Establecer una impresora como predeterminada...... 176
4.11.4. Imprimir...... 177
4.11.5. Cancelar impresión...... 179

5. PowerPoint...... 181

5.1. Introducción...... 181
5.2. La ventana de PowerPoint...... 181
5.3. Tareas básicas para manejar archivos...... 183
5.3.1. Crear presentaciones...... 183
5.3.2. Abrir, guardar y cerrar una presentación...... 184
5.3.3. Insertar y eliminar una diapositiva...... 185

5.4. Trabajar con una presentación 185
5.4.1. Elementos de una presentación 185
5.4.2. Desplazarse por una presentación 187
5.4.3. Vistas de una presentación 187
5.5. Diapositivas 188
5.5.1. Cambiar el orden de las diapositivas 188
5.5.2. Acercar o alejar una diapositiva 188
5.5.3. Duplicar una diapositiva 189
5.5.4. Ordenar las diapositivas en secciones lógicas 189
5.5.5. Mostrar u ocultar una diapositiva 191
5.5.6. Crear una diapositiva que contenga los títulos de otras diapositivas 192
5.6. Trabajar con texto en una diapositiva 192
5.6.1. Agregar texto a una diapositiva 192
5.6.2. Seleccionar texto 194
5.6.3. Copiar y pegar texto 195
5.6.4. Buscar y reemplazar texto 196
5.6.5. Ortografía 196
5.7. Diseño de una diapositiva 197
5.7.1. Diseño de una diapositiva 197
5.7.2. Temas 198
5.7.3. Tamaño y orientación de una diapositiva 199
5.7.4. Encabezado y pie de página 199
5.8. Insertar imágenes y gráficos a una diapositiva 200
5.8.1. Insertar gráficos e imágenes 200
5.8.2. Insertar una captura 202
5.8.3. Modificar una imagen 203
5.8.4. Dibujar líneas y formas 203
5.9. Agregar audio y vídeos a una diapositiva 204
5.9.1. Agregar un vídeo 204
5.9.2. Editar un vídeo 205
5.9.3. Agregar un clip de audio 207
5.9.4. Editar clip de audio 208
5.9.5. Convertir una presentación en un vídeo 208
5.10. Animaciones y Transiciones 210
5.10.1. Agregar animación 210
5.10.2. Agregar transición 212

5.11. Presentación con diapositivas 214
5.11.1. Crear una presentación personalizada 214
5.11.2. Configuración de la presentación 215
5.11.3. Ejecutar una presentación 215
5.11.4. Usar el ratón como puntero láser 217
5.12. Imprimir una presentación 217
5.12.1. Configurar una impresora 217
5.12.2. Imprimir una presentación o un número concreto de diapositivas 217
5.12.3. Imprimir páginas de notas 219
5.12.4. Imprimir una presentación en la vista Esquema 219
5.12.5. Cancelar la impresión 219

6. Outlook 221

6.1. Introducción 221
6.2. La ventana de Outlook 222
6.2.1. La cinta de opciones 223
6.3. Configurar una cuenta de correo electrónico 224
6.3.1. Agregar cuentas de correo 225
6.3.2. Eliminar cuentas de correo 226
6.4. Tareas básicas para manejar archivos 227
6.4.1. Abrir un archivo 227
6.4.2. Guardar un archivo 228
6.5. Trabajar con correo electrónico 229
6.5.1. Tareas básicas 229
6.5.2. Estilo y formato de texto 234
6.5.3. Personalizar los mensajes de correo electrónico 236
6.5.4. Libreta de direcciones 240
6.5.5. Mensajería instantánea 241
6.5.6. Categorías de color 244
6.6. Calendario 244
6.6.1. Citas 247
6.6.2. Reuniones 249
6.6.3. Eventos 250
6.7. Contactos 252
6.7.1. Crear un contacto 252
6.7.2. Crear un grupo de contactos 253
6.7.3. Modificar la información de un contacto 254

6.7.4. Establecer un aviso a un contacto 254
6.7.5. Crear una reunión a partir de un contacto 255
6.7.6. Vistas de contactos 255
6.8. Tareas 256
6.8.1. Crear una tarea 256
6.8.2. Cambiar una tarea 258
6.8.3. Agregar o quitar avisos para una tarea 259
6.8.4. Ordenación de tareas 259
6.8.5. Administrar tareas 260
6.9. Notas 261
6.9.1. Crear una nota 261
6.9.2. Modificar una nota 262
6.9.3. Configuración de notas 262
6.9.4. Administrar notas 263
6.10. Lista de carpetas 264
6.11. Diario 264
6.11.1. Guardar elementos o archivos en el Diario 266
6.11.2. Registrar la fecha y hora de trabajo con un contacto 266
6.11.3. Cambiar las horas de inicio y finalización de las entradas del Diario 267
6.11.4. Desactivar o vaciar el Diario 268
6.12. Organización y búsqueda de elementos Outlook 269
6.12.1. Filtro de correo electrónico no deseado 271
6.13. Trabajar sin conexión 273
6.14. Imprimir documentos 274
6.14.1. Configurar una impresora 274
6.14.2. Imprimir elementos en Outlook 274
6.15. Proteger el correo electrónico 275
6.15.1. Archivos adjuntos 275
6.15.2. Mensajes HTML 276
6.15.3. Contraseñas 277
6.15.4. Firmas digitales en mensajes 278
6.15.5. Cifrar mensajes 280
6.15.6. Enviar mensajes con solicitud de confirmación S/MIME 280

7. Access ... 283
7.1. Introducción ... 283
7.2. La ventana de Access ... 284
7.2.1. La cinta de opciones ... 285
7.3. Tareas básicas para manejar archivos ... 286
7.3.1. Crear una base de datos ... 286
7.3.2. Abrir y cerrar una base de datos ... 287
7.3.3. Ver y editar propiedades de una base de datos ... 288
7.4. Elementos de una base de datos ... 289
7.4.1. Tablas ... 289
7.4.2. Consultas ... 290
7.4.3. Formularios ... 290
7.4.4. Informes ... 291
7.5. Tablas ... 291
7.5.1. Crear una tabla en una base de datos ... 291
7.5.2. Agregar y quitar campos ... 292
7.5.3. Tipos de datos de campo ... 294
7.5.4. Clave principal e índices ... 296
7.5.5. Valores predeterminados ... 299
7.5.6. Relaciones e integridad referencial ... 300
7.6. Consultas ... 305
7.6.1. Tipos de consultas ... 307
7.6.2. Crear consultas de selección sencilla ... 308
7.6.3. Consultas con parámetros ... 310
7.6.4. Ejecutar una consulta de acción ... 311
7.6.5. Ejecutar una consulta de parámetros ... 312
7.6.6. Ejecutar una consulta específica de SQL ... 312
7.7. Formularios ... 314
7.7.1. Crear un formulario mediante la herramienta Formulario ... 315
7.7.2. Crear un formulario dividido mediante la herramienta Formulario dividido ... 315
7.7.3. Crear un formulario que muestre varios registros mediante la herramienta Varios elementos ... 316
7.7.4. Crear un formulario mediante el Asistente para formularios ... 317

7.7.5. Crear un formulario mediante la herramienta Formulario en blanco ... 317
7.7.6. Personalizar y presentar un formulario ... 319
7.8. Informes ... 320
7.8.1. Elegir origen de registros ... 321
7.8.2. Crear un informe con la herramienta de informes ... 321
7.8.3. Crear un informe con el Asistente de informes ... 322
7.8.4. Crear un informe con la herramienta informe en blanco ... 323
7.8.5. Secciones del informe ... 323
7.8.6. Agregar campos y controles al informe ... 324
7.8.7. Crear etiquetas para un informe ... 326
7.8.8. Ver y ajustar un informe ... 326
7.8.9. Guardar el trabajo ... 327
7.9. Filtrar y Ordenar ... 328
7.9.1. Tipos de filtro ... 328
7.9.2. Filtros comunes ... 329
7.9.3. Filtros por selección ... 331
7.9.4. Filtro por formulario ... 332
7.9.5. Filtros avanzados ... 335
7.9.6. Agrupar y ordenar ... 337
7.10. Elementos de aplicación para agregar funcionalidad a una base de datos existente ... 337
7.11. Imprimir documentos ... 339
7.11.1. Configurar impresora ... 339
7.11.2. Seleccionar datos o registros ... 340
7.11.3. Imprimir la hoja de datos de una consulta, formulario o informe ... 341
7.11.4. Imprimir un formulario ... 342
7.11.5. Cancelar impresión ... 343

8. Publisher ... 345

8.1. Introducción ... 345
8.2. La ventana Publisher ... 345
8.2.1. La cinta de opciones ... 347
8.3. Tareas básicas para manejar archivos ... 347
8.3.1. Crear una publicación ... 347
8.3.2. Guardar y cerrar una publicación ... 348

8.3.3. Crear o cambiar una plantilla ... 349
8.3.4. Crear un boletín ... 350
8.3.5. Crear una tarjeta de presentación ... 350
8.3.6. Crear un catálogo ... 352
8.4. Trabajar con texto ... 352
8.4.1. Copiar, cortar y pegar ... 352
8.4.2. Modificar texto ... 353
8.4.3. Buscar y reemplazar ... 353
8.4.4. Crear un cuadro de texto ... 354
8.4.5. Agregar texto a una forma ... 356
8.4.6. Ortografía ... 356
8.5. Estilo y formato de texto ... 357
8.5.1. Estilos de texto ... 357
8.5.2. Formatos de texto ... 359
8.5.3. Viñetas y tabulaciones ... 360
8.6. Diseño de páginas ... 362
8.6.1. Elegir un tamaño de página ... 362
8.6.2. Márgenes de página o de cuadro de texto ... 363
8.6.3. Sangría e interlineado ... 365
8.6.4. Guías de diseño ... 366
8.6.5. Insertar, mover o eliminar una página ... 367
8.6.6. Cambiar nombre de una página ... 369
8.7. Tablas ... 370
8.8. Trabajar con imágenes ... 371
8.8.1. Marcador de posición de imagen ... 371
8.8.2. Insertar imagen ... 372
8.8.3. Insertar formas ... 372
8.9. Imprimir ... 372
8.9.1. Establecer una impresora como predeterminada ... 372
8.9.2. Configuración para imprimir una publicación ... 373
8.9.3. Cancelar impresión ... 374

9. Otras Herramientas de Office ... 375

9.1. InfoPath ... 375
9.1.1. Trabajar con plantillas ... 376
9.1.2. Crear un formulario ... 377
9.1.3. Diseño de un formulario ... 378
9.1.4. Controles ... 379

9.1.5. Vistas ... 380
9.1.6. Publicar un formulario ... 381
9.1.7. Archivar formularios ... 381
9.2. OneNote ... 382
9.2.1. Insertar una nueva página ... 383
9.2.2. Crear una nueva sección ... 384
9.2.3. Escribir y guardar notas ... 385
9.2.4. Insertar tablas, imágenes o archivos ... 386
9.2.5. Insertar grabación de audio y de vídeo ... 386
9.2.6. Agregar o modificar un hipervínculo ... 387
9.2.7. Insertar hora y fecha ... 387
9.2.8. Etiquetas ... 388
Índice alfabético ... 389

Introducción

Microsoft Office 2010 es la nueva versión de la *suite* ofimática, sucesora de Microsoft Office 2007, en la que encontramos nuevas funciones que facilitarán las tareas a realizar, además de mejoras de diseño y rendimiento. La nueva *suite* de Microsoft Office 2010 está compuesta por las siguientes aplicaciones:

- El procesador de textos Microsoft Word 2010.
- La aplicación de hoja o plantilla de cálculo Microsoft Excel 2010.
- El programa para crear y ejecutar presentaciones visuales Microsoft PowerPoint 2010.
- El administrador de información personal y cliente de correo electrónico Microsoft Outlook 2010.
- Sistema gestor de bases de datos Microsoft Access 2010.
- El editor de publicaciones Microsoft Publisher 2010.
- El bloc de notas Microsoft OneNote 2010.
- El recopilador de información y controlador de formularios Microsoft Office InfoPath 2010.
- La aplicación de colaboración y comunicación Microsoft SharePoint Workspace 2010.

Todas las aplicaciones siguen estando relacionadas para que el usuario pueda intercambiar información entre ellas de forma simple y rápida.

Descripción general de las novedades de Microsoft Office 2010

La versión 2010 de esta *suite* ha mejorado notablemente su rendimiento en comparación con Microsoft Office 2007. Office 2010 no sólo requiere los mismos recursos que requería Office

2007, sino que a iguales recursos funciona mejor que su antecesor. Otra novedad es que ahora Microsoft Office 2010 ofrece versiones de 32 y 64 bits, lo cual mejora aún más el rendimiento usando sistemas operativos de 64 bits.

- **Mejoras en la interfaz:** Se ha creado una apariencia más coherente para todas las aplicaciones de la *suite*, eliminando los restos de la antigua interfaz de Office 2003, a excepción de utilidades menores como Picture Manager o la galería de imágenes, que permanecen igual. Se ha implementado en todas las aplicaciones de la *suite* la cinta de opciones, en la cual, el Botón de Office de la interfaz de 2007 se ha sustituido por la ficha Archivo. Ésta muestra un cuadro de opciones que ocupa toda la ventana y permite realizar acciones como seleccionar una plantilla para un documento, modificar metadatos o imprimir un archivo sin tener que abrir ventanas nuevas, en un entorno sencillo y muy intuitivo.
  Esta nueva interfaz se hace notar, sobre todo, en la aplicación Outlook. Podrá realizar, con unos cuantos clics, tareas que en versiones anteriores requerían navegar por varios menús, como por ejemplo, agregar una nueva cuenta de correo o configurar respuestas automáticas. La incorporación de la cinta de opciones permite que Outlook sea mucho más intuitivo y fácil de personalizar.
- **Edición y gestión de imágenes:** Otra novedosa función, disponible en Microsoft Word, Excel, PowerPoint y Outlook, es la posibilidad de hacer capturas de pantalla. Funciona de manera similar a la herramienta **Recortes** incluida en la nueva versión de Windows. Al comenzar a usarla, la ventana de Office se minimiza y nos deja seleccionar el área del escritorio a capturar. Una vez tomada la captura, ésta se guarda en una galería, en la que permanece aunque cerremos Office, siendo mucho más fácil su búsqueda en la galería para poder insertarla en un documento.
  Se han incorporado nuevas herramientas para editar imágenes de forma sencilla. Podrá aplicar efectos artísticos similares a los que nos ofrece Adobe Photoshop, así como eliminar el fondo de las fotografías, obteniendo unos resultados muy parecidos a los que obtendríamos trabajando con herramientas profesionales.
- **Otras novedades de Office 2010:** Podrá encontrar que las nuevas herramientas de traducción vienen preins-

taladas. En PowerPoint, se han incorporado nuevas animaciones y transiciones para añadir a sus presentaciones, además de facilitar la labor de insertar un vídeo, soportando los formatos AVI, MG, WMV y SWF, o poder pegar el código de inserción que nos ofrecen las páginas de vídeos *online*. Estos vídeos pueden ser modificados con una nueva y atractiva función llamada Recortar vídeo, que permite elegir el fragmento del vídeo que más le interese. Con la nueva versión de PowerPoint, tiene la posibilidad de guardar una presentación como un vídeo, pues facilitará su visualización a través de Internet o en equipos que no puedan visualizar las presentaciones. Respecto a Word, entre otras novedades, nos permite guardar archivos en formato ODF, ofreciendo un soporte nativo, además de exportar documentos a PDF sin instalar ningún *add-on*.

Excel cuenta con una novedad bastante interesante, los llamados *Sparklines*, unos pequeños gráficos que se pueden generar rápidamente a partir de una hoja de cálculo. Se pueden extender como si fuesen fórmulas, modificando su formato con facilidad y, pueden compararse de un vistazo varias filas o columnas de datos. Están pensadas para que constituyan un resumen gráfico que se funda con datos y textos. Estos gráficos no sustituyen a los gráficos de versiones anteriores.

Destaca la incorporación de nuevas plantillas SmartArt y la tecnología Live Preview en los menús contextuales, estando antes sólo disponible en la cinta de opciones. Esta tecnología permite ver los resultados de las opciones de edición con tan sólo colocar el puntero del ratón sobre las mismas. También es interesante la opción de Modo Protegido, que funciona cada vez que abrimos un documento, por ejemplo, uno descargado de Internet. Éste bloquea el archivo para que no podamos realizar ninguna labor de edición sin que antes lo autoricemos expresamente.

Cómo usar este libro

Esta Guía práctica tiene como objetivo principal dar a conocer la nueva versión de la *suite* ofimática de Microsoft Office 2010. Gracias a ella, podrá familiarizarse con todas las características y funciones de cada una de las aplicaciones que forman parte de este paquete. Este libro le ayudará a realizar sus trabajos de manera sencilla y eficaz, mejorando sus conocimientos sobre cada aplicación, por lo que está orientado a todo tipo de usuarios, partiendo de un nivel básico o nulo de conocimientos al respecto.

La guía está compuesta por nueve capítulos, en los cuales se explica detalladamente el uso de las principales aplicaciones de la *suite*, desde su uso básico y general, hasta algunas opciones más avanzadas. Comienza con la aplicación más utilizada, Microsoft Word, seguido de Excel, PowerPoint, Outlook, Access y Publisher, finalizando con los aspectos más importantes y generales de InfoPath y OneNote.

Orientada a un tipo de usuario con nivel básico-medio en sistemas operativos de Microsoft Windows, podrá iniciar a aquellos que no tengan conocimientos. También les servirá de ayuda a usuarios que ya los posean, pues poco a poco se profundiza en cada aplicación con la intención de ampliar conocimientos.

Cada procedimiento explicado en esta guía está enumerado y se complementa con notas, comentarios, advertencias y trucos, además de incluir imágenes que muestran las ventanas, pantallas, menús y cuadros de diálogo, que servirán para explicar paso a paso las tareas a realizar de manera rápida y sencilla.

Para una óptima asimilación del funcionamiento de Microsoft Office 2010, deberá seguir todos los pasos de cada uno de los capítulos de esta guía, pudiendo consultar también los capítulos de las aplicaciones en las que esté interesado o necesite. En cualquier caso, aprenderá a un ritmo adecuado a sus necesidades, de manera autodidacta.

- En el primer capítulo conocerá los requisitos que necesitará su ordenador para poder utilizar Microsoft Office 2010 sin ningún problema y los pasos para poder instalar cada una de las aplicaciones y componentes que lo componen.
- El segundo capítulo desglosa las novedades de la *suite* y las tareas más comunes en todas las aplicaciones, así como sus conceptos básicos.
- El tercer capítulo se centra en la nueva versión del procesador de textos Microsoft Office Word. En principio, se familiarizará con la interfaz conociendo sus novedades, como la cinta de opciones y sus fichas, continuará con las tareas básicas de escritura de texto, selección y desplazamiento, manejo de archivos, formatos y diseño, inserción de imágenes y objetos, para finalmente adentrarse en edición y organización de documentos.
- El cuarto capítulo le ayudará a manejar el programa de hojas de cálculo Microsoft Excel, mediante el cual podrá crear libros, tablas, gráficos, estadísticas y diagramas. También le orientará hacia las tareas básicas del programa, como las fórmulas, que se realizan de manera sencilla mediante asistentes predeterminados. Una parte del capítulo se centrará en hacer más atractivas las hojas y libros mediante la aplicación de formatos y diseños.
- En el quinto capítulo se explica la aplicación para creación de presentaciones de diapositivas, fotografías y diagramas Microsoft PowerPoint. Muy útil para presentar trabajos tanto profesionales, como colecciones personales o publicaciones Web.
- El capítulo sexto se centra en la aplicación de administración de correo electrónico Microsoft Outlook. Se le enseñará a configurar y administrar una cuenta de correo, enviar y recibir mensajes, utilizar libretas de direcciones y organizar contactos y tareas. Podrá gestionar su agenda personal mediante citas, reuniones o planificación de eventos.
- El sistema gestor de bases de datos Microsoft Access se dará a conocer en el capítulo siete, en el que aprenderá

a crear una base de datos desde cero, las propiedades de los campos y registros y el diseño de tablas, consultas, formularios e informes.

- El octavo capítulo trata de la aplicación de publicaciones Microsoft Publisher, desde la que tendrá la oportunidad de diseñar y publicar material profesional de marketing y de comunicación para impresión, correo o combinaciones de correo electrónico de manera rápida y sencilla.
- En el noveno y último capítulo, se dan a conocer los aspectos generales de dos herramientas muy interesantes de Microsoft Office 2010. Microsoft InfoPath, una aplicación que le ayuda a diseñar formularios, que mediante la automatización y el flujo de trabajo simplificado le ayudará a que el trabajo sea mucho más rápido y efectivo y el bloc de notas de Office, Microsoft OneNote.

1

Instalación Office 2010

1.1. Requisitos del sistema

Para el correcto funcionamiento de Office 2010 en un equipo, éste debe tener como mínimo una serie concreta de especificaciones.

1. **Equipo y procesador:** Pc con un microprocesador Intel Pentium III a 500 MHz o superior.
2. **Memoria:** 256 Mb de memoria RAM o superior.
3. **Disco Duro:** 3 Gb de espacio disponible en disco. Puede variar en función de las opciones de instalación, es decir, puede requerir más o menos espacio en el disco duro del ordenador.
4. **Procesador gráfico:** Soporte mínimo requerido compatible con DirectX 9.0c con 64 Mb de memoria de vídeo o superior.
5. **Sistema operativo:** Microsoft Windows XP Service Pack 3 (32 bits), Microsoft Windows Server 2003 R2 (32 o 64 bits) con MSXLM 6.0 instalado, Microsoft Windows Server 2008 con SP2 (32 o 64 bits), Microsoft Windows Vista con SP1 (32 o 64 bits) y Microsoft Windows 7 (32 o 64 bits), siendo éste último el más recomendado. También se admite Terminal Server y *Windows on Windows* (WOW), que permite la instalación de versiones de 32 bits de Office 2010 en sistemas operativos de 64 bits.
6. **Unidades:** Unidad DVD-ROM.
7. **Pantalla:** Monitor con resolución Super VGA (1024x768) o superior con 256 colores.
8. **Dispositivos periféricos:** Mouse Microsoft, Microsoft IntelliMouse o dispositivo señalador compatible.

1.1.1. Otros requisitos

En determinadas ocasiones son necesarios requisitos adicionales para poder hacer uso de algunas de las funciones de ciertas aplicaciones, como son los siguientes:

- Para determinadas características y entradas de lápiz es preciso ejecutar Windows Tablet PC Edition o posterior. La funcionalidad de reconocimiento de voz requiere un micrófono de proximidad y un dispositivo de salida de audio.
- Para determinadas funciones avanzadas de Microsoft Outlook se requiere conectividad con Microsoft Exchange 2000 Sever o posterior. La función Búsqueda instantánea requiere Windows Desktop Search 3.0. Los calendarios dinámicos necesitan conectividad con el servidor.
- La conectividad con Windows Server 2003 con SP1 o posterior que ejecuta Windows SharePoint Services es necesaria para algunas características de colocación avanzadas. También se requiere Microsoft Office SharePoint Server 2007 para ciertas funciones avanzadas. Las bibliotecas de diapositivas de PowerPoint requiere de Office SharePoint Server 2007. Para compartir datos entre varios equipos, el equipo *host* debe ejecutar Windows Server 2003 con SP1, Windows XP Professional con SP2 o posterior.
- Internet Explorer 6 o posterior, sólo explorador de 32 bits. La funcionalidad de Internet precisa de acceso a Internet (puede ser necesario el pago de cuotas).
- Procesador de 1 gigahercio (GHz) o superior y 512 MB de RAM o superior recomendado para Business Contact Manager. No está disponible en todos los idiomas.
- 512 MB de RAM o superior recomendado para la función Búsqueda instantánea de Outlook. El corrector gramatical y la ortografía contextual en Word 2010 no se activan a menos que el equipo disponga de 1 GB de memoria.
- Para la instalación en red son necesarios uno o varios adaptadores de red y los cables correspondientes que estén incluidos en la Lista de compatibilidad de hardware de Windows Server 2003 o Windows Server 2008. También un servidor en el que se ofrezca acceso de red para los archivos de instalación.

1.2. Instalación paso a paso

Una vez encendido el ordenador y cargado el sistema operativo de Windows, lleve a cabo los siguientes pasos:

1. Introduzca el DVD-ROM en la unidad lectora de DVD y aparecerá automáticamente la ventana Programa de instalación de Microsoft Office 2010 (véase la figura 1.1) para dar comienzo al proceso de instalación.

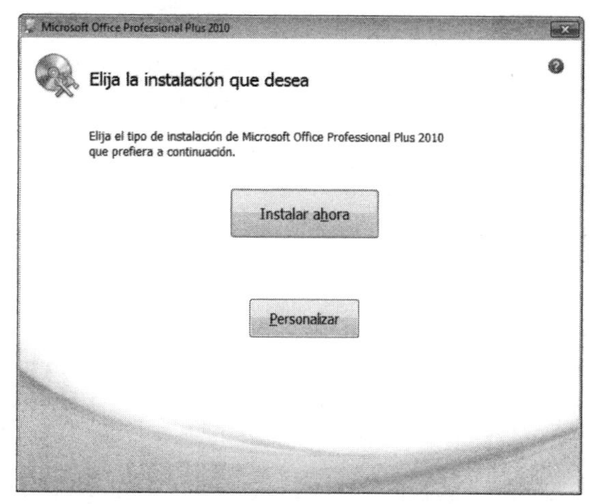

Figura 1.1. Comienzo de la instalación.

2. A continuación deberá rellenar el apartado Información del usuario. Introduzca su nombre y apellido en Nombre de usuario y haga clic en el botón **Siguiente**.
3. El siguiente cuadro de diálogo solicita la clave del producto. Introduzca la clave correspondiente y haga clic en **Siguiente**.
4. En el cuadro de diálogo Tipo de instalación haga clic en el botón **Instalar ahora** si desea hacer una instalación completa recomendada por defecto, o haga clic en el botón **Personalizar** si desea hacer una instalación personalizada. A continuación haga clic en **Siguiente** (véase la figura 1.2).

Nota: *No es un problema tener otras versiones de Office instaladas, ya que en dicho cuadro de diálogo puede optar por la opción de mantener otras versiones de Office o por el contrario, sustituirla por la nueva instalación.*

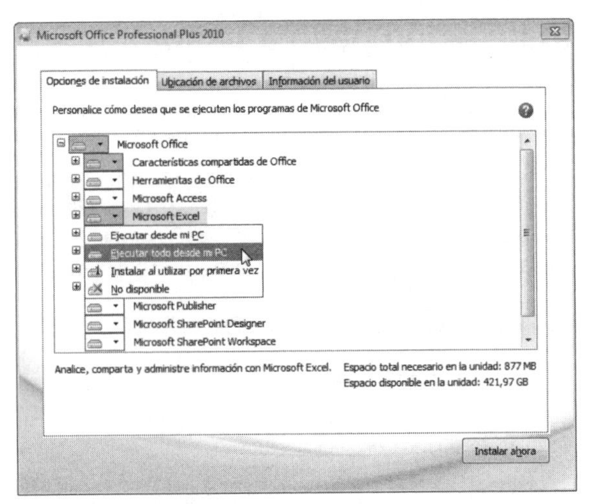

Figura 1.2. Instalación personalizada de Office 2010.

5. En el siguiente cuadro de diálogo podrá observar el progreso de la instalación.
6. Si en el proceso no ha habido ningún error, al terminar aparecerá un cuadro indicando que la instalación ha finalizado correctamente. Después, haga clic sobre el botón **Aceptar**.
7. Para comprobar que la instalación se ha efectuado correctamente, haga clic en el botón **Inicio** (situado en la esquina inferior izquierda de la pantalla) y observe que en la lista de programas aparezca una carpeta llamada `Microsoft Office` y que en su interior aparezcan los componentes de Office 2010, véase seguidamente, la figura 1.3.

1.3. Agregar o quitar funciones de Office

Una vez encendido el ordenador y cargado el sistema operativo de Windows, lleve a cabo los pasos que se describen a continuación:

1. Introduzca el DVD-ROM en la unidad lectora de DVD y aparecerá automáticamente la ventana Programa de instalación de Microsoft Office 2010 para dar comienzo al proceso de instalación.

2. Aparecerá un cuadro de diálogo que le permitirá cambiar la instalación de Office 2010 con las opciones de Agregar o quitar funciones, Reparar, Quitar o Introducir la Clave del producto. Seleccione la opción Agregar o quitar funciones y haga clic en **Siguiente** (véase a continuación, la figura 1.4).

Figura 1.3. Comprobación de la instalación.

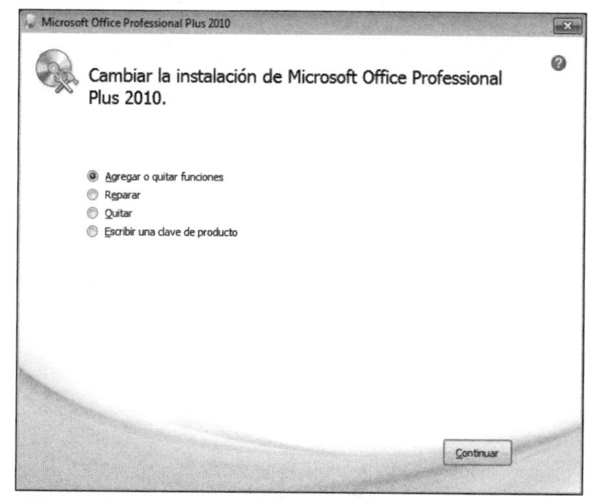

Figura 1.4. Opciones para agregar o quitar funciones.

3. En el cuadro Tipo de instalación, como hemos dicho anteriormente, podremos instalar una versión completa y recomendada, o podremos elegir una instalación personalizada, haciendo clic en las aplicaciones de Office 2010 que deseemos agregar o quitar.
4. Por último haga clic en el botón **Actualizar**. Si en el proceso no ha habido ningún error, al terminar aparecerá un cuadro indicando que la instalación ha finalizado correctamente (véase la figura 1.5). Haga clic sobre el botón **Aceptar**.

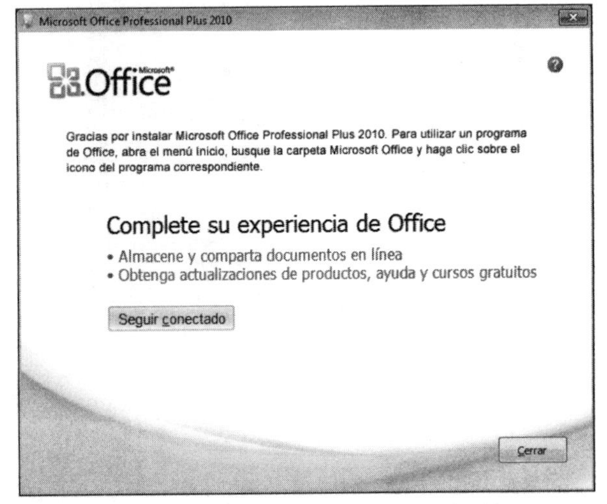

Figura 1.5. Finalización de la instalación.

2

Principios Básicos

2.1. Novedades en la interfaz

La interfaz de Office 2010 ha cambiado ligeramente con respecto a su anterior versión, haciendo que la navegación y utilización del programa sea más cómoda. La cinta de opciones, se ha perfeccionado de manera que una cosa tan sencilla como cambiar su color al blanco en lugar del azul de Office 2007, ha hecho que su rendimiento mejore notablemente a la hora de iniciar las aplicaciones. La cinta de opciones se ha implementado finalmente en todas las aplicaciones de la *suite* eliminando los restos que quedaban del antiguo entorno de Office 2003.

Office 2010 ha adaptado su cinta de opciones aunando estilos con las aplicaciones presentes en Windows 7, lo que ha dado como resultado que el Botón de Microsoft Office desaparezca, dando paso a un menú al que se accede mediante una ficha llamada Archivo, similar a lo que nos encontramos en Paint o WordPad.

2.2. Iniciar y cerrar una aplicación

Para iniciar cualquier aplicación de Office 2010:

1. Haga clic en el botón **Inicio**, situado en la parte inferior izquierda de su pantalla ( ).
2. Sitúe el ratón sobre la opción Todos los Programas y espere a que aparezcan, seguidamente busque la carpeta Microsoft Office y haga clic en ella, entonces aparecerán todas las aplicaciones que contiene la *suite*.

3. Haga clic sobre el programa que desee utilizar: Microsoft Word, Microsoft Excel, Microsoft PowerPoint, Microsoft Outlook, Microsoft Access, Microsoft Publisher, Microsoft InfoPath o Microsoft OneNote. A continuación se abrirá el programa y se mostrará su ventana principal.

Para evitar ese procedimiento, puede crear accesos directos en el escritorio teniendo un acceso más rápido y cómodo. Para ello, siga los siguientes pasos:

1. Haga clic en el botón **Inicio**, situado en la parte inferior izquierda de su pantalla ( ).
2. Sitúe el ratón sobre Todos los Programas y espere a que aparezcan, a continuación, busque la carpeta Microsoft Office y haga clic en ella, entonces aparecerán todas las aplicaciones que contiene la *suite*.
3. Desplace el ratón hasta la aplicación de la que desee crear el acceso directo y haga clic con el botón derecho del mismo.
4. Luego, en el menú contextual que aparece, haga clic en la opción Enviar a y seleccione la opción Escritorio (crear Acceso directo).
5. Seguidamente en el Escritorio de Windows aparecerá el icono correspondiente a cada aplicación. Haga doble clic sobre el icono de la aplicación que quiera abrir. Por ejemplo, en el de Excel ( ) o en el de PowerPoint ( ).

Para cerrar una aplicación, haga clic en el botón **Cerrar** ( ), situado en la esquina superior derecha de la ventana. Otra posibilidad es hacer clic en la ficha Archivo y hacer clic sobre el botón **Salir**.

2.3. Herramientas de Office

Para acceder a las herramientas de Office haga clic en el botón **Inicio** ( ), a continuación haga clic en Todos los programas, haga clic en Microsoft Office y, posteriormente en la carpeta Herramientas de Office. En ese momento aparecerá un submenú con las siguientes herramientas:

1. Certificado digital para proyectos de VBA. Programa que crea un certificado personal firmado que se puede utilizar para macros personales.

2. Galería multimedia de Microsoft. Importa y organiza fotografías, imágenes prediseñadas y archivos de sonido y en movimiento.
3. Configuración de idioma de Microsoft Office.
4. Centro de carga de Microsoft Office. Proporciona un modo de ver el estado de los archivos que está cargando en un servidor o ubicación.
5. Microsoft Office Picture Manager. Programa para organizar, editar y compartir archivos de imagen.

2.4. Crear un documento nuevo

Para crear un documento nuevo inicie la aplicación deseada siguiendo el procedimiento que hemos explicado anteriormente. Una vez en la ventana principal, haga clic en la ficha Archivo y posteriormente en Nuevo, entonces aparecerá una serie de plantillas prediseñadas, entre la que podrá escoger la que más se ajuste a sus necesidades. Finalmente, haga clic sobre **Crear**, situado en la parte inferior derecha de la pantalla.

2.4.1. Abrir un documento

Para abrir un documento haga doble clic sobre el documento en sí y se abrirá el programa correspondiente, o bien, puede seguir los siguientes pasos:

1. Inicie la aplicación con la que vaya a editar el documento existente, como por ejemplo Microsoft Access.
2. Una vez en la ventana principal de la aplicación, haga clic en la ficha Archivo y aparecerá un menú, haciendo clic en **Abrir**.
3. Aparecerá un cuadro de diálogo para explorar los archivos de su equipo. Seleccione el documento y haga clic sobre **Abrir** o simplemente haga doble clic sobre él.

2.5. Crear una plantilla

Una plantilla determina la estructura de un documento y contiene su configuración en cuanto a fuentes, formatos y estilos, asignaciones de teclas, macros, diseño de página, menús, etcétera.

1. Las plantillas globales, incluida la plantilla normal, afectan a todos los documentos y sus valores están disponibles para los mismos.
2. Las plantillas de documento como por ejemplo las de fax, contienen valores que sólo estarán disponibles para documentos basados en ellas.

Las nuevas aplicaciones de Office nos dan la posibilidad de explorar entre las plantillas prediseñadas o las existentes en Internet a la hora de crear un documento nuevo. Para ello utilizaremos el menú Nuevo de la ficha Archivo.

Advertencia: *Es imprescindible tener precaución con las plantillas descargadas de Internet, pues pueden contener códigos maliciosos o virus de macros, por lo que se recomienda ser precavidos al abrirlas. Por ello es aconsejable:*

1. En primer lugar, tener instalado en el equipo un antivirus actualizado.
2. Seguidamente, establecer el nivel de seguridad de macros al máximo.
3. Desactivar la casilla de verificación Confiar en todas las plantillas y complementos instalados.
4. Utilizar firmas digitales.
5. Mantener una lista de orígenes de datos de confianza.

2.5.1. Modificar una plantilla de Word

El que modifiquemos una plantilla no implica que los cambios realizados afecten a los documentos realizados con ella anteriormente. En cambio si afectarán a los que editemos de ahora en adelante.

1. Haga clic en la ficha Archivo y posteriormente, haga clic en **Abrir**. En el cuadro de diálogo que aparece, haga clic en Tipo de archivo y seleccione Todas las plantillas de Word, véase la figura 2.1. Una vez seleccionada la plantilla, haga clic en el botón **Abrir**.
2. Modifique los textos, estilos, formato, macros, elementos gráficos, elementos de autotexto, barras de herramientas, valores de los menús y teclas de método abreviado que desee en la plantilla.
3. Una vez modificada, guarde la plantilla haciendo clic en la ficha Archivo y posteriormente en (Guardar).

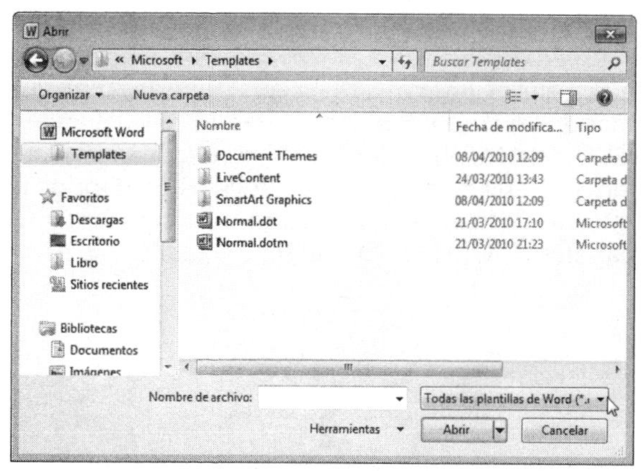

Figura 2.1. Seleccionar plantillas desde el cuadro de diálogo Abrir.

> ***Truco:*** *Puede guardar cualquier documento haciendo clic directamente sobre el botón* **Guardar** *( ) que se encuentra en la barra de herramientas de acceso rápido, situada en la esquina superior izquierda, o bien, utilizando la combinación de teclas* **Control-G**.

2.6. Portapapeles de Office

El Portapapeles de Office permite reunir elementos de texto o gráficos, tanto de otros documentos de Office como de otras aplicaciones, para pegarlos en un documento. Por ejemplo, puede copiar una noticia de Internet, unos gráficos de Excel, y texto de un correo electrónico recibido en Outlook y luego unificarlo todo en un documento de Word, pudiendo modificarlo y organizarlo como desee.

Para que el Portapapeles de Office se abra automáticamente es necesario seguir los siguientes pasos:

1. En primer lugar, diríjase a la ficha Inicio y en el grupo Portapapeles, haga clic en el Iniciador del panel de tareas Portapapeles de Office, situado en la esquina inferior derecha del grupo ( ).
2. A continuación, una vez que se haya mostrado el panel de tareas, haga clic en el botón **Opciones** y posteriormente en la opción Mostrar automáticamente el Portapapeles de Office.

De esta manera, se mostrará automáticamente cada vez que se copien dos o más elementos a la vez, o utilice la combinación de teclas **Control-C** dos veces seguidas. Funciona con los comandos estándar **Copiar**, **Cortar** y **Pegar**, o con los atajos **Control-C**, **Control-X** o **Control-V**, respectivamente.

Cada vez que se utilice uno de estos comandos con un elemento de Office, éste aparecerá automáticamente en el Portapapeles de Office (véase la figura 2.2).

Figura 2.2. Portapapeles de Office con imágenes y texto.

Cada elemento copiado incluye un icono a su izquierda, que representa el programa de origen de Office y una parte del texto copiado o una miniatura si se trata de una ilustración.

Estos elementos pueden ser pegados todos a la vez, haciendo clic en el botón **Pegar todo** del panel de tareas del Portapapeles, o puede pegarlo de uno en uno siguiendo los siguientes pasos:

1. Sitúe el cursor en el lugar del documento donde quiere insertar el elemento.
2. A continuación, en el panel de tareas del Portapapeles, haga clic en el elemento que quiera pegar.

Para eliminar un elemento del Portapapeles, sitúe el cursor en el elemento que desee borrar y aparecerá una pequeña flecha a la derecha. Haga clic en ella y seleccione la opción **Eliminar**. Si por el contrario desea eliminar todos los elementos, haga clic en el botón **Borrar todo** en el panel de tareas.

> *Nota: El Portapapeles de Office puede incluir hasta 24 elementos. Si copia un elemento más, éste sustituirá al primero que se copió.*

2.7. Otras herramientas

2.7.1. Etiquetas inteligentes

Las etiquetas inteligentes aparecen en el documento mientras se está trabajando, ahorrando tiempo para realizar acciones de Microsoft Word que normalmente llevaría a cabo abriendo otros programas.

Por ejemplo, si desea copiar el nombre y la dirección de una persona desde un documento de Word a una carpeta de contactos de Microsoft Outlook, con la etiqueta inteligente, no es necesario copiar la información de Word, iniciar Outlook y, a continuación, pegar la información. En su lugar, basta con hacer clic en una etiqueta inteligente y seleccionar la acción Agregar a Contactos. Aparecerá el cuadro de diálogo Nuevo contacto con el nombre y la dirección ya escritos. Puede rellenar otra información adicional y continuar con su trabajo en Word.

2.7.2. Opciones de autocorrección

La función Autocorrección está configurada de manera predeterminada para corregir una palabra escrita incorrectamente, sustituyéndola por una parecida del diccionario principal que utiliza el corrector ortográfico. Cuando Word detecta una palabra mal escrita, aparecerá un pequeño cuadro de color azul debajo de dicha palabra. Al poner el cursor del ratón encima de éste, se muestra un cuadro con un rayo amarillo (), donde puede deshacer la corrección o ajustar las opciones de Autocorrección.

Es necesario que configure debidamente estas opciones, para ello realice los siguientes pasos:

1. Haga clic en la ficha Archivo y, a continuación, haga clic en Opciones.

2. A continuación, seleccione Revisión y en el apartado Opciones de autocorrección, haga clic sobre el botón correspondiente.
3. Marque las casillas de verificación de las opciones que prefiera.
4. Finalmente, haga clic en **Aceptar** (véase a continuación, la figura 2.3).

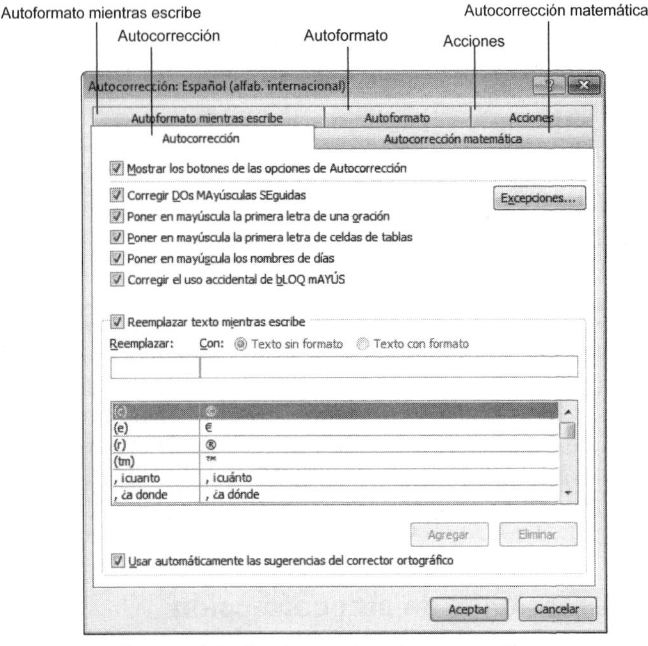

Figura 2.3. Opciones de Autocorrección.

2.7.3. Ayuda en Office

Todas las aplicaciones de Office disponen de ayuda, a partir de la cual podrá obtener información que le permitirá descubrir opciones y funciones, además de resolver dudas desde la misma pantalla de la aplicación.

En la nueva versión de Office, se ha suprimido el antiguo Ayudante de Office por un sistema de ayuda más avanzado y funcional, desde el que se puede obtener información actualizada en todo momento siempre que se encuentre conectado a Internet.

Puede obtener ayuda utilizando uno de los siguientes métodos:

- Haciendo clic en el botón **Ayuda**, situado en la parte superior derecha de la ventana (?).
- Pulsando la tecla **F1** en cualquier momento y lugar de la pantalla.

En ambos casos, aparecerá una ventana en la que podrá buscar ayuda sobre cualquier tema relacionado con Office (véase la figura 2.4).

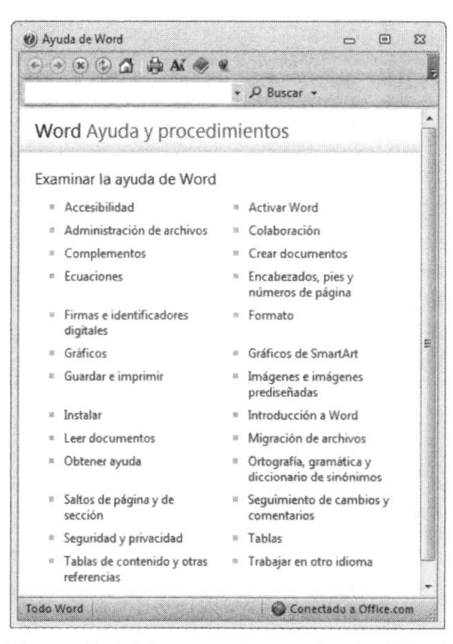

Figura 2.4. Ventana de ayuda de Office.

Para buscar lo que necesite, use el cuadro situado en la parte superior y haga clic en **Buscar**. Los resultados se mostrarán en orden de importancia, por lo que la respuesta sobre la pregunta formulada será la que aparezca en primer lugar.

2.7.4. La barra de herramientas de acceso rápido

La barra de herramientas de acceso rápido ( ) es una barra que se puede configurar y personalizar fácilmente y que contiene un conjunto de comandos determinados, como son los comandos habituales **Guardar**, **Abrir**, **Rehacer** o **Deshacer**, comunes a la mayoría de las aplicaciones entre otros. Se puede tener situada en dos posibles ubicaciones que son las siguientes:

- Esquina superior izquierda.
- Bajo la cinta de opciones.

Para agregar nuevos comandos a la barra de herramientas de acceso rápido, haga clic sobre la flecha que se encuentra situada a la derecha de la barra, y haga clic sobre la opción Más comandos.

Agregue los comandos que desee a la nueva barra de herramientas de acceso rápido y luego haga clic sobre el botón **Aceptar**. También puede agregar comandos directamente desde la cinta de opciones.

1. Haga clic en la ficha o grupo correspondiente en la cinta de opciones.
2. Seguidamente, una vez que haya localizado el comando que desea agregar a la barra, haga clic con el botón derecho del ratón y, posteriormente, haga clic en la opción Agregar a la barra de herramientas de acceso rápido del menú contextual.

Para quitar cualquiera de los comandos que se encuentran disponibles en la barra, haga clic con el botón derecho del ratón sobre dicho comando y seleccione la opción Eliminar de la barra de herramientas de acceso rápido.

2.7.5. Documentos y lugares recientes

Algunas de las aplicaciones de Microsoft Office muestran los últimos archivos que se han abierto con esa aplicación, además de realizar un seguimiento de las últimas ubicaciones locales y en línea que ha visitado, a fin de que pueda usar los vínculos para obtener acceso rápidamente a esos elementos y lugares. Para poder ver la lista de archivos y lugares recientes, haga clic en la ficha Archivo y, seguidamente, haga clic en Reciente. Se mostrarán dos listas que contienen, por un lado, los últimos archivos abiertos con la aplicación y por otro, las ubicaciones recientes (véase la figura 2.5). Para mantener un archivo o ubicación en la lista de recientes, haga clic en la ficha Archivo, y luego haga clic en Reciente. Con el botón derecho del ratón, haga clic en el archivo o ubicación que quiera mantener y luego seleccione **Anclar a la lista**, o haga clic en el botón con aspecto de chincheta (-⊨). Para desanclarlo de la lista, haga clic de nuevo en este botón.

2.7.6. Información y propiedades de un documento

Las propiedades de un documento, también conocidas como metadatos, son los detalles de un archivo que lo describen o identifican de manera inequívoca. Estas propiedades incluyen información detallada como el título, el nombre del autor, el asunto, las palabras clave que identifican el tema o el contenido del archivo.

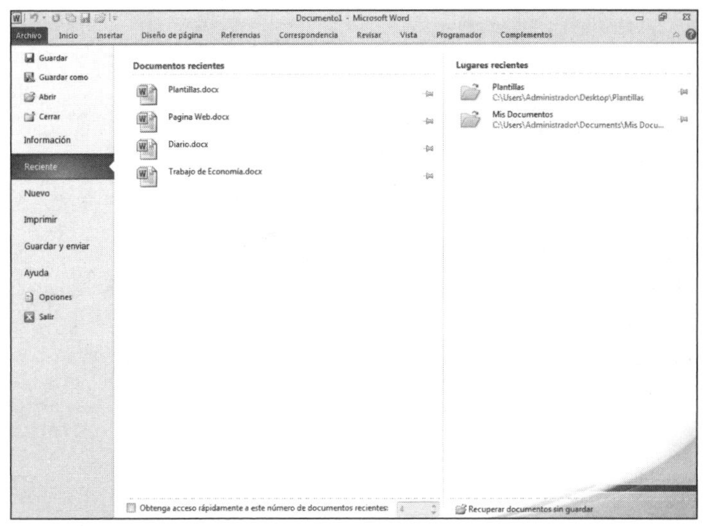

Figura 2.5. Documentos y lugares recientes de Word.

Para obtener información sobre un archivo y también información correspondiente a sus propiedades bastará con hacer clic en la ficha Archivo y, seguidamente, en Información. Se mostrará una pequeña vista previa del archivo abierto, además de información detallada sobre el mismo, como su tamaño, el número de páginas y palabras, el tiempo que llevamos editándolo, etc. Parte de las propiedades del archivo podemos modificarlas, haciendo clic en el valor de la propiedad deseada (véase la figura 2.6).

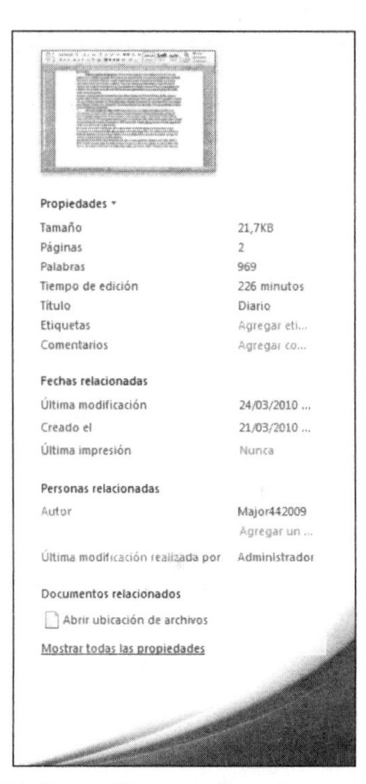

Figura 2.6 Información y propiedades de un archivo.

3

Word

3.1. Introducción

Microsoft Word 2010 nos ofrece nuevas funciones tanto para texto como para imágenes. Las nuevas características están orientadas a perfeccionar el documento terminado, pudiendo disfrutar de las ventajas y familiaridad de Word en su explorador y en su teléfono móvil.

Podrá aplicar sofisticados efectos artísticos a la imagen para hacer que tenga una apariencia más similar a un boceto, dibujo o pintura, transformar las imágenes en elementos visuales atractivos y vibrantes e insertar capturas de pantalla, entre otras funciones. Es una manera fácil de mejorar sus imágenes sin usar programas de edición fotográfica adicionales. Proporciona características mejoradas de formato de texto que incluyen una amplia gama de opciones de ligadura, así como una elección de conjuntos estilísticos y formatos de números. Puede usar estas características nuevas con cualquier tipo de fuente OpenType para lograr un nivel superior de acabado tipográfico. La característica mejorada de entrada de lápiz permite realizar anotaciones en lápiz con su Tablet PC y guardarlas junto con un documento.

3.2. La ventana de Word

Esta ventana es la primera que aparecerá cuando se inicie la aplicación (véase la figura 3.1). Para ello, haga clic en el botón **Inicio**, seleccione Todos los programas, haga clic en la carpeta Microsoft Office y, a continuación, haga clic en Microsoft Word.

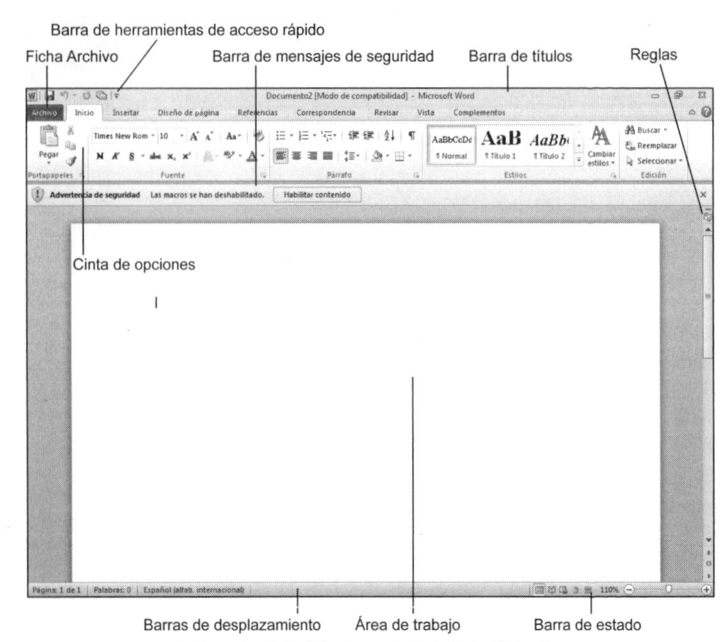

Figura 3.1. Ventana inicial de Word.

1. **Barra de herramientas de acceso rápido:** Es una barra de herramientas que se puede personalizar y contiene un conjunto de comandos independientes de la ficha en la cinta de opciones que se muestra. Se le puede agregar o quitar botones que representan comandos. Ésta se encuentra en la esquina superior izquierda de la ventana.
2. **Barra de títulos:** Aparece el nombre asignado al documento una vez guardado. Cuando aún no se le ha dado un nombre, aparecerá Documento1 - Microsoft Word. A la derecha de esta barra, hay tres botones que sirven para minimizar, maximizar o cerrar el documento ( ).
3. **Ficha Archivo:** Esta ficha reemplaza al Botón de Microsoft Office incluido en la versión anterior. Al hacer clic en la ficha Archivo, verá los comandos básicos que incluyen abrir, guardar e imprimir el archivo. Pero a su vez dispone de comandos nuevos, como Información o Reciente.
4. **Cinta de opciones:** Se encuentra compuesta por las fichas Inicio, Insertar, Diseño de página, Referencias,

Correspondencia, Revisar, Vista, y Complementos. Mantiene a la vista del usuario todas sus funciones para una rápida accesibilidad a sus distintas opciones (véase la figura 3.2).

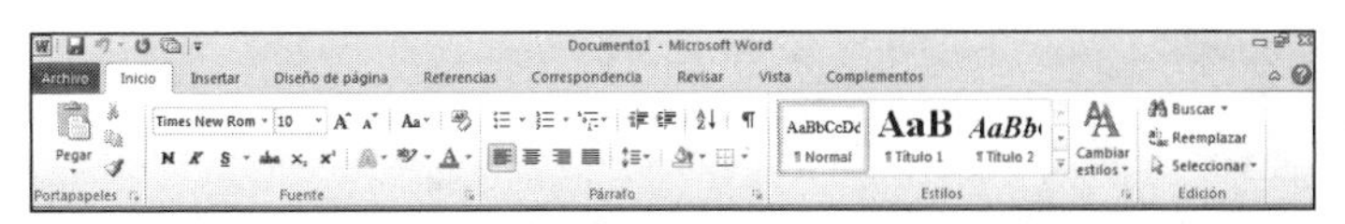

Figura 3.2. La cinta de opciones de Word 2010.

> ***Truco:*** *Para minimizar o restaurar la cinta de opciones, haga clic en el botón situado en la esquina superior derecha de la ventana ( ) o presione* **Control-F1**.

5. **Barra de mensajes de seguridad:** Muestra alertas de seguridad cuando existe contenido activo potencialmente inseguro en el archivo que quiere abrir. En tales casos y de forma predeterminada, aparece la barra de mensajes amarilla o roja para alertar sobre posibles problemas.
6. **Reglas:** Las reglas vertical y horizontal de Word se suelen utilizar para alinear tanto texto como imágenes, tablas, gráficos y otros elementos.

> ***Truco:*** *Para poder ocultar o mostrar las reglas, haga clic en el botón situado encima de la barra de desplazamiento vertical ( ).*

7. **Área de trabajo:** También llamada zona de texto, es una hoja de papel en blanco en la que podrá escribir, insertar imágenes y gráficos, entre otras funciones.
8. **Barras de desplazamiento:** Están situadas, una en la parte derecha de la ventana para desplazarse de arriba abajo y otra, en la parte inferior, para desplazarse de derecha a izquierda. Permiten moverse con mayor rapidez por la zona de trabajo.
9. **Barra de estado:** Este elemento muestra información sobre el documento que tenemos en activo en ese momento. Puede ver el número de página, el número de palabras, el idioma y un control deslizante para alejar o acercar la zona de texto. Esta barra es personalizable (véase la figura 3.3).

Figura 3.3. La barra de estado de Word.

> ***Nota:*** *Para acceder al menú clásico de edición, haga clic en la zona de texto con el botón derecho del ratón seleccionando un texto, una imagen u objeto, y aparecerá la lista con las opciones básicas como cortar, copiar y pegar, junto a las opciones de estilo y formato, y otra ventana arriba con las opciones de fuente, tamaño, color, etc.*

3.3. La cinta de opciones

La cinta de opciones mantiene un aspecto idéntico al de Microsoft Office 2007, agregando nuevos comandos y opciones para trabajar de manera rápida y sencilla. Los comandos están agrupados y estos grupos poseen un nombre para reconocer qué tipo de acción van a realizar. Dichos grupos se encuentran dentro de las fichas. Para reducir la aglomeración de elementos en pantalla, algunas fichas sólo se muestran cuando son necesarias, como por ejemplo la ficha Herramientas de imagen sólo se muestra cuando se selecciona una imagen.

La cinta de opciones consta de tres componentes básicos:

- **Las fichas:** Se encuentran en la parte superior de la cinta y representan las tareas principales que se llevan a cabo.
- **Los grupos:** Se muestran en las fichas y son un conjunto de comandos relacionados para un tipo de tarea.
- **Los comandos:** Están organizados en grupos. Un comando puede ser un botón, un menú o un cuadro en el que se especifica una determinada información.

La cinta de opciones en Word 2010 es personalizable, en la que puede crear nuevas fichas y grupos, asignándole los comandos que más le interesen. Para ello, ejecute el comando Archivo>Opciones>Personalizar cinta de opciones (véase la figura 3.4).

3.3.1. La ficha Inicio

En la ficha Inicio se encuentran los comandos más comunes para escribir documentos divididos en los siguientes grupos: Portapapeles, Fuente, Párrafo, Estilos y Edición. Véase la figura 3.5.

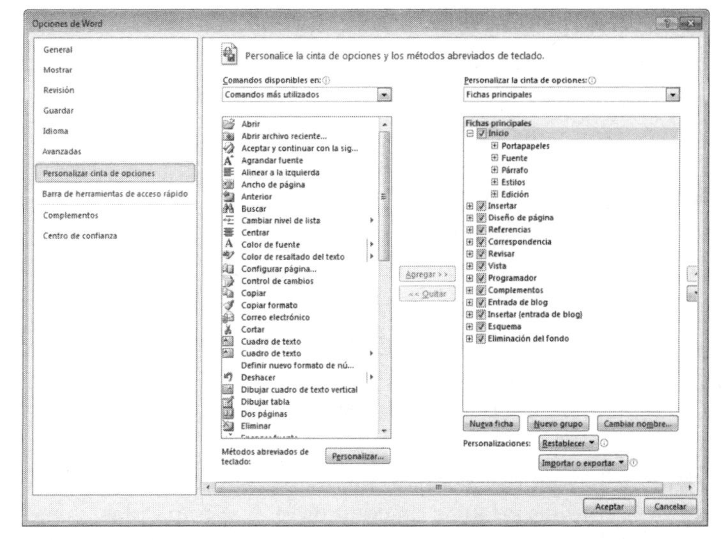

Figura 3.4. Personalización de la cinta de opciones.

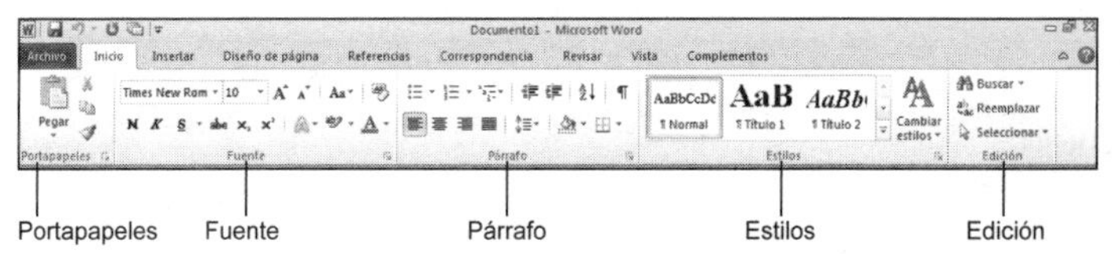

Figura 3.5. Ficha de Inicio.

3.3.2. La ficha Insertar

Para combinar el texto con imágenes, tablas, gráficos y otros elementos, utilizaremos la ficha Insertar. Estas opciones están agrupadas en: Páginas, Tablas, Ilustraciones, Vínculos, Encabezado y pie de página, Texto y Símbolos (véase la figura 3.6).

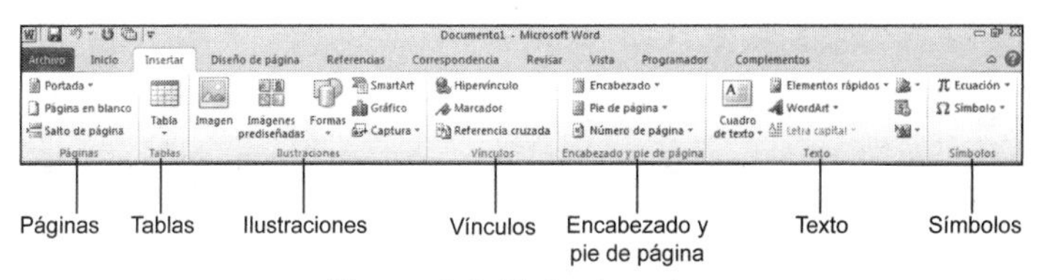

Figura 3.6. Ficha Insertar.

3.3.3. La ficha Diseño de página

Sirve para ordenar y dar formato al documento. La figura 3.7 muestra los grupos que la forman: Temas, Configurar página, Fondo de página, Párrafo y Organizar.

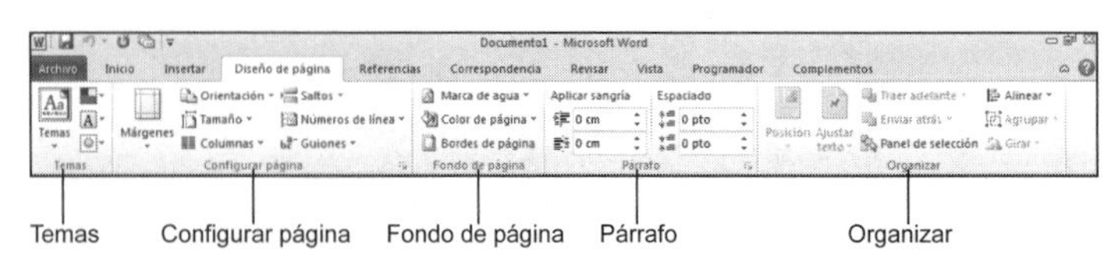

Figura 3.7. La ficha Diseño de página.

3.3.4. La ficha Referencias

En esta ficha encontrará una serie de elementos para complementar la presentación de un documento, como puede ser un índice, notas o tablas de contenido. Los comandos, véase la figura 3.8, están agrupados en: Tabla de contenido, Notas al pie, Citas y bibliografía, Títulos e Índice.

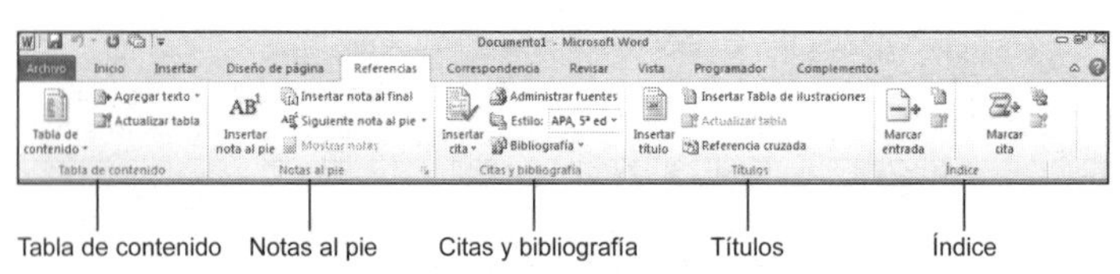

Figura 3.8. Ficha Referencias.

3.3.5. La ficha Correspondencia

En esta ficha encontrará múltiples funciones para la creación y gestión de etiquetas y registros de datos, para uso interno y externo en tareas de envíos, listas de *mailing* entre otros. La ficha Correspondencia (véase la figura 3.9) consta de cinco grupos de funciones: Crear, Iniciar combinación de correspondencia, Escribir e insertar campos, Vista previa de resultados y Finalizar.

3.3.6. La ficha Revisar

En la ficha Revisar podrá revisar, corregir, traducir un documento entre otras funciones. Como se muestra en la figura 3.10, están reunidas en los siguientes grupos: Revisión, Idioma, Comentarios, Seguimiento, Cambios, Comparar, y Proteger.

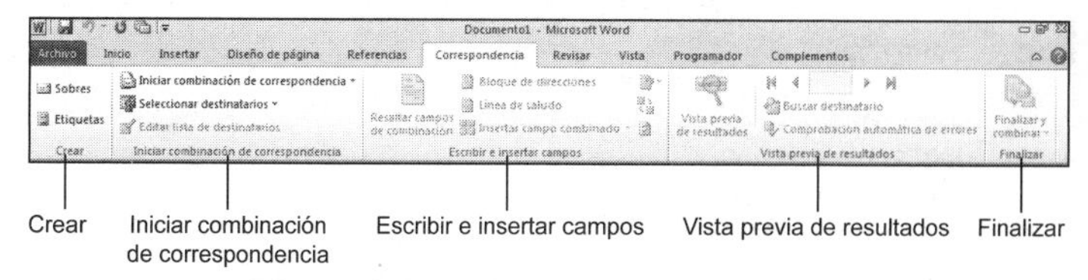

Figura 3.9. La ficha Correspondencia.

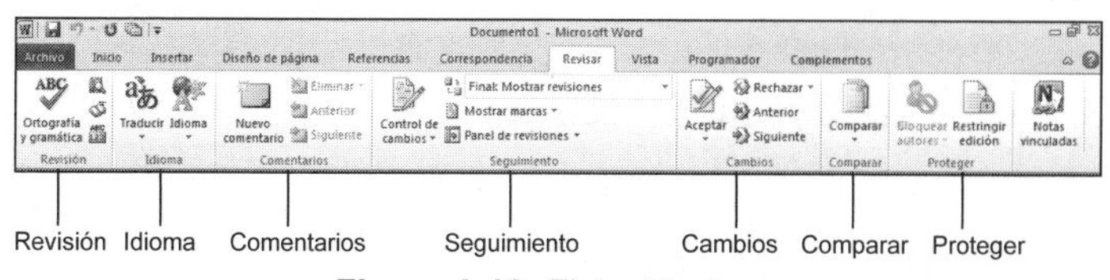

Figura 3.10. Ficha Revisar.

3.3.7. La ficha Vista

Se utilizará para la visualización del documento que se esté creando o que se quiera modificar. Se divide en los siguientes grupos: Vistas de documento, Mostrar, Zoom, Ventana y Macros (véase la figura 3.11).

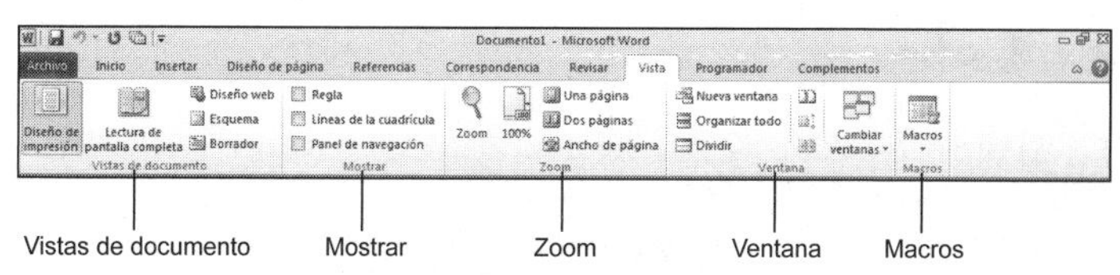

Figura 3.11. La ficha Vista.

3.3.8. La ficha Complementos

Esta ficha tiene una función complementaria que agrega comandos personalizados y características especializadas, como plantillas, etiquetas inteligentes o esquemas XML. Esta ficha no es visible hasta que instale algún complemento.

3.3.9. La ficha Programador

Esta ficha tampoco es visible, para ello es necesario configurarla. La ficha Programador, véase la figura 3.12, se debe utilizar cuando vaya a escribir con macros, ejecutar macros que haya grabado anteriormente, o crear aplicaciones para utilizar con Word.

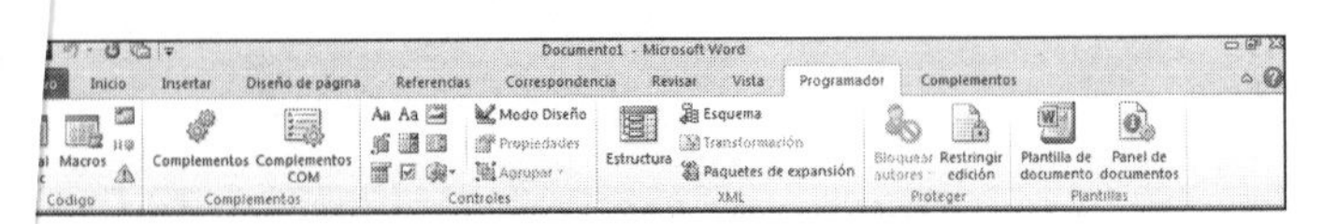

Figura 3.12. La ficha Programador.

3.4. Tareas básicas para manejar archivos

3.4.1. Crear un documento

Para crear un nuevo documento podrá elegir cualquiera de las siguientes formas:

1. Haga clic en la ficha Archivo y a continuación haga clic en Nuevo. Podrá crear un documento en blanco o bien usar una plantilla.
2. Puede personalizar la barra de herramientas de acceso rápido mostrando el comando **Nuevo** ( ), para crear un documento de manera rápida.
3. Presione **Control-U**.

3.4.2. Abrir un documento

Al abrir en Word 2010 un documento creado en versiones anteriores de Word (1997-2003-2007), se activa el modo de compatibilidad donde puede ver Modo de compatibilidad en la barra de título de la ventana del documento (véase la figura 3.13). Esto permite que el documento se pueda abrir con la nueva versión de Word, pero no podrá utilizar ninguna de sus nuevas funciones.

> ***Nota:*** *El* Modo de compatibilidad *afectará a las versiones más antiguas de Word como pueden ser Word 1997 y Word 2003, ya que Word 2007 es muy similar a esta versión.*

Nuevo Microsoft Word Document [Modo de compatibilidad] - Microsoft Word

Figura 3.13. Modo de compatibilidad en la barra de título.

Con la conversión, podrá tener acceso a las nuevas funciones de Office Word 2010. Sin embargo, puede que quienes utilicen las versiones más antiguas de Word, no puedan editar partes del documento creadas con las características avanzadas de Word 2010.

Para abrir un documento existente:

1. Haga clic en la ficha Archivo y a continuación haga clic en **Abrir**.
2. Seleccione la unidad, carpeta u otra ubicación que contenga el documento que quiera abrir.
3. Abra la carpeta donde se encuentre el archivo.
4. Haga clic sobre el archivo elegido.
5. Por último haga clic en **Abrir**.

> ***Truco:*** *También podrá personalizar la barra de herramientas de acceso rápido mostrando el comando* **Abrir** *( ) o usar la combinación de teclas* **Control-A**, *realizando en ambos casos los pasos anteriormente explicados.*

3.4.3. Guardar un documento

Una vez finalizada la edición del documento, haga clic en la ficha Archivo y luego haga clic en **Guardar**. Si va a guardar el archivo por primera vez, debe darle un nombre al documento.

> ***Truco:*** *Para realizar esta acción de manera rápida, haga clic en el botón* **Guardar** *( ) de la barra de herramientas de acceso rápido, o bien presione* **Control-G**.

También podrá guardar una copia de un documento, un archivo con otro formato o un archivo para usar en una versión anterior de Office.

Si desea guardar una copia de un documento:

1. Haga clic en Guardar como de la ficha Archivo.
2. Le aparecerá un cuadro de diálogo donde tendrá que seleccionar la ubicación donde quiera guardar el archivo.
3. En el cuadro Nombre de archivo, escriba un nombre para el archivo.
4. Haga clic en **Guardar**.

Para guardar un archivo con otro formato podrá seguir cualquiera de estos pasos:

1. Haga clic en la ficha Archivo y a continuación haga clic en Guardar como. En el cuadro Nombre de archivo, escriba un nombre nuevo para el archivo y debajo, en

la lista Tipo (véase la figura 3.14), seleccione el formato en el que desee guardar el archivo. Luego haga clic en **Guardar**.

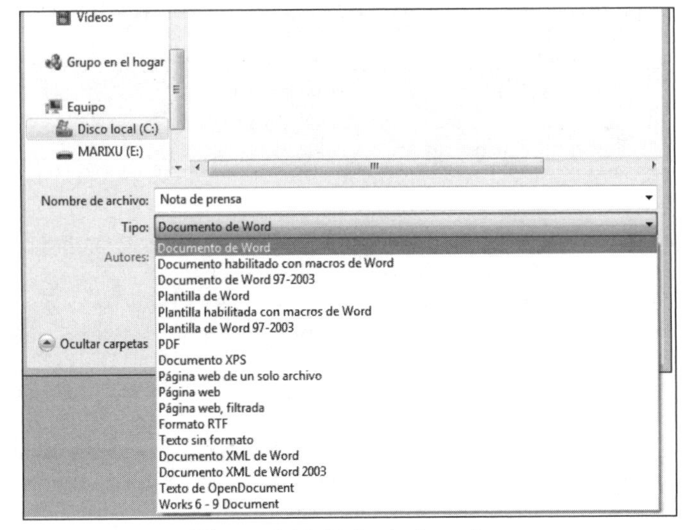

Figura 3.14. Lista de formatos.

2. Haga clic en Guardar y enviar de la ficha Archivo. Seleccione Cambiar el tipo de archivo, y una vez seleccionado el tipo, haga clic en el botón **Guardar como**, escriba el nombre para el archivo y haga clic en **Guardar**. También podrá guardar el archivo creando un documento PDF/XPS. Para ello, haga clic en Crear documento PDF/XPS y luego haga clic en el botón con este mismo nombre ( ).

Para guardar un archivo que se pueda utilizar en una versión anterior de Office, realice los pasos explicados anteriormente.

3.4.4. Cerrar un documento

Para cerrar un documento, haga clic en la ficha Archivo y haga clic en Cerrar ( ), o bien, haga clic en el clásico botón **Cerrar** ( ), situado en la esquina superior derecha de la ventana. También puede usar la combinación de teclas **Control-R**.

3.4.5. Crear una plantilla

Puede comenzar con un documento en blanco y guardarlo como plantilla, crear una plantilla basada en un documento existente o crear una nueva basada en una existente.

Comenzar una plantilla en blanco:

1. Haga clic en la ficha Archivo y haga clic en Nuevo.
2. Haga clic en **Documento en blanco** y, a continuación, haga clic en **Crear**.
3. Realice los cambios que desee en los valores de los márgenes, el tamaño y la orientación del papel, los estilos y otros formatos.

   Agregue el texto informativo, los controles de contenido (por ejemplo, un selector de fecha) y los gráficos que desee que aparezcan en todos los documentos nuevos basados en la plantilla.
4. Después, haga clic en la ficha Archivo y haga clic en Guardar como.
5. Escriba el nombre de archivo para la nueva plantilla, seleccione Plantilla de Word en la lista Tipo y haga clic en **Guardar**.
6. Cierre la plantilla.

Crear una plantilla basada en un documento existente:

1. Haga clic en la ficha Archivo, haga clic en Abrir y abra el documento que desee.
2. Realice los cambios que desee que aparezcan en todos los documentos nuevos basados en la plantilla.
3. Haga clic de nuevo en la ficha Archivo, y a continuación, haga clic en Guardar como.
4. Escriba el nombre de archivo para la nueva plantilla, seleccione Plantilla de Word en la lista Tipo y haga clic en **Guardar**.
5. Cierre la plantilla.

Crear una nueva plantilla basada en una existente:

1. Haga clic en la ficha Archivo y haga clic en Nuevo.
2. Haga clic en **Nuevo a partir de existente**, luego en una plantilla similar a la que desee crear y, a continuación, haga clic en **Crear nuevo**.
3. Realice los cambios que desee en los valores de los márgenes, el tamaño y la orientación del papel, los estilos y otros formatos.

4. Haga clic en la ficha Archivo y a continuación haga clic en Guardar como.
5. Escriba el nombre de archivo para la nueva plantilla, seleccione Plantilla de Word en la lista Tipo y haga clic en **Guardar**.
6. Cierre la plantilla.

Nota: *También puede guardar cualquier tipo de plantilla como una* Plantilla habilitada con macros de Word *o como una* Plantilla de Word 97-2003.

Agregar controles de contenido a una plantilla

Si desea ofrecer mayor flexibilidad a otros usuarios que utilicen su plantilla, agregue y configure controles de contenido en ésta, como controles de texto enriquecido, imágenes, listas despegables o selectores de fecha.

Por ejemplo, podría proporcionar a un compañero una plantilla que incluyese una lista despegable, pero su compañero desea utilizar un conjunto de opciones distinto en dicha lista. Puesto que usted permitió la edición de la lista desplegable al agregar el control de contenido a la plantilla, su compañero podrá modificarla para adaptarla a sus necesidades.

Para agregar controles de contenido:

1. Haga clic en la ficha Archivo y, a continuación, haga clic en Opciones.
2. Seleccione Personalizar cinta de opciones, active la casilla de verificación para mostrar la ficha Programador y haga clic en **Aceptar**.
3. Abra la plantilla a la que desee agregar controles de contenido y, a continuación, haga clic en el lugar donde desee insertar un control.
4. En la ficha Programador, en el grupo Controles, haga clic en el control de contenido que desee agregar al documento o la plantilla.
   Por ejemplo, puede hacer clic en Texto enriquecido para insertar un control de texto enriquecido que aparecerá en cualquier documento que se cree basado en la plantilla.
5. Seleccione el control de contenido y haga clic en Propiedades en el grupo Controles.
6. En el cuadro de diálogo Propiedades, elija si el control de contenido se va a poder eliminar o editar cuando alguien utilice la plantilla.

7. Si desea mantener varios controles de contenido o algunos párrafos de texto juntos, seleccione los controles o el texto y, a continuación, haga clic en Agrupar en el grupo Controles.
   Por ejemplo, podría tener un texto de renuncia de tres párrafos. Si utiliza el comando Agrupar para agrupar dichos párrafos, la renuncia no se podrá editar y únicamente se podrá eliminar como un grupo.

> **Nota:** *Si no están disponibles los controles de contenido, es posible que tenga abierto un documento creado en una versión anterior de Word. Para utilizar controles de contenido, debe convertir el documento al formato de archivo de Word 2007 o 2010, como se ha explicado en apartados anteriores.*

3.4.6. Blogs en Word 2010

Si ya dispone de una cuenta con un proveedor de servicios de blog, puede comenzar a crear un blog en Word inmediatamente.

1. Haga clic en la ficha Archivo y, a continuación, haga clic en Nuevo.
2. Haga doble clic en Entrada de blog.
3. En el cuadro de diálogo Registrar una cuenta de blog, haga clic en **Registrarse ahora** para registrar su cuenta de blog con Word.

Si ya dispone de una cuenta con un proveedor de servicios de blog, puede configurar Word para que utilice la información de dicha cuenta al abrir o publicar entradas de blog. Si tiene varias cuentas, puede registrarlas todas en Word. Cuando cree o edite un blog, podrá elegir la cuenta que desee utilizar para una entrada determinada.

El procedimiento para registrar una cuenta de blog con Word depende del proveedor de servicios que utilice. Básicamente en todos ellos, su nombre de usuario y su contraseña son los datos que utiliza para iniciar una sesión.

Para registrar una cuenta de Windows Live Spaces con Word, escriba su nombre de Space y su palabra secreta en el cuadro de diálogo.

El nombre de espacio es la parte única de su dirección Web de Windows Live Spaces. Por ejemplo, si su dirección es `http://major409.spaces.live.com/`, entonces el nombre de Space es "major409".

Para activar la publicación de correo electrónico:

1. Inicie sesión en su Space.
2. Haga clic en Opciones.
3. Haga clic en la ficha E-mail Publishing y, a continuación, siga los pasos para activar la publicación de correo electrónico rellenando los datos que pedirá el proveedor, nombre de usuario, palabra secreta, la interfaz de programación de aplicaciones (API) y la dirección URL del blog expuesto en el cuadro de diálogo para registrar cuentas en Word.

Los problemas más frecuentes con los que se encontrará se producirán al registrar la cuenta, publicar, abrir una entrada de blog o cargar imágenes. Consulte a su proveedor de servicios de blog para conocer cómo se alojan las imágenes. Si el proveedor no las aloja directamente, puede utilizar una biblioteca de imágenes en Internet (también denominada álbum de fotografías o galería de imágenes).

> **Nota:** *Además del texto, el sistema también permite subir a nuestro blog las imágenes a través del protocolo FTP garantizando un código correcto.*

3.4.7. Desplazamiento por un documento

Para desplazarse por un documento, siga uno de estos procedimientos:

- **Desplazarse una línea hacia arriba:** Haga clic en la flecha de desplazamiento hacia arriba (▲).
- **Desplazarse una línea hacia abajo:** Haga clic en la flecha de desplazamiento hacia abajo (▼).
- **Desplazarse a la página siguiente:** Haga clic sobre el cuadro de desplazamiento (⯯).
- **Desplazarse a la página anterior:** Haga clic debajo del cuadro de desplazamiento (⯭).
- **Desplazarse a una página específica:** Arrastre la barra de desplazamiento.
- **Desplazarse a la izquierda:** Haga clic en la flecha de desplazamiento izquierda (◀).
- **Desplazarse a la derecha:** Haga clic en la flecha de desplazamiento derecha (▶).

- **Desplazarse hacia la izquierda, más allá del margen, en la vista Normal:** Mantenga presionada la tecla **Mayús** y haga clic en la flecha de desplazamiento izquierda.

> ***Truco:*** *Para desplazarse más lentamente, utilice las teclas de dirección o la tecla* **Re Pág** *o* **Av Pág** *del teclado.*

Dividir la ventana para desplazarse al mismo tiempo por dos partes de un documento:

1. Elija el cuadro de división en la parte superior de la barra de desplazamiento vertical (véase la figura 3.15).

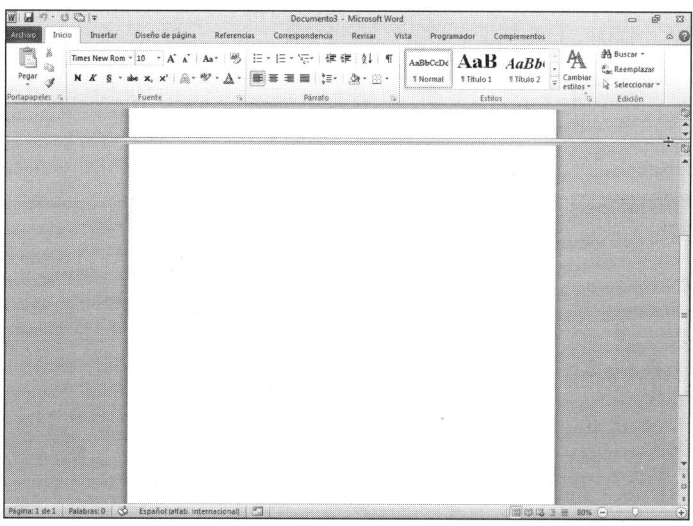

Figura 3.15. Cuadro de división.

2. Cuando el puntero del ratón se transforme en un puntero diferente al que estaba ( ), arrastre la barra de división a la posición deseada.
3. Para volver a ver una sola ventana, haga doble clic en la barra de división.
4. Para mover o copiar texto entre distintas partes de un documento extenso, divida la ventana en dos paneles. Muestre el texto o los gráficos que desee mover o copiar en uno de los paneles y el lugar de destino en el otro. A

continuación, seleccione y arrastre el texto o los gráficos al otro lado de la barra de división.

Para ir o modificar una página, tabla u otro elemento:

1. En la barra de desplazamiento vertical, haga clic en **Seleccionar objeto de búsqueda** (○).
2. Haga clic en el elemento que desee (véase la figura 3.16) o haga clic en **Ir a** (→), y a continuación escriba el nombre o el número de elemento.

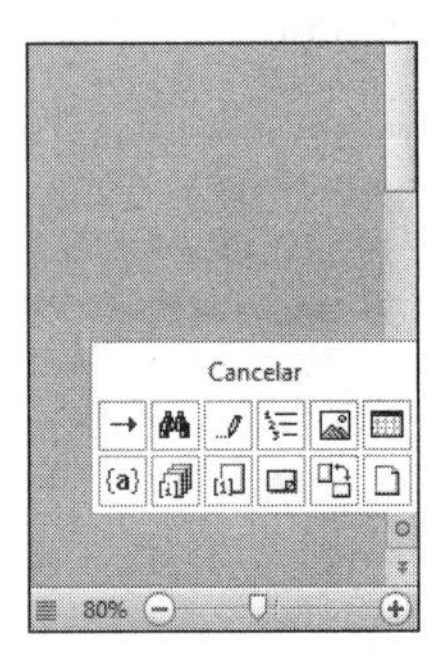

Figura 3.16. Cuadro para seleccionar un objeto de búsqueda.

3. Haga clic en **Ir a**. Para ir al elemento siguiente o anterior, haga clic en **Siguiente** o en **Anterior**.

3.4.8. Acercar o alejar un documento

La función de Zoom se utiliza para acercar o alejar la vista de un documento y ver un porcentaje mayor de la página a tamaño reducido. Para ello, utilice la barra de control deslizante de zoom de la barra de estado (véase la figura 3.17), aplicando el porcentaje de ajuste que desee usar.

Figura 3.17. La barra de control deslizante de zoom.

También puede elegir un ajuste de Zoom concreto y puede decidir qué cantidad del documento se debe presentar en pantalla. Siga uno de estos procedimientos:

1. En la ficha Vista, en el grupo Zoom, haga clic en Zoom, o bien haga clic en el porcentaje situado a la izquierda

de la barra deslizante de zoom de la barra de estado y escriba un porcentaje o elija el valor que desee (véase la figura 3.18).

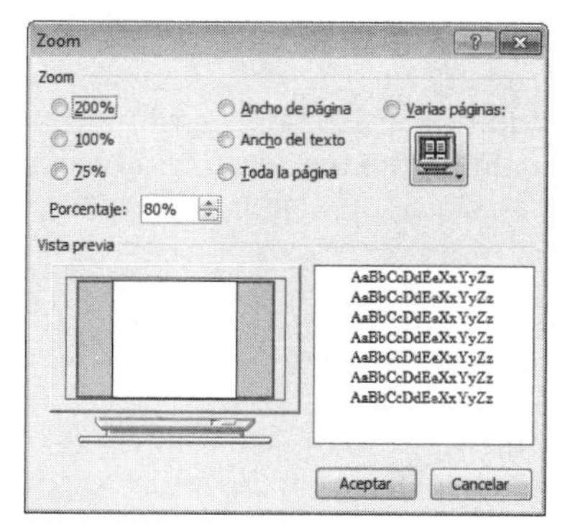

Figura 3.18. Cuadro de diálogo Zoom.

2. En la ficha Vista, en el grupo Zoom, haga clic en 100%.
3. En la ficha Vista, en el grupo Zoom, haga clic en Una página, que acerca el documento para que se ajuste la página en la ventana, Dos páginas, que acerca el documento para que dos páginas se ajusten en la ventana y, haga clic en Ancho de página para acercar el documento para que el ancho de la página coincida con el ancho de la ventana.

3.4.9. Mostrar u ocultar marcas de formato

En el grupo Párrafo de la ficha Inicio, haga clic en **Mostrar todo** (¶). Este botón no muestra u oculta todas las marcas de formato. Para configurar las marcas de formato que desee que siempre estén visibles o, por el contrario, que no se muestren, ejecute el comando Archivo>Opciones>Mostrar y en Mostrar siempre estas marcas de formato en pantalla, seleccione las casillas de las marcas de formato que desee o no desee que aparezcan siempre en sus documentos.

3.5. Trabajar con texto

Para comenzar a escribir un texto en una página en blanco, coloque el punto de inserción (barra vertical parpadeante) en el lugar donde desee escribir y, a continuación, bastará con teclear.

Puede configurar las opciones de escritura haciendo clic en la ficha Archivo, luego en Opciones y, en el menú de la izquierda, haga clic en Mostrar. Seleccione las opciones que más le convenga y haga clic en **Aceptar**. Repita este mismo procedimiento seleccionando en el menú Revisar, Guardar, Idioma y Avanzadas.

Para evitar que un texto sobrescriba a otro al colocar el punto de inserción en medio de un texto existente, desactive la opción Usar modo Sobrescribir en las opciones avanzadas de Microsoft Word.

3.5.1. Seleccionar texto

En un documento, puede seleccionar texto o elementos utilizando el ratón o el teclado. En ambos casos el texto queda resaltado (véase la figura 3.19). También puede seleccionar texto o elementos situados en distintas ubicaciones, como por ejemplo, seleccionar un párrafo en una página y una frase de otra página. Para finalizar la selección, haga clic en cualquier parte en blanco del área de trabajo.

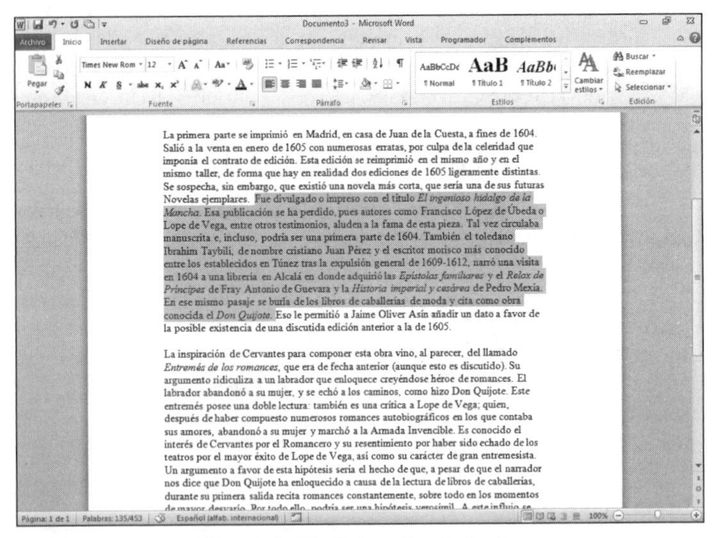

Figura 3.19. Selección de texto.

Para seleccionar texto de un documento o los elementos de una tabla con el ratón:

1. Seleccionar texto en un documento.
   - **Cualquier cantidad de texto:** Sitúe el cursor en el punto en el que desea comenzar la selección y, manteniendo presionado el botón primario del ratón, arrastre el puntero por encima del texto que desee seleccionar.
   - **Una palabra:** Haga doble clic en cualquier lugar de la palabra.
   - **Una o varias líneas de texto:** Sitúe el puntero a la izquierda de la línea hasta que cambie a una flecha abierta e inclinada a la derecha y haga clic. Si arrastra el puntero del ratón hacia arriba o hacia abajo, la selección abarcará las líneas seleccionadas que estén seguidas.
   - **Una frase:** Presione la tecla **Control** y manténgala así mientras hace clic en cualquier parte de la frase.
   - **Un párrafo:** Haga clic tres veces en cualquier lugar del párrafo.
   - **Varios párrafos:** Sitúe el puntero a la izquierda del primer párrafo hasta que cambie a una flecha abierta e inclinada a la derecha y haga doble clic. Si arrastra el puntero del ratón hacia arriba o hacia abajo, la selección abarcará los párrafos seleccionados que estén seguidos.
   - **Un bloque grande de texto:** Haga clic en el principio de la selección, desplácese hasta el final de la misma y mantenga presionada la tecla **Mayús** mientras hace clic en el punto donde desea que termine la selección.
   - **Un documento completo:** Mueva el puntero a la izquierda de cualquier página del documento hasta que cambie a una flecha abierta e inclinada hacia la derecha y haga clic tres veces.
   - **Encabezados y pies de página:** En la vista Diseño de impresión, haga doble clic en el texto del encabezado o del pie de página, mueva el puntero a la izquierda del encabezado o pie de página hasta que cambie a una flecha abierta e inclinada hacia la derecha y haga clic tres veces.
   - **Notas al pie y notas al final:** Haga clic en el texto de la nota al pie o de la nota final, mueva seguidamente el puntero a la izquierda del texto hasta que cambie a una flecha abierta inclinada hacia la derecha y haga clic tres veces.

- **Un bloque de texto vertical:** Señale el punto en el que desea comenzar la selección de texto. Haga clic en la tecla **Alt** y arrastre el puntero del ratón hasta la zona del texto donde desee terminar la selección.

2. Seleccionar elementos de una tabla.
   - **El contenido de una celda:** Haga clic en la celda. En Herramientas de tabla, haga clic en la ficha Presentación. En el grupo Tabla, haga clic en Seleccionar y, a continuación, en **Seleccionar celda**.
   - **El contenido de una fila:** Haga clic en la fila. En Herramientas de tabla, haga clic en la ficha Presentación. En el grupo Tabla, haga clic en Seleccionar y, a continuación, en **Seleccionar fila**.
   - **El contenido de una columna:** Haga clic en la columna. En Herramientas de tabla, haga clic en la ficha Presentación. En el grupo Tabla, haga clic en Seleccionar y, a continuación, en **Seleccionar columna**.
   - **El contenido de toda una tabla:** Haga clic sobre la tabla. En Herramientas de tabla, haga clic en la ficha Presentación. En el grupo Tabla, haga clic en Seleccionar y, a continuación, en **Seleccionar tabla**.

Para seleccionar el texto de un documento o los elementos de una tabla con el teclado, siga las instrucciones de las tablas 3.1 y 3.2.

Tabla 3.1. Selección de texto mediante el teclado.

Elemento	*Modo de selección*
Una o varias palabras	**Control-Mayús-Flecha derecha** más 1 clic por cada palabra a seleccionar.
Una o varias líneas	**Mayús-Inicio**, desde el punto de inserción al principio de una línea. **Mayús-Flecha abajo**, una línea hacia abajo. **Mayús-Flecha arriba**, una línea hacia arriba.
Un párrafo	**Control-Mayús-Flecha arriba**, desde el punto de inserción hasta el principio del párrafo. **Mayús-Flecha abajo**, desde el punto de inserción al final del párrafo.

Elemento	*Modo de selección*
Una pantalla	**Mayús-Av Pág**, una pantalla hacia abajo. **Mayús-Re Pág**, una pantalla hacia arriba.
Documento	**Control-Mayús-Inicio**, desde el punto inserción al principio del documento. **Control-Mayús-Fin**, desde el punto de inserción al final del documento. **Control-E**, el documento entero.

Tabla 3.2. Selección de elementos de una tabla mediante el teclado.

Elemento	*Modo de selección*
El contenido de la celda a la derecha	Presione **Tab**.
El contenido de la celda a la izquierda	Presione **Mayús-Tab**.
El contenido de celdas adyacentes	Mantenga presionada la tecla **Mayús** mientras presiona repetidamente la tecla de dirección adecuada, hasta haber seleccionado el contenido de todas las celdas que desee.
El contenido de una columna	Haga clic en la celda superior o inferior de la columna. Mantenga presionada la tecla **Mayús** mientras presiona la tecla **Flecha arriba** o **Flecha abajo** repetidamente hasta haber seleccionado el contenido de la columna.
El contenido de toda una tabla	Haga clic en la tabla y, a continuación, presione **Alt-5** en el teclado numérico.

Para seleccionar texto o elementos situados en distintas ubicaciones, siga los siguientes pasos:

1. Seleccione el texto o elemento de tabla que desee con el ratón.

2. Mantenga presionada la tecla **Control** mientras selecciona cualquier texto o cualquier elemento adicionales que desee.

3.5.2. Mover, copiar, cortar y pegar

La opción de copiar permite trasladar un texto seleccionado sin suprimirlo de su posición original, mientras que mover o cortar, son utilizados para trasladarlo suprimiéndolo de donde estaba situado anteriormente, para colocarlo mediante la opción de pegar en un punto de destino seleccionado previamente en el documento.

Si desea mover uno o varios elementos, basta con seleccionarlos y arrastrarlos, manteniendo presionado el botón primario del ratón sobre el elemento seleccionado, hasta situarlo en el lugar que desee.

Para copiar o cortar y pegar un solo elemento, puede realizar cualquiera de los siguientes procedimientos:

1. Seleccione el elemento que desee copiar o cortar y, a continuación haga clic en el comando **Copiar** ( ) o **Cortar** ( ) del grupo Portapapeles en la ficha Inicio. Para pegar el elemento, haga clic en **Pegar** ( ), situado en este mismo grupo, en el lugar donde desee ubicarlo. En Microsoft Word 2010, puede elegir entre varias opciones de pegado (véase la figura 3.20), como pegar manteniendo el formato de origen, combinando el formato o manteniendo sólo el texto. Con únicamente poner el cursor encima de las diferentes opciones de pegado, podrá ver el resultado en el documento sin ser éste modificado.

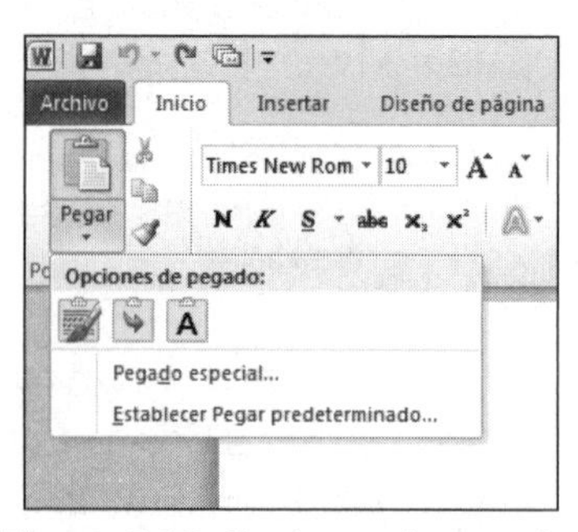

Figura 3.20. Opciones de pegado.

2. Puede realizar las operaciones anteriores utilizando el menú mostrado cuando se hace clic con el botón derecho del ratón sobre el elemento seleccionado.
3. Para mayor comodidad puede utilizar atajos de teclado. Para copiar un elemento, presione **Control-C**, para cortar, presione **Control-X** y para pegar, presione **Control-V**.

Si desea copiar o cortar y pegar varios elementos:

1. En la ficha Inicio, haga clic en el Portapapeles, y se colocará una subventana aparte a la izquierda que mostrará las diferentes palabras o grupos de texto que se han cortado o copiado.
2. Seleccione en el documento los elementos que desee. Para copiar o cortar, siga cualquiera de los procedimientos anteriormente explicados. Los elementos se irán registrando en el Portapapeles.
3. Haga clic en el lugar del documento donde desee pegar los elementos. Para pegar los elementos de uno en uno, haga clic en cada uno de ellos en el Portapapeles. Si desea pegar todos los elementos, haga clic en el botón **Pegar todo** del panel de tareas Portapapeles.

Puede configurar las opciones de copiar, cortar y pegar. Para ello haga clic en Opciones en la ficha Archivo. Seleccione en el menú la opción Avanzadas y en el apartado Cortar, Copiar y Pegar encontrará:

- Pegar dentro del mismo documento.
- Pegar entre documentos.
- Pegar entre documentos cuando haya conflicto entre definiciones de estilos.
- Pegar desde otras aplicaciones.
- Insertar o pegar imágenes como.
- Conservar viñetas y números al pegar texto con la opción Conservar sólo texto.
- Usar la tecla Insert para pegar.
- Mostrar el botón de Opciones de pegado al pegar contenido.
- Usar cortar y pegar inteligentemente.

3.5.3. Buscar y reemplazar

Puede buscar rápidamente todas las apariciones de una palabra o frase determinada. Para ello, siga estos pasos:

1. En la ficha Inicio, en el grupo Edición, haga clic en Buscar, o bien presione **Control-B**.
2. Se abrirá una subventana aparte a la izquierda (véase la figura 3.21), donde, además de buscar texto, podrá buscar gráficos, tablas, etc.

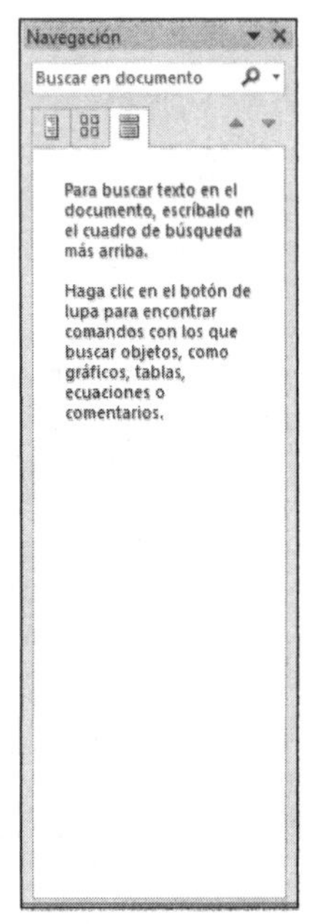

Figura 3.21. Ventana de Navegación.

3. Una vez escrito el texto a localizar, se resaltarán todos los elementos encontrados. Para moverse por los elementos encontrados, haga clic en **Siguiente** o **Anterior**.
   Los resultados se podrán examinar por títulos del documento, por páginas o por resultados de la búsqueda que esté realizando en ese momento.

Nota: *Para cancelar una búsqueda en ejecución presione la tecla* **Esc**.

Puede sustituir rápidamente todas las apariciones de una palabra o frase determinada por otra siguiendo estos pasos:

1. En la ficha Inicio, en el grupo Edición, haga clic en Reemplazar.

2. A continuación, en el cuadro Buscar, escriba el texto que quiere encontrar.
3. En el cuadro de diálogo Reemplazar con, escriba el texto de sustitución.
4. Haga clic sobre las opciones Buscar siguiente, Remplazar o Reemplazar todos.

Caracteres comodín para buscar y reemplazar elementos

Puede ampliar las búsquedas usando caracteres comodín y códigos para buscar palabras o frases que contengan letras concretas o combinaciones de letras.

1. En el grupo Edición de la ficha Inicio, haga clic sobre la opción Reemplazar.
2. Si no aparece la casilla de verificación Usar caracteres comodín, haga clic en Más.
3. Active la casilla Usar caracteres comodín.
4. Escriba un carácter comodín en el cuadro Buscar. Siga uno de estos procedimientos:
   - Para elegir un carácter comodín de una lista, haga clic en Especial, seleccione un carácter comodín y, a continuación, escriba el texto adicional en el cuadro de texto Buscar.
   - Escriba un carácter comodín directamente en el cuadro Buscar.
5. Si desea reemplazar el elemento, escriba el texto que desee usar como sustitución en el cuadro Reemplazar con.
6. Haga clic sobre las opciones Buscar siguiente, Remplazar o Reemplazar todos.

> **Nota:** *Para buscar un carácter definido como comodín, escriba una barra invertida (\) antes del carácter. Por ejemplo, escriba* **\?** *para buscar el signo de interrogación.*

3.6. Ortografía y gramática

Microsoft Word revisa automáticamente la ortografía y la gramática mientras escribe, utilizando un subrayado ondulado de color rojo para indicar los posibles errores ortográficos y un subrayado ondulado de color verde para indicar los posibles errores gramaticales.

Para poder revisar la ortografía y la gramática a la vez, siga estos pasos:

1. En el grupo Revisión de la ficha Revisar, haga clic en Ortografía y gramática.

> ***Truco:** Puede tener acceso a este comando de manera rápida agregándolo a la barra de herramientas de acceso rápido, o bien presionando* **F7**.

2. Si se encuentran errores de ortografía, se muestra un cuadro de diálogo o panel de tareas (véase la figura 3.22), con la primera palabra mal escrita detectada por el corrector ortográfico.

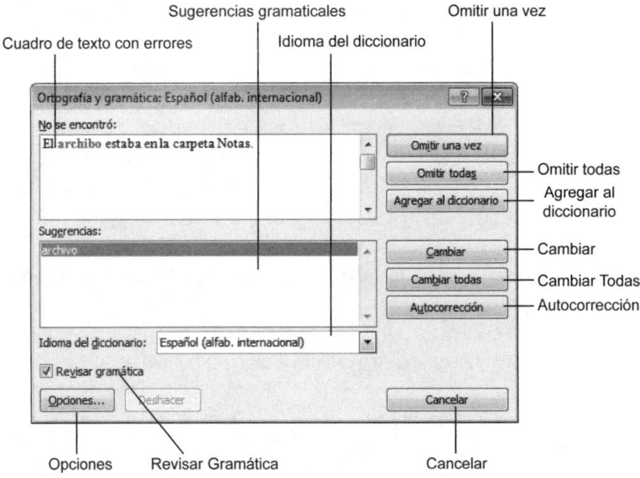

Figura 3.22. Ortografía y Gramática.

3. Después de corregir cada palabra mal escrita, se marca la siguiente palabra incorrecta para que pueda decidir qué hacer.
4. Para sustituir una palabra errónea por la correcta, seleccione con el ratón una de las sugeridas y haga clic en **Cambiar**. Si la palabra marcada no es incorrecta o simplemente no desea sustituirla, haga clic sobre el botón **Omitir todas**.
5. Si desea cerrar el cuadro de diálogo sin finalizar la corrección, haga clic en **Cancelar**.

Nota: Word revisa la ortografía y la gramática de forma predeterminada. Si desea revisar sólo la ortografía haga clic en la ficha Archivo *y, a continuación, haga clic en* Opciones. *Seleccione en el menú* Revisión *y en el apartado* Para corregir Ortografía y gramática, *desactive la casilla de verificación* Revisar gramática con ortografía. *A continuación, haga clic en* **Aceptar**.

Revisar la ortografía y la gramática automáticamente:

- Si revisa la ortografía automáticamente mientras escribe, tendrá mayor seguridad de que no deberá corregir muchos errores. Microsoft Office puede marcar palabras mal escritas mientras trabaja para que pueda identificarlas con facilidad. Puede hacer clic con el botón derecho del ratón en la palabra mal escrita para ver sugerencias de corrección. Al hacerlo en una palabra, se proporcionan otras opciones, como agregarla al diccionario u omitirla.
- Si revisa la gramática de forma automática, Word marca los posibles errores gramaticales y de estilo mientras trabaja. Puede hacer clic con el botón derecho del ratón en el error para ver más opciones, como puede ser una corrección sugerida.

Para activar o desactivar la revisión ortográfica y gramatical automática:

1. Haga clic en la pestaña Archivo.
2. Haga clic en Opciones y seleccione a continuación en el menú Revisión.
3. Para activar o desactivar la revisión ortográfica y la revisión gramatical automática para el documento abierto actualmente, siga el siguiente procedimiento:
   - En Excepciones para, haga clic en el nombre del archivo abierto actualmente.
   - Active o desactive las casillas de verificación Ocultar errores de ortografía en este documento y Ocultar errores de gramática sólo en este documento.

Para activar o desactivar la revisión ortográfica y la revisión gramatical automática para todos los documentos que cree en el futuro, siga el siguiente procedimiento:

- En Excepciones para, haga clic sobre la opción Todos los documentos nuevos.

- Active o desactive las casillas de verificación Ocultar errores de ortografía en este documento y Ocultar errores de gramática sólo en este documento.

Nota: Si desactiva la revisión ortográfica o gramatical automática de un archivo que comparte con otros usuarios, es conveniente que les notifique que ha realizado este cambio.

La revisión gramatical sólo está disponible en Microsoft Office Outlook y Microsoft Office Word. En algunas aplicaciones, también puede usar Autocorrección para corregir automáticamente la ortografía mientras escribe, sin tener que confirmar cada corrección. Por ejemplo, si escribe **acesorios** y, a continuación, escribe un espacio u otro signo de puntuación, la característica Autocorrección reemplaza automáticamente la palabra mal escrita por "accesorios". Puede utilizar la función Autocorrección para corregir errores tipográficos u ortográficos, y para insertar símbolos y otros fragmentos de texto. Está configurada de manera predeterminada con una lista de errores ortográficos y símbolos comunes, pero dicha lista se puede modificar.

Para configurar las opciones de Autocorrección:

1. Haga clic en la ficha Archivo.
2. Haga clic seguidamente sobre Opciones y seleccione en el menú Revisión.
3. En el menú Herramientas, haga clic en Opciones de Autocorrección.

3.6.1. Diccionario de sinónimos

El diccionario de sinónimos proporciona una lista de palabras que ofrece diferentes opciones ajustándose a términos similares a los que se hayan escrito. Para utilizarlo:

1. Seleccione o escriba la palabra que desee buscar.
2. En la cinta de opciones elija la ficha Revisar y haga clic en Sinónimos, dentro del grupo Revisión.
3. En la ventana Referencia que se abre de forma instantánea en el margen derecho, escriba la palabra en el cuadro Buscar y haga clic en la flecha verde.
4. Seguidamente, aparecerá una lista de sinónimos. Seleccione el que le interese haciendo clic con el ratón.

Habilitar diccionarios personalizados

El cuadro de diálogo de diccionarios personalizados (véase la figura 3.23), se puede usar para administrar los diccionarios personalizados. No obstante, ninguna de las opciones de dicho cuadro de diálogo tendrá efecto mientras no se habiliten los diccionarios personalizados.

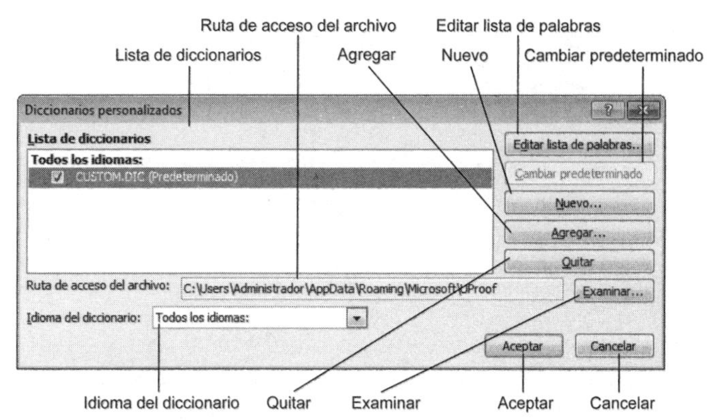

Figura 3.23. Cuadro de diálogo de Diccionarios personalizados.

Para habilitar los diccionarios personalizados, siga los siguientes pasos:

1. Haga clic en la ficha Archivo y haga clic en Opciones.
2. Seleccione Revisión en el menú.
3. Compruebe que la casilla Sólo del diccionario principal esté desactivada.
4. Haga clic en el botón alargado **Habilitar diccionarios personalizados**.
5. Haga clic en **Aceptar**.

Una vez instalado, solo tiene que repetir los pasos de búsqueda de sinónimos y comprobar las nuevas incorporaciones.

> ***Nota:*** *Puede buscar rápidamente una palabra haciendo clic con el botón derecho del ratón en cualquier lugar de un documento y seleccionando* Sinónimo *en el menú contextual.*

3.6.2. Traducir texto a otro idioma

Con Word 2010, puede traducir a otro idioma frases o párrafos, palabras individuales (mediante el Minitraductor) o traducir todo un archivo.

Para elegir el idioma de traducción, siga el siguiente procedimiento:

1. Haga clic sobre Traducir, que se encuentra en el grupo Idioma de la ficha Revisar.
2. A continuación, haga clic en Elegir idioma de traducción y aparecerá un cuadro de diálogo (véase la figura 3.24).

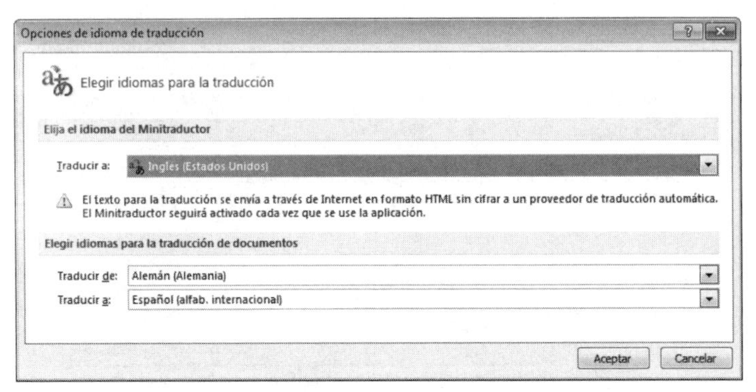

Figura 3.24. Opciones de idioma de traducción.

3. Elija los idiomas que desee y haga clic en **Aceptar**.

Traducir un archivo completo

Puede hacer que un equipo le traduzca automáticamente un archivo completo y verlo en un explorador de Internet. Cuando elige este tipo de traducción, el contenido del archivo se envía a un proveedor a través de Internet. Para ello:

1. Haga clic en Traducir, que se encuentra en el grupo Idioma de la ficha Revisar.
2. Una vez elegido el idioma, como se ha explicado anteriormente, haga clic en Traducir documento ( ).
3. En el cuadro de diálogo Traducir un documento completo, haga clic en **Enviar**. Se abrirá una sesión del explorador con el texto traducido al idioma seleccionado.

Traducir un texto seleccionado

Para traducir una frase, oración o párrafo, realice los pasos anteriores, pero esta vez haciendo clic en Traducir texto seleccionado ( ). El resultado se mostrará en la ventana Referencia, que aparece en la parte derecha de la ventana. Puede realizar una traducción rápidamente haciendo clic con el botón derecho del ratón en el texto seleccionado y seleccionando **Traducir** en el menú contextual.

Traducción con el Minitraductor

Cuando coloca el puntero del cursor sobre una palabra, el Minitraductor muestra la traducción de ésta. Para ello:

1. En la ficha **Revisar**, en el grupo **Idioma**, seleccione **Traducir** y, a continuación, haga clic en **Minitraductor** ( ).
2. Coloque el puntero del ratón sobre la palabra que desee que se traduzca y aparecerá un cuadro como el mostrado (véase la figura 3.25).

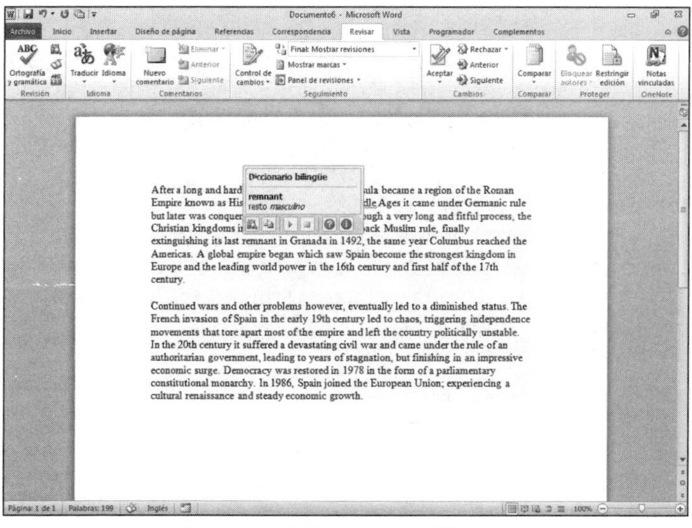

Figura 3.25. Diccionario Bilingüe.

3.7. Formato y estilo de un documento

3.7.1. Márgenes de página

Los márgenes de página son el espacio en blanco que queda alrededor de los bordes de una página. Generalmente, el texto, las imágenes y otros elementos se insertan en el área de impresión situada entre los márgenes. No obstante, algunos elementos pueden colocarse en los márgenes, como por ejemplo, los encabezados, pies de página y los números de página. Microsoft Word ofrece varias opciones de márgenes de página. Se pueden usar los márgenes predeterminados o bien especificar otros personalizados.

- **Agregar márgenes de encuadernación:** Los márgenes de encuadernación se usan para agregar espacio adicional a los márgenes lateral o superior de un documento que se va a encuadernar. Un margen de encuadernación evita que se oculte texto al encuadernar un documento. Véase la figura 3.26 (1).
- **Establecer márgenes para páginas opuestas:** Utilice márgenes simétricos para configurar páginas opuestas en documentos de doble cara, como libros o revistas. En este caso, los márgenes de la página izquierda son una imagen simétrica de los de la derecha; es decir, los márgenes interiores y exteriores son del mismo ancho en las dos páginas. Véase la figura 3.26 (2).
- **Agregar un libro plegado:** Mediante la opción Libro plegado del cuadro de diálogo Configurar página, se puede crear un folleto. Esta misma opción se puede usar para crear un menú, invitación, programa de un evento o cualquier otro tipo de documento que utilice un solo plegado central. Word inserta un único plegado central para libro. Véase la figura 3.27 (1).

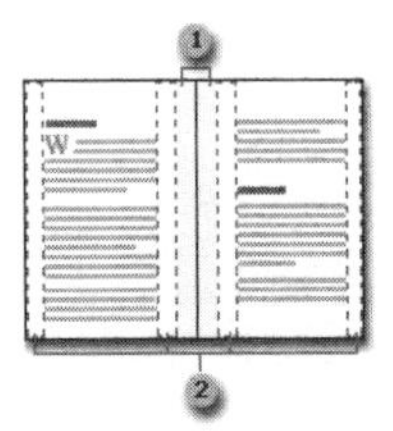

Figura 3.26. Márgenes simétricos y de encuadernación.

Figura 3.27. Plegado central.

Cambiar o establecer los márgenes de página

1. En la ficha Diseño de página, en el grupo Configurar página, haga clic en Márgenes.
2. Haga clic en el tipo de margen deseado (véase la figura 3.28) y todo el documento cambiará para utilizar el tipo de margen seleccionado.

Normal			
Sup.:	2,5 cm	Inf.:	2,5 cm
Izda.:	3 cm	Dcha.:	3 cm
Estrecho			
Sup.:	1,27 cm	Inf.:	1,27 cm
Izda.:	1,27 cm	Dcha.:	1,27 cm
Moderado			
Sup.:	2,54 cm	Inf.:	2,54 cm
Izda.:	1,91 cm	Dcha.:	1,91 cm
Ancho			
Sup.:	2,54 cm	Inf.:	2,54 cm
Izda.:	5,08 cm	Dcha.:	5,08 cm
Reflejado			
Superior:	2,54 cm	Inferior:	2,54 cm
Interior:	3,18 cm	Exterior:	2,54 cm

Márgenes personalizados...

Figura 3.28. Galería tipos de Márgenes.

3. También puede utilizar su propia configuración de márgenes. Haga clic en Márgenes, después en Márgenes personalizados y, a continuación, en los cuadros Superior, Inferior, Izquierdo y Derecho, véase la figura 3.29, escriba los nuevos valores de los márgenes.

Otras configuraciones de interés:

- *Para cambiar los márgenes predeterminados, haga clic en* Márgenes *y, a continuación, haga clic en* Márgenes personalizados. *Haga clic en el botón* **Establecer como predeterminado** *que está situado en la esquina inferior izquierda y haga clic en* **Sí**.
- *Para cambiar los márgenes de una parte del documento, seleccione el texto y seguidamente establezca los márgenes que desee usar. En el cuadro de diálogo* Configurar página, *en el cuadro* Aplicar a, *haga clic en* **Texto seleccionado.** *Microsoft Word inserta automáticamente saltos de sección antes y después del texto que tiene los márgenes nuevos.*

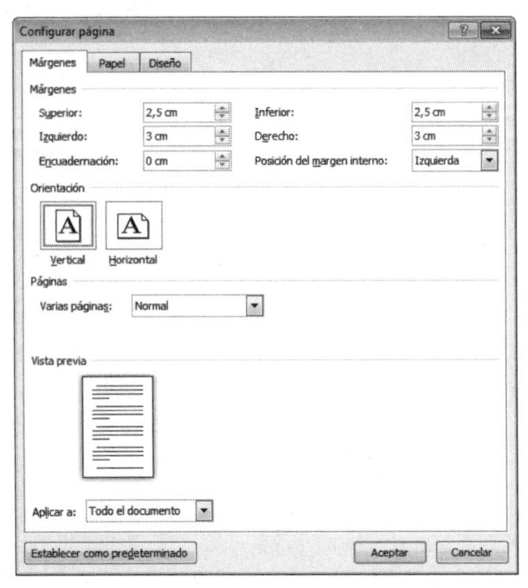

Figura 3.29. Cuadro de diálogo Configuración de márgenes.

Ver los márgenes de página

Los márgenes de página aparecen como líneas de puntos en el documento. Para mostrar estas líneas:

1. Haga clic sobre la ficha Archivo y, luego haga clic en Opciones.
2. Seleccione Avanzadas en el menú, y en el apartado Mostrar contenido de documento, active la casilla de verificación Mostrar límites de texto.

Establecer márgenes de páginas opuestas

Cuando se eligen márgenes simétricos, los márgenes de la página izquierda son una imagen simétrica de los de la derecha; es decir, los márgenes interiores y exteriores son del mismo ancho en las dos páginas.

1. En el grupo Configurar página de la ficha Diseño de página, haga clic en Márgenes.
2. En los distintos tipos de márgenes que se muestran, haga clic en Reflejado.
3. Para cambiar el ancho de los márgenes, haga clic en Márgenes, después en Márgenes personalizados y, por último, en los cuadros Interior y Exterior, escriba los valores de ancho que desea utilizar.

Establecer márgenes de encuadernación de documentos encuadernados

La configuración de un margen de encuadernación agrega espacio adicional a los márgenes lateral o superior de un documento que se va a encuadernar. Los márgenes de encuadernación ayudan a evitar que quede texto oculto al encuadernar un documento.

1. En el grupo Configurar página de la ficha Diseño de página, haga clic en Márgenes.
2. Haga clic en Márgenes personalizados.
3. En la lista Varias páginas, haga clic en Normal.
4. En el cuadro Encuadernación, escriba un valor para el ancho del margen de encuadernación.
5. En el cuadro Posición del margen interno, haga clic en Izquierda o en Superior.

> ***Nota:*** *El cuadro* Posición del margen interno *no está disponible cuando se utiliza la opción* Márgenes simétricos, Dos páginas por hoja *o* Libro plegado. *Para dichas opciones, la posición de margen de encuadernación se determina automáticamente.*

3.7.2. Seleccionar la orientación de la página

Se puede elegir orientación vertical u horizontal para todo el documento o parte del mismo. Cuando se cambia la orientación, también cambian las galerías de páginas y de portadas prediseñadas.

Para cambiar la orientación en todo el documento:

1. En la ficha Diseño de página, en el grupo Configurar página, haga clic en Orientación.
2. Seguidamente, haga clic en Vertical o en Horizontal (véase la figura 3.30).

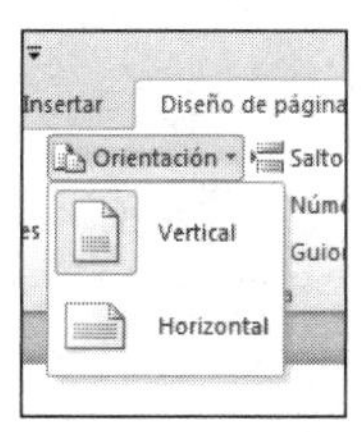

Figura 3.30. Orientación de página.

Utilizar las orientaciones vertical y horizontal en un mismo documento:

1. Seleccione las páginas o párrafos cuya orientación desee cambiar a vertical u horizontal.
2. En la ficha Diseño de página, en el grupo Configurar página, haga clic en Márgenes.
3. Haga clic en Márgenes personalizados.
4. En la ficha Márgenes, haga clic en Vertical u Horizontal.
5. En la lista Aplicar a, haga clic en Texto seleccionado.

> ***Nota:*** *Si selecciona parte del texto de una página pero no todo para cambiar la orientación a vertical u horizontal, Word coloca el texto seleccionado en su propia página y el texto anterior o posterior en páginas independientes. Insertará automáticamente saltos de sección antes y después del texto que tiene la nueva orientación de página.*

3.7.3. Seleccionar tamaño del papel

1. En la ficha Diseño de página, en el grupo Configurar página, haga clic en Tamaño, y aparecerá un menú desplegable, véase la figura 3.31.

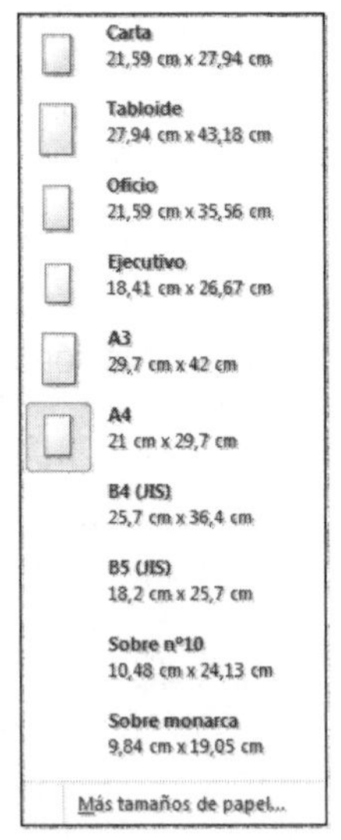

Figura 3.31. Galería de tamaños de papel.

2. Si desea configurar un tamaño de papel específico, haga clic en **Más Tamaños de papel**. Se mostrará el cuadro de diálogo de configuración de página, seleccione la ficha **Papel** en el que podrá escoger las dimensiones de la tabla sobre la que desea trabajar, las medidas latitudinales y longitudinales, Origen, Vista Previa y Aplicación (véase la figura 3.32).

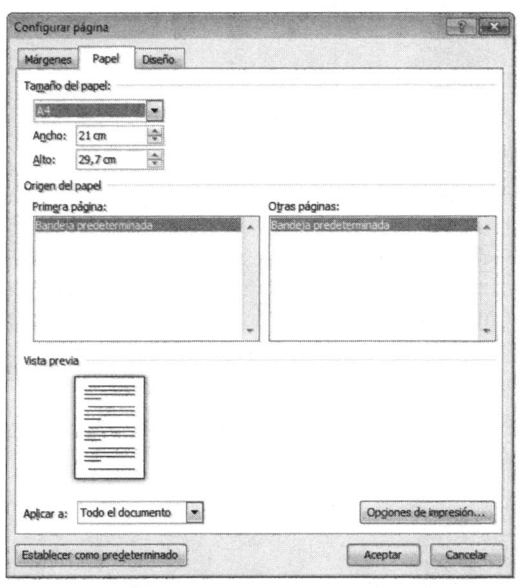

Figura 3.32. Cuadro de Configuración del tamaño de papel.

> ***Nota:*** *Para cambiar el tamaño del papel de una parte del documento, seleccione las páginas y, seguidamente, cambie el tamaño del papel según el procedimiento habitual. En el cuadro* Aplicar a, *haga clic en* Texto seleccionado. *Microsoft Word inserta saltos de sección antes y después de las páginas con el nuevo tamaño de papel.*

3.7.4. Escribir en columnas

Puede dividir u organizar el texto del documento en diferentes columnas.

1. En primer lugar, seleccione el texto que desea organizar en columnas.

2. En la ficha Diseño de página, en el grupo Configurar página, haga clic en Columnas, y aparecerá un menú desplegable, véase la figura 3.33.

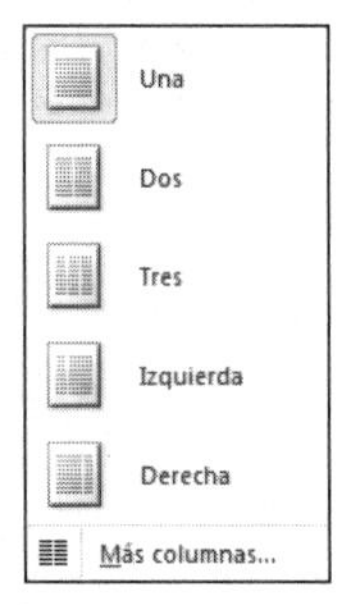

Figura 3.33. Galería de tipos de columnas.

3. Para configurar el ancho y el espaciado de las columnas, o el número de las mismas, haga clic en Más columnas. Se mostrará el cuadro de diálogo de configuración de columnas donde podrá introducir los valores deseados (véase la figura 3.34).

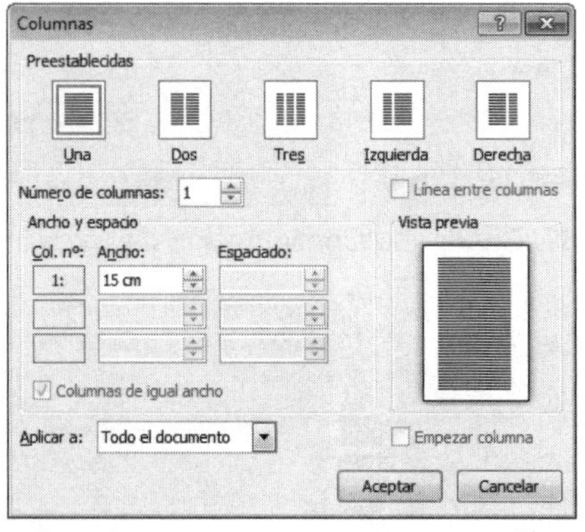

Figura 3.34. Cuadro de Configuración de columnas.

4. En la lista desplegable Aplicar a, seleccione la opción Texto seleccionado.

Nota: *Si desea que el ancho de columnas sea homogéneo, para dejar la distancia de los márgenes en blanco, utilice las flechas de posición de la regla superior del área de trabajo.*

3.7.5. Encabezado, pie y número de página

Los encabezados y pies de página son áreas de los márgenes superior, inferior y laterales de cada página de un documento que sirven para insertar texto o gráficos, como por ejemplo el título del documento, logotipos, fechas, o número de la página del documento.

Puede agregar números de página, encabezados y pie de página mediante la galería o bien puede crear un número de página, encabezado o pie de página personalizado.

Agregar un número de página desde la galería:

1. En el grupo Encabezado y pie de página de la ficha Insertar, haga clic en Número de página.
2. Haga clic en la ubicación del número de página que desee y, en la galería, desplácese por las opciones y, a continuación, haga clic en el formato de número de página que desee.
3. Para volver nuevamente al cuerpo del documento, haga clic en Cerrar encabezado y pie de página (véase la figura 3.35) en la ficha Diseño en Herramientas para encabezado y pie de página.

Figura 3.35. Cerrar encabezado y pie de página.

Agregar un número de página personalizado:

1. Haga doble clic en el área del encabezado o en el área del pie de página (cerca de la parte superior de la página o cerca de la parte inferior). De esta forma se abre la ficha Diseño en Herramientas para encabezado y pie de página.
2. En el grupo Insertar, haga clic en Elementos rápidos y, a continuación, en Campo (véase la figura 3.36).
3. En la lista Nombres del campo, haga clic en Página, y haga clic en **Aceptar**.
4. Para cambiar el formato de numeración, haga clic en Número de página, en el grupo Encabezado y pie de página de la ficha Insertar, y haga clic en Formato de número de página (véase la figura 3.37).

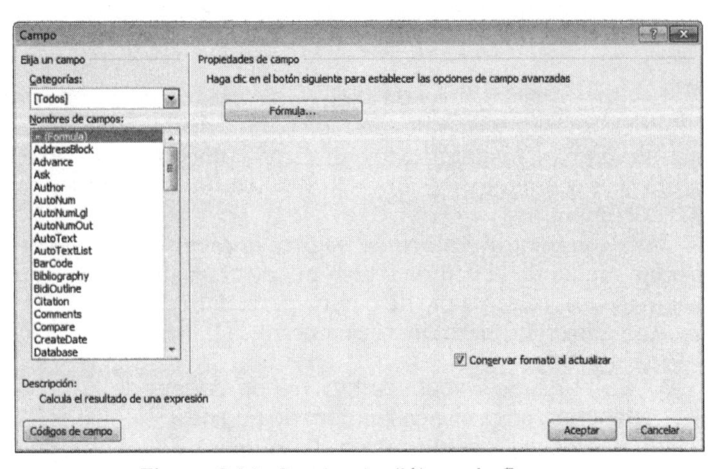

Figura 3.36. Cuadro de diálogo de Campo.

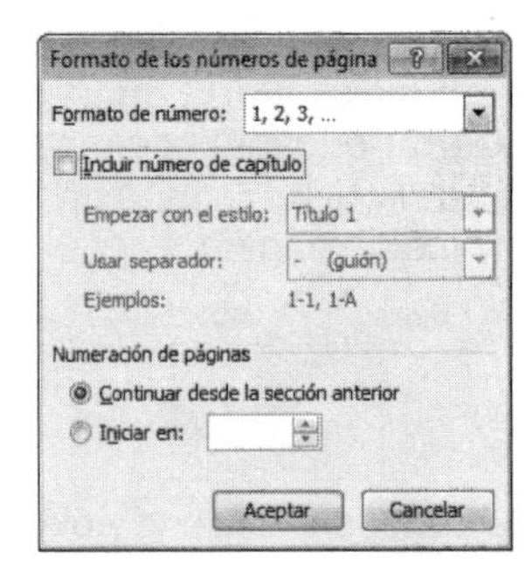

Figura 3.37. Cuadro de diálogo de Formato de los números de página.

5. Para volver al cuerpo del documento, haga clic en Cerrar encabezado y pie de página en la ficha Diseño en Herramientas para encabezado y pie de página.

Agregar un encabezado o pie de página desde la galería:

1. En el grupo Encabezado y pie de página de la ficha Insertar, haga clic en Encabezado o en Pie de página.
2. Haga clic en el encabezado o pie de página que desea agregar al documento.
3. Para volver al cuerpo del documento, haga clic sobre la opción Cerrar encabezado y pie de página que se encuentra en la ficha Diseño en Herramientas para encabezado y pie de página.

Agregar un encabezado o pie de página de forma personalizada:

1. Haga doble clic en el área del encabezado o en el área del pie de página (cerca de la parte superior de la página o cerca de la parte inferior). De esta forma se abre la ficha Diseño en Herramientas para encabezado y pie de página.
2. Siga uno de estos pasos:
   - Escriba la información que desea que aparezca en el encabezado.
   - Agregue un código de campo, para ello, en el grupo Insertar, haga clic en Elementos rápidos y, a continuación, en Campo. Haga clic en el campo que desee en la lista Nombres de campo.
     Algunos ejemplos de información que puede agregar mediante el uso de campos son **Page** (para número de página), **NumPages** (para el número total de páginas del documento) y **FileName** (puede incluir una ruta de acceso del archivo).
3. Para volver al cuerpo del documento, haga clic en Cerrar encabezado y pie de página en la ficha Diseño en Herramientas para encabezado y pie de página.

Agregar encabezados y pies de página o números de página diferentes en distintas partes:

1. Haga clic al comienzo de la página en la que desee iniciar, terminar o cambiar el encabezado, el pie de página o la numeración de la página.
2. En el grupo Configurar página de la ficha Diseño de página, haga clic en Saltos (véase la figura 3.38).
3. En Saltos de sección, haga clic en Página siguiente.
4. Haga doble clic en el área del encabezado o en el área del pie de página (cerca de la parte superior de página o cerca de la parte inferior). De esta forma se abre la ficha Diseño en Herramientas para encabezado y pie de página.
5. En Diseño, en el grupo Navegación, haga clic en Vincular al anterior para desactivarlo.
6. Sigue los pasos anteriormente explicados para agregar un número de página, agregar un encabezado o un pie de página.
7. Para volver al cuerpo del documento, haga clic en Cerrar encabezado y pie de página en la ficha Diseño en Herramientas para encabezado y pie de página.

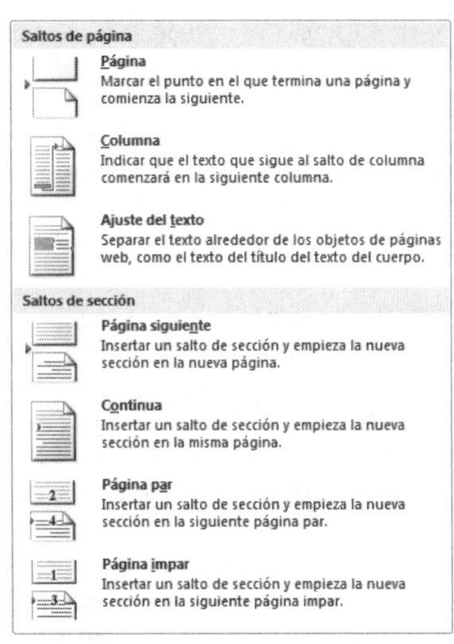

Figura 3.38. Tipos de Saltos.

Agregar encabezados y pies de página o números de página diferentes en páginas impares y pares:

1. Haga doble clic en el área del encabezado o en el área del pie de página (cerca de la parte superior de la página o cerca de la parte inferior). De esta forma se abre la ficha Diseño en Herramientas para encabezado y pie de página.
2. En la ficha Diseño, en el grupo Opciones, active la casilla de verificación Páginas pares e impares diferentes.
3. En una de las páginas impares, agregue el encabezado, pie de página o número de página que desee para las impares.
4. En una de las páginas pares, agregue el encabezado, pie de página o número de página que desee para las pares.

Quitar números de página, encabezados y pies de página:

1. Haga doble clic en el encabezado, pie de página o número de página.
2. Seleccione el encabezado, pie de página o bien el número de página.
3. Presione **Supr**.
4. Repita los pasos del 1 al 3 en cada sección que tenga un encabezado, pie de página o número de página diferente.

3.7.6. Formato de texto

Aplicar formato de texto

Para cambiar el aspecto de un texto, puede cambiarlo añadiéndole color, un tipo y un tamaño de letra, color de fondo, entre otros. Para ello, haga clic en la ficha Inicio y, en el grupo Fuente (véase la figura 3.39), nos encontramos las funciones habituales de formato de texto como son Tipo de fuente, Estilo, Tamaño, Color, Subrayado y Efectos.

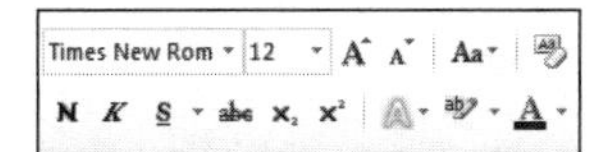

Figura 3.39. Comandos de aplicación de formato de texto.

> ***Nota:*** *Puede utilizar algunas de estas funciones seleccionando un texto y automáticamente aparecerá un menú contextual con dichas funciones.*

Para establecer un formato predeterminado, presione **Control-M** y aparecerá un cuadro de diálogo (véase la figura 3.40). Una vez seleccionadas las opciones deseadas, haga clic en Establecer como predeterminado. Puede aplicarse a todos los documentos o sólo al que esté utilizando en ese momento. Haga clic en **Aceptar**.

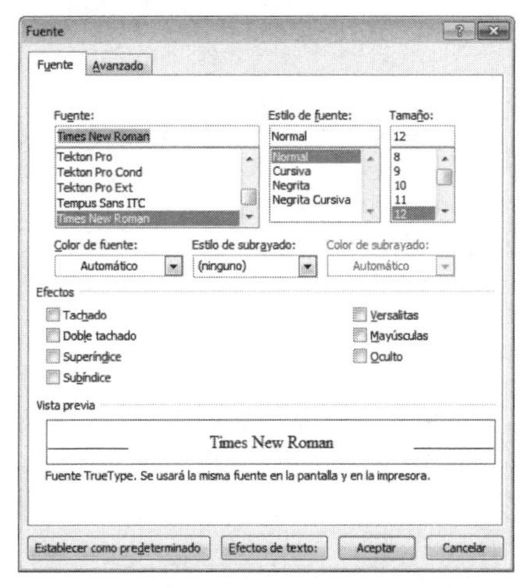

Figura 3.40. Cuadro de diálogo de Fuente.

Función Autoformato

La función Autoformato puede facilitar y agilizar la entrada de cierto tipo de texto. Para ver y modificar las opciones de formato automático, proceda como se indica a continuación:

1. Haga clic sobre la ficha Archivo y, a continuación en Opciones.
2. Haga clic en Revisión.
3. Haga clic en el botón-barra Opciones de Autocorrección.
4. Haga clic en la ficha Autoformato mientras escribe.
5. Seleccione o desactive las casillas de verificación de las opciones que desea activar o desactivar.

Copiar o borrar un formato

- Para copiar el formato de un texto y aplicarlo en otro, seleccione el texto con el formato que desee copiar y haga clic en Copiar formato ( ), en el grupo Portapapeles de la ficha Inicio. A continuación, seleccione el texto sobre el que desea aplicar el formato.
- Para deshacerse de todos los estilos, efectos de texto y formatos de fuente aplicados a un documento, haga clic en Borrar formato ( ), en el grupo Fuente de la ficha Inicio.

3.7.7. Estilo de texto

Para aplicar un estilo a una selección de texto, es tan fácil como hacer clic en la galería Estilos.

1. Seleccione el texto al que desea aplicar un estilo.
   Por ejemplo, puede seleccionar texto que desea convertir en un título. Si desea cambiar el estilo de todo un párrafo, haga clic en cualquier lugar del mismo.
2. En la ficha Inicio, dentro del grupo Estilos, haga clic en el estilo que desea usar. Si no encuentra el estilo apropiado, haga clic en el botón **Cambiar estilos** ( ) para ampliar la galería Estilos.

> ***Nota:*** *Puede ver el aspecto que presentará el texto con un estilo particular colocando el puntero sobre el estilo del que desea obtener una vista previa.*

Puede insertar un texto decorativo con WordArt, al que se le puede realizar cambios, como el tamaño de fuente y el color del texto, mediante las opciones de herramientas de dibujo disponibles automáticamente después de insertar o seleccionar el elemento de WordArt en un documento.

1. Haga clic donde desee insertar texto decorativo en un documento.
2. En la ficha Insertar, en el grupo Texto, haga clic en WordArt.
3. Haga clic en cualquier estilo de WordArt y comience a escribir.

3.7.8. Párrafos

Los párrafos pueden alinearse en diferentes partes del documento. Puede alinearse a la derecha, al centro, a la izquierda o, pueden justificarse, es decir, se crea una apariencia homogénea en los laterales izquierdo y derecho de la página. También se puede cambiar el espaciado entre líneas de texto y aumentar y disminuir la sangría de un párrafo.

El interlineado determina la cantidad de espacio en sentido vertical entre las líneas de texto de un párrafo. El espacio entre párrafos determina la cantidad de espacio encima o debajo de un párrafo. De forma predeterminada, las líneas se separan con espacio simple, con un espacio ligeramente mayor a continuación de cada párrafo.

Cambiar el interlineado

Si una línea contiene un carácter de texto grande, un gráfico o una fórmula, Office Word aumentará el espaciado de esa línea.

Para espaciar uniformemente las líneas de un párrafo, utilice un interlineado exacto y especifique el interlineado necesario para que quepa el carácter o gráfico de mayor tamaño de la línea. Si los elementos aparecen cortados, aumente el interlineado.

1. Seleccione el párrafo cuyo interlineado desea cambiar.
2. En la ficha Inicio, en el grupo Párrafo, haga clic en Interlineado.

Siga uno de estos procedimientos:

- Para aplicar una nueva configuración, haga clic en el número de espacios entre líneas que desea usar.
  Por ejemplo, si hace clic en 2,0, el texto seleccionado se separa con doble espacio.

- Para definir medidas de espaciado más precisas, haga clic en el Iniciador del cuadro de diálogo Párrafo, véase la figura 3.41, donde puede seleccionar las opciones deseadas en Espaciado.

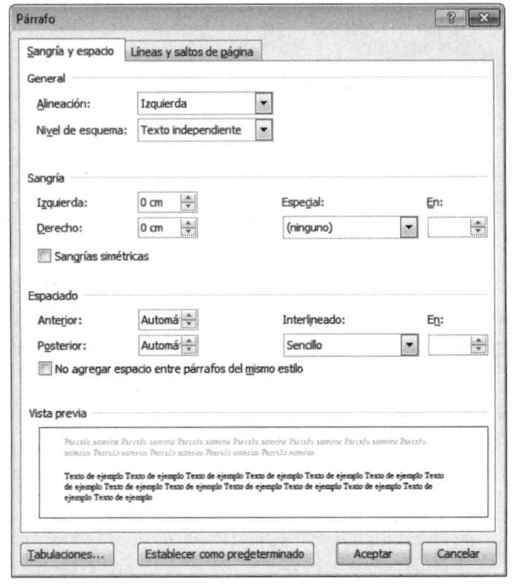

Figura 3.41. Cuadro de diálogo Párrafo.

Opciones de interlineado:

- **Sencillo:** Esta opción se ajusta a la fuente de mayor tamaño de esa línea, más una pequeña cantidad de espacio adicional. La cantidad de espacio adicional varía dependiendo de la fuente utilizada.
- **1,5 líneas:** Esta opción corresponde a una vez y media el interlineado sencillo.
- **Doble:** Esta opción equivale al doble del interlineado sencillo.
- **Mínimo:** Con esta opción se define el interlineado mínimo necesario para ajustarse a la fuente o el gráfico de mayor tamaño de la línea.
- **Exacto:** Esta opción establece un interlineado fijo que no ajusta Microsoft Office Word.
- **Múltiple:** En esta opción se establece un interlineado que aumenta o reduce el interlineado sencillo en un porcentaje que especifique. Por ejemplo, al definir un interlineado de 1,2 se aumentará el espaciado en un 20 por 100.

Cambiar el espaciado de delante o de detrás de los párrafos. De forma predeterminada, el espaciado se aumenta ligeramente en los párrafos siguientes:

1. Seleccione los párrafos situados delante o detrás del párrafo cuyo interlineado desea cambiar.
2. Seguidamente, en la ficha Diseño de página, en el grupo Párrafo, haga clic en la flecha de desplazamiento situada junto a Espaciado antes de o Espaciado después de, y escriba la cantidad de espacio que desea, véase la figura 3.42.

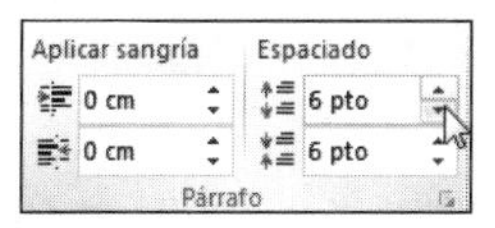

Figura 3.42. Aplicar espaciado a los párrafos.

La sangría establece la distancia del párrafo respecto al margen izquierdo o derecho. Entre los márgenes, puede aumentar o disminuir la sangría de un párrafo o un grupo de párrafos. Además, puede crear una sangría negativa (también denominada anulación de sangría), que empuja el párrafo hacia el margen izquierdo. Asimismo puede crear una sangría francesa, que no aplica la sangría a la primera línea del párrafo, pero sí a las líneas siguientes.

Aplicar sangría sólo a la primera línea de un párrafo:

1. Haga clic delante de la línea a la que desee aplicar sangría.
2. En la ficha Diseño de página, haga clic en el Iniciador del cuadro de diálogo Párrafo y, a continuación, haga clic en la ficha Sangría y espaciado.
3. En la lista Especial de la sección Sangría, haga clic en Primera línea ( ) y, a continuación, en el cuadro En, establezca la cantidad de espacio que desee que tenga la sangría de la primera línea (véase la figura 3.43).

Nota: *Se aplicará sangría a la primera línea de ese párrafo y a la de todos los párrafos siguientes que escriba. No obstante, a los párrafos existentes antes del párrafo seleccionado se debe aplicar la sangría manualmente mediante el mismo procedimiento.*

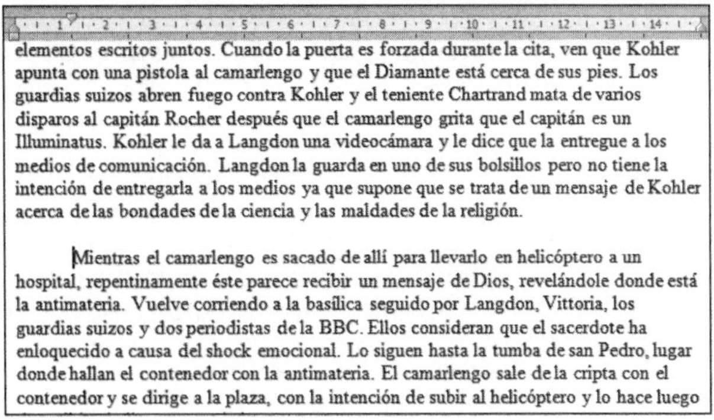

elementos escritos juntos. Cuando la puerta es forzada durante la cita, ven que Kohler apunta con una pistola al camarlengo y que el Diamante está cerca de sus pies. Los guardias suizos abren fuego contra Kohler y el teniente Chartrand mata de varios disparos al capitán Rocher después que el camarlengo grita que el capitán es un Illuminatus. Kohler le da a Langdon una videocámara y le dice que la entregue a los medios de comunicación. Langdon la guarda en uno de sus bolsillos pero no tiene la intención de entregarla a los medios ya que supone que se trata de un mensaje de Kohler acerca de las bondades de la ciencia y las maldades de la religión.

Mientras el camarlengo es sacado de allí para llevarlo en helicóptero a un hospital, repentinamente éste parece recibir un mensaje de Dios, revelándole donde está la antimateria. Vuelve corriendo a la basílica seguido por Langdon, Vittoria, los guardias suizos y dos periodistas de la BBC. Ellos consideran que el sacerdote ha enloquecido a causa del shock emocional. Lo siguen hasta la tumba de san Pedro, lugar donde hallan el contenedor con la antimateria. El camarlengo sale de la cripta con el contenedor y se dirige a la plaza, con la intención de subir al helicóptero y lo hace luego

Figura 3.43. Sangría a primera línea de un párrafo.

Aumentar o disminuir la sangría izquierda de un párrafo completo:

1. Seleccione el párrafo que desee cambiar.
2. En la ficha Diseño de página, en el grupo Párrafo, haga clic en las flechas situadas junto a Sangría izquierda para aumentar o reducir la sangría izquierda del párrafo.

Aumentar o disminuir la sangría derecha de un párrafo completo:

1. Seleccione el párrafo que desee cambiar.
2. En la ficha Diseño de página, en el grupo Párrafo, haga clic en las flechas situadas junto a Sangría derecha para aumentar o reducir la sangría derecha del párrafo.

Establecer una sangría utilizando la tecla **Tab**:

1. Haga clic en la ficha Archivo y, a continuación, haga clic en Opciones.
2. Haga clic en Revisión.
3. En Configuración de Autocorrección, haga clic en Opciones de Autocorrección y, a continuación, en la ficha Autoformato mientras escribe.
4. Active luego la casilla de verificación Establecer la primera sangría y la sangría izquierda con tabulaciones y retrocesos.
5. Para aplicar sangría a la primera línea de un párrafo, haga clic delante de la línea. Para aplicar sangría a un párrafo completo, haga clic delante de cualquier línea que no sea la primera.

6. Presione la tecla **Tab**. La figura 3.44 muestra un texto con la sangría aplicada.

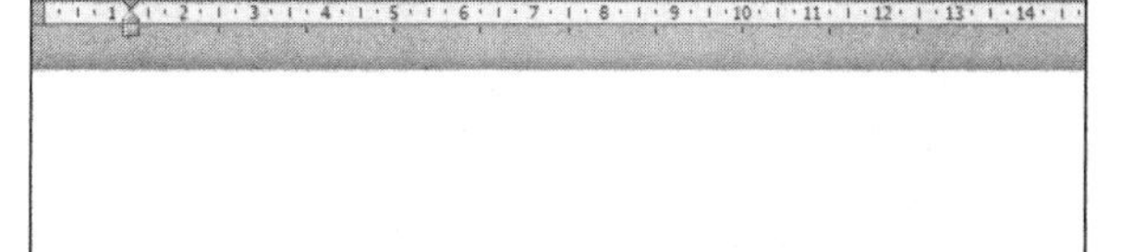

En 1854, cuando el Partido Whig se desintegró, Lincoln fue uno de los miembros fundadores del Partido Republicano en su Estado de Illinois. Durante su campaña para el Senado de los Estados Unidos contra Stephen A. Douglas, fue su conocido don de la oratoria el que atrajo el apoyo público para una candidatura poco conocida. Lincoln debatió a Douglas en una serie de acontecimientos que representaron una discusión nacional sobre las cuestiones que estuvieron a punto de dividir la nación.

En la Convención Nacional del Partido Republicano del año 1860, celebrada en la ciudad de Chicago, Lincoln se enfrentó a varios Pre-Candidatos republicanos poderosos que aspiraban a la Candidatura Presidencial del partido. En la tercera votación de la Convención, efectuada el día 16 de mayo de 1860, Lincoln derrotó a sus compañeros de partido y se convirtió en el candidato oficial del partido para la Presidencia de los Estados Unidos.

El Partido Demócrata se dividió; los demócratas de los Estados del Norte postularon la candidatura presidencial de Stephen A. Douglas (el mismo que había derrotado a

Figura 3.44. Sangría a párrafo completo.

> ***Truco:** Para quitar la sangría, presione la tecla* **Retroceso** *antes de mover el punto de inserción. También puede hacer clic en el comando* Deshacer *de la* Barra de herramientas de acceso rápido.

Aplicar sangría a todas las líneas de un párrafo excepto a la primera:

1. Seleccione el párrafo a cuyas líneas, excepto la primera, desee aplicar sangría, lo que también se conoce como sangría francesa.
2. En la regla horizontal, arrastre el marcador Sangría francesa (⌂) hasta la posición en la que desee que comience la sangría. Véase la figura 3.45.

Si no aparece la regla horizontal situada en la parte superior del documento, haga clic en el botón **Ver regla** de la parte superior de la barra de desplazamiento vertical.

Utilizar medidas precisas para establecer una sangría francesa

Para establecer con mayor precisión una sangría francesa, se pueden seleccionar opciones en la ficha Sangría y espaciado.

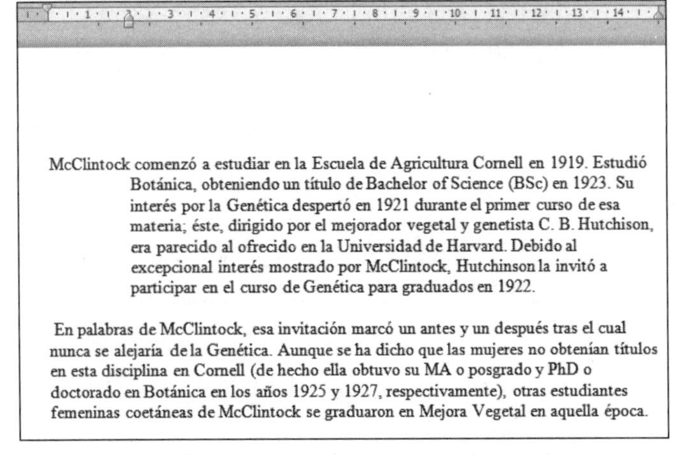

McClintock comenzó a estudiar en la Escuela de Agricultura Cornell en 1919. Estudió Botánica, obteniendo un título de Bachelor of Science (BSc) en 1923. Su interés por la Genética despertó en 1921 durante el primer curso de esa materia; éste, dirigido por el mejorador vegetal y genetista C. B. Hutchison, era parecido al ofrecido en la Universidad de Harvard. Debido al excepcional interés mostrado por McClintock, Hutchinson la invitó a participar en el curso de Genética para graduados en 1922.

En palabras de McClintock, esa invitación marcó un antes y un después tras el cual nunca se alejaría de la Genética. Aunque se ha dicho que las mujeres no obtenían títulos en esta disciplina en Cornell (de hecho ella obtuvo su MA o posgrado y PhD o doctorado en Botánica en los años 1925 y 1927, respectivamente), otras estudiantes femeninas coetáneas de McClintock se graduaron en Mejora Vegetal en aquella época.

Figura 3.45. Ejemplo de sangría francesa.

1. En la ficha Diseño de página, haga clic en el Iniciador del cuadro de diálogo Párrafo y, a continuación, haga clic en la ficha Sangría y espaciado (véase la figura 3.46).

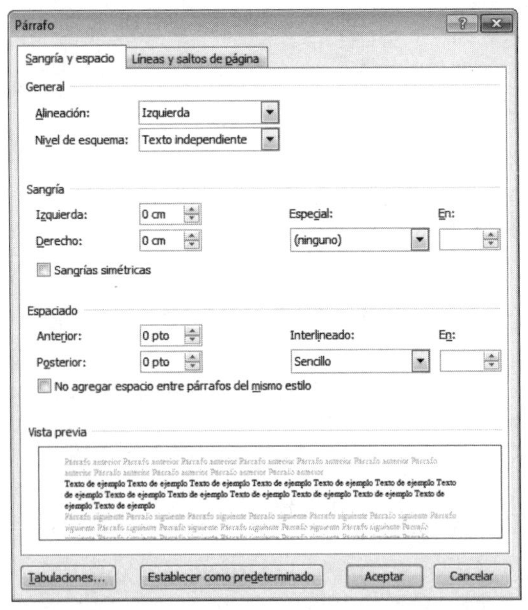

Figura 3.46. Cuadro de Sangría y espaciado.

2. En la lista **Especial** de la sección **Sangría**, haga clic en **Francesa** y, a continuación, en el cuadro **En**, establezca la cantidad de espacio que desee que tenga dicha sangría.

Crear sangría negativa:

1. Seleccione el texto o el párrafo que desee que se extienda dentro del margen izquierdo.
2. En la ficha **Diseño de página**, en el grupo **Párrafo**, haga clic en la flecha abajo del cuadro **Sangría izquierda**. Continúe haciendo clic en la flecha abajo hasta que el texto seleccionado esté colocado donde desee en el margen izquierdo.

3.7.9. Tabulaciones

Las tabulaciones se suelen usar para crear documentos a los que resulte fácil aplicar formato, pero las opciones de diseño del documento de Microsoft Office Word 2010 pueden realizar el trabajo automáticamente.

Por ejemplo, se puede crear fácilmente una tabla de contenido o un índice sin ajustar una sola tabulación. También se pueden utilizar las opciones de tabla y encabezado y pie de página prediseñadas de Office Word 2010.

> ***Nota:** Además, esta nueva versión proporciona páginas prediseñadas, como portadas y diversas opciones de diseño de página, que hacen que las tabulaciones no sean necesarias.*

Establecer las tabulaciones

Puede que desee utilizar la regla para establecer las tabulaciones manuales en las partes izquierda, central y derecha del documento.

> ***Nota:** Si no aparece la regla horizontal situada en la parte superior del documento, haga clic en el botón* **Ver regla** *de la parte superior de la barra de desplazamiento vertical.*

Para establecer las tabulaciones de forma rápida, haga clic en el selector de tabulaciones que aparece en el extremo izquierdo de la regla hasta que se muestre el tipo de tabulación, véase la tabla 3.3, que desee usar y, a continuación, haga clic en la regla en la ubicación deseada.

Tabla 3.3. Tipos de tabulación disponibles.

⌊	Una **Tabulación izquierda** establece la posición inicial del texto que se irá extendiendo hacia la derecha a medida que se escribe.
⊥	Un **Centrar Tabulación** establece la posición del centro del texto, que se centra en este punto a medida que se escribe.
⌋	Una **Tabulación derecha** establece el extremo derecho del texto. A medida que se escribe, el texto se desplaza hacia la izquierda.
⊥.	Una **Tabulación decimal** alinea los números entomo a una coma decimal. Independientemente de los dígitos que tenga el número, la coma decimal per- manece en la misma posición (los números sólo se pueden alinear en torno a un carácter decimal; no se puede usar la tabula- ción decimal para alinear números alrededor de otro carácter, como puede ser un guión o un símbolo de Y comercial).
I	La **Barra de tabulaciones** no establece la posición del texto, sino que inserta una barra vertical en la posición de la tabulación.

Si desea que las tabulaciones se encuentren situadas en posiciones exactas que no pueda conseguir haciendo clic en la regla, o si desea insertar un carácter específico (carácter de relleno) delante de la tabulación, puede utilizar el cuadro de diálogo Tabulaciones. Para mostrar este cuadro de diálogo (véase la figura 3.47), haga doble clic en cualquier tabulación de la regla.

Utilizar la regla horizontal para establecer las tabulaciones

- De forma predeterminada, cuando se abre un nuevo documento en blanco en Word, no hay ninguna tabulación en la regla.

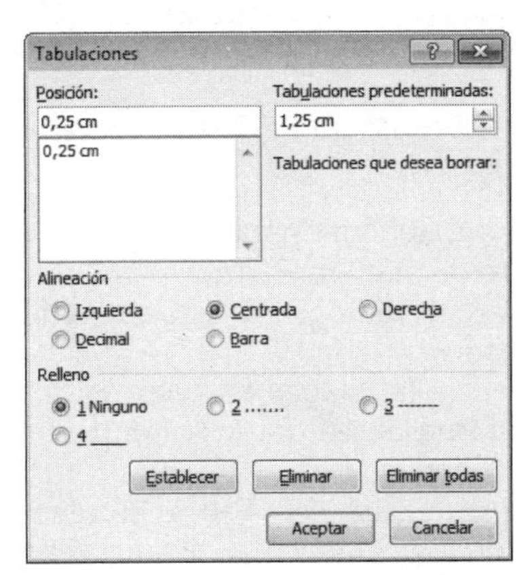

Figura 3.47. Cuadro de diálogo de Tabulaciones.

- Las dos últimas opciones del selector de tabulaciones son para las sangrías. Se puede hacer clic en ellas y, a continuación, hacer clic en la regla para colocarlas, en lugar de deslizar por la regla los marcadores de sangría. Haga clic en Sangría de primera línea y, seguidamente, haga clic en la mitad superior de la regla horizontal, en el punto donde desee que comience la primera línea de un párrafo. Haga clic en Sangría francesa y, a continuación, haga clic en la mitad inferior de la regla horizontal, en el punto donde desee que comiencen la segunda y todas las líneas subsiguientes de un párrafo.
- Cuando establezca una tabulación en la barra de tabulaciones, aparece una línea vertical en el lugar donde la coloque; no es necesario presionar la tecla **Tab**. Al igual que ocurre con otros tipos de tabulaciones, se puede establecer una antes o después de escribir el texto del párrafo.
- Las tabulaciones se pueden quitar arrastrándolas (hacia arriba o hacia abajo) hasta sacarlas de la regla. Cuando se suelte el botón del ratón, desaparecerán.
- También se pueden arrastrar las tabulaciones hacia el lado izquierdo o hacia la derecha hasta otra posición diferente en la regla.
- Cuando se seleccionan varios párrafos, sólo aparecen las tabulaciones del primer párrafo en la regla.

Si establece tabulaciones manualmente, éstas interrumpen las tabulaciones predeterminadas. Las tabulaciones manuales establecidas en la regla reemplazan la configuración de predeterminadas.

Para cambiar el espaciado existente entre las tabulaciones predeterminadas:

1. En la ficha Diseño de página, haga clic en el Iniciador del cuadro de diálogo Párrafo.
2. En el cuadro de diálogo Párrafo, haga clic sobre el botón **Tabulaciones**.
3. En el cuadro Tabulaciones predeterminadas, escriba el espacio que desee que haya entre las tabulaciones predeterminadas.
   Cuando presione la tecla **Tab**, la tabulación se situará a lo ancho de la página y a la distancia especificada.

3.7.10. Numeración y viñetas

Crear una lista numerada o con viñetas

Puede agregar rápidamente viñetas o números a líneas de texto existentes, o bien, Word puede crear automáticamente listas mientras escribe. De manera predeterminada, si empieza un párrafo con un asterisco o un número 1., Word reconoce que está intentando iniciar una lista numerada o con viñetas. Si no desea que el texto se convierta en una lista, puede hacer clic en el botón **Opciones de Autocorrección** ( ) correspondiente.

Listas con uno o varios niveles

Cree una lista con un solo nivel, o convierta una lista con varios niveles para mostrar listas dentro de una lista.

Cuando cree una lista con viñetas o numerada, puede realizar cualquiera de estas operaciones:

- Utilizar las cómodas bibliotecas de numeración y viñetas. Use los formatos predeterminados de viñetas y numeración para las listas, personalice dichas listas o seleccione otros formatos en las bibliotecas de viñetas y numeración. Véase la figura 3.48.
- Aplicar formato a las viñetas o a los números. Aplicar a las viñetas o números distintos formatos al del texto de una lista. Por ejemplo, haga clic en un número y cambie el color de los números de toda la lista, sin efectuar cambios en el texto de la lista.

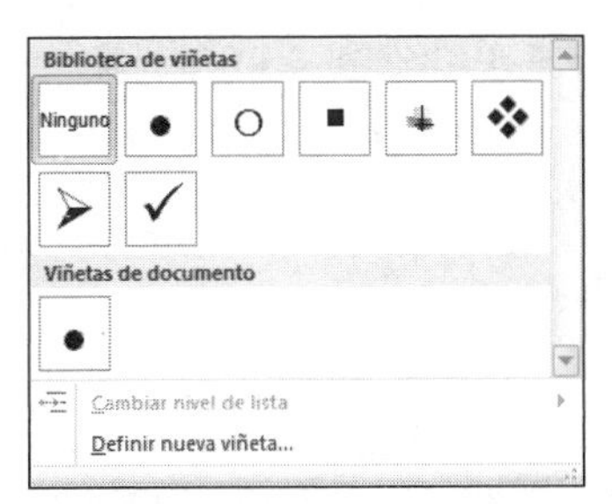

Figura 3.48. Biblioteca de numeración y viñetas.

- Aplicar formato a las viñetas o a los números. Aplicar a las viñetas o números distintos formatos al del texto de una lista.

Crear una lista de un nivel numerada o con viñetas

Word puede crear automáticamente listas con viñetas y listas numeradas mientras escribe, o puede agregar rápidamente viñetas o números a líneas de texto existentes.

Escribir una lista con viñetas o una lista numerada

1. Escriba * (asterisco) para empezar una lista con viñetas o **1.** para iniciar una lista numerada y, a continuación, presione las teclas **Barra espaciadora** o **Tab**.
2. Escriba el texto que desee.
3. Presione **Intro** para agregar el siguiente elemento de la lista.
   Word inserta automáticamente la viñeta o número siguiente.
4. Para finalizar la lista, presione **Intro** dos veces o presione la tecla **Retroceso** para eliminar la última viñeta o el último número de la lista.

Si las viñetas y la numeración no se inician de manera automática:

1. Haga clic en la ficha Archivo y, a continuación, haga clic en Opciones.
2. Haga clic en Revisión.
3. Haga clic en Opciones de Autocorrección y, a continuación, haga clic en la ficha Autoformato mientras escribe.
4. Bajo Aplicar mientras escribe, active las casillas de verificación Listas automáticas con viñetas y Listas automáticas con números.

Agregar viñetas o números a una lista

1. Seleccione los elementos a los que desee agregar viñetas o números.
2. En la ficha Inicio, en el grupo Párrafo, haga clic en Viñetas o en Numeración.

> ***Truco:*** *Haciendo clic en la flecha que aparece junto a* Viñetas *o* Numeración *en la ficha* Inicio, *dentro del grupo* Párrafo *puede mover una lista completa hacia la izquierda o hacia la derecha. Haga clic en una viñeta o en un número de la lista y arrástrelo hasta su nueva ubicación. Toda la lista se mueve mientras arrastra, pero no cambian los niveles de la numeración.*

Separar los elementos de una lista

Puede aumentar el espacio existente entre las líneas de todas las listas desactivando una casilla de verificación:

1. En la ficha Inicio, dentro del grupo Estilos, haga clic en Más y, a continuación, haga clic con el botón derecho del ratón en Estilo de párrafo de lista. Véase la figura 3.49.

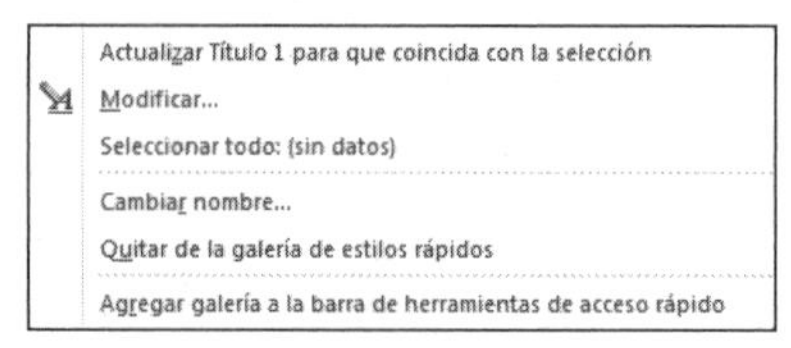

Figura 3.49. Menú contextual para modificar estilos de párrafo.

2. Haga clic en Modificar.
3. En el cuadro de diálogo Modificar estilo, haga clic en Formato y, por último, en Párrafo (véase la figura 3.50).
4. Desactive la casilla de verificación No agregar espacio entre párrafos del mismo estilo.

3.7.11. Bordes y sombreados

Los bordes y el sombreado pueden agregar interés y énfasis a distintas secciones del documento. Puede aplicar los bordes para separar un determinado texto del resto del documento y sombreado para resaltar una parte del texto. Se pueden agregar bordes y sombreados a páginas, texto, tablas y celda de tablas, objetos gráficos e imágenes.

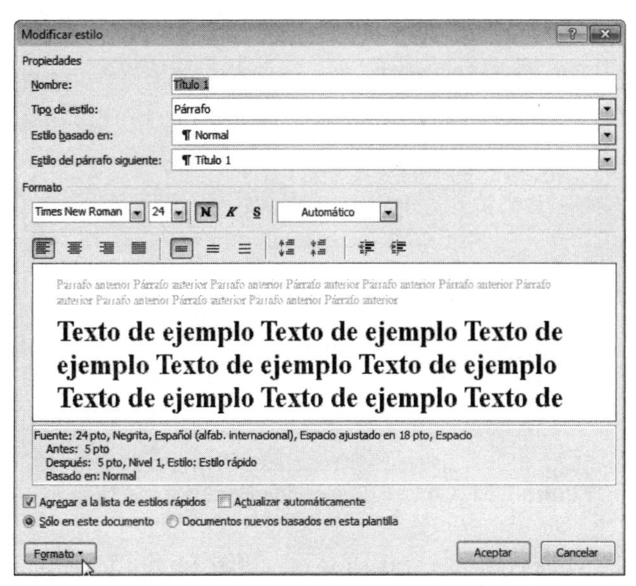

Figura 3.50. Cuadro de diálogo de Modificar Estilo.

Agregar bordes a imágenes, tablas o texto

Para agregar bordes a imágenes, tablas o texto realice los pasos siguientes:

1. Seleccione el texto, la imagen o la tabla al que desee aplicar un borde.
   Para aplicar un borde a determinadas celdas de una tabla, selecciónelas, sin olvidar incluir las marcas de fin de celda.
2. En la ficha Inicio, en el grupo Párrafo, haga clic en Bordes y sombreado.
3. En el cuadro de diálogo Bordes y sombreado, haga clic en la ficha Bordes.
4. Seleccione el estilo, el color y el ancho de borde, véase la figura 3.51.

Para aplicar bordes solamente para algunos lados del área seleccionada:

1. Haga clic en Personalizar, en el cuadro Valor.
2. En Vista previa, haga clic en los lados del diagrama, o bien, en los botones para aplicar o quitar los bordes correspondientes.

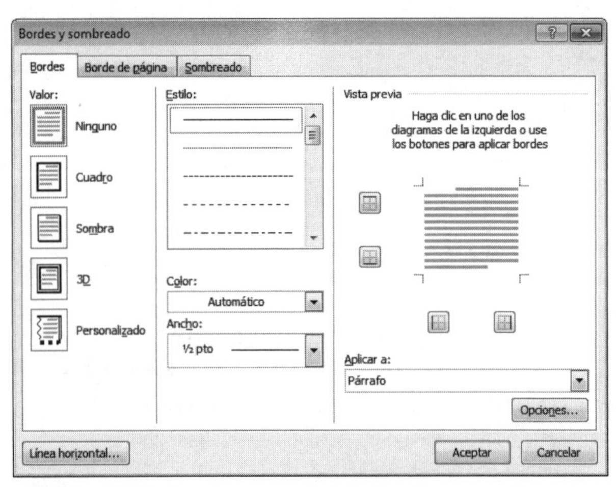

Figura 3.51. Cuadro para definir Bordes y sombreado.

Para especificar la posición exacta de un borde de párrafo con respecto al texto:

1. Haga clic en Párrafo en Aplicar a.
2. Haga clic en Opciones.
3. En el cuadro de diálogo que aparece seleccione las opciones que desee para ajustar los márgenes.

> ***Nota:*** *Para especificar que el borde aparezca en una celda o tabla determinada, haga clic en la opción que desee en* Aplicar a.

Agregar un borde a una página

Para agregar un borde a una página realice los siguientes pasos:

1. En la ficha Diseño de página, en el grupo Fondo de página, haga clic en Bordes de página y aparecerá el cuadro de diálogo mostrado (véase la figura 3.52).
2. Haga clic en una de las opciones de borde disponibles en el área Valor.

Si desea que el borde aparezca en un lugar específico de la página, como por ejemplo sólo en la parte superior, haga clic en Personalizado en el cuadro Valor. En Vista previa, haga clic en el lugar donde desee que aparezca el borde.

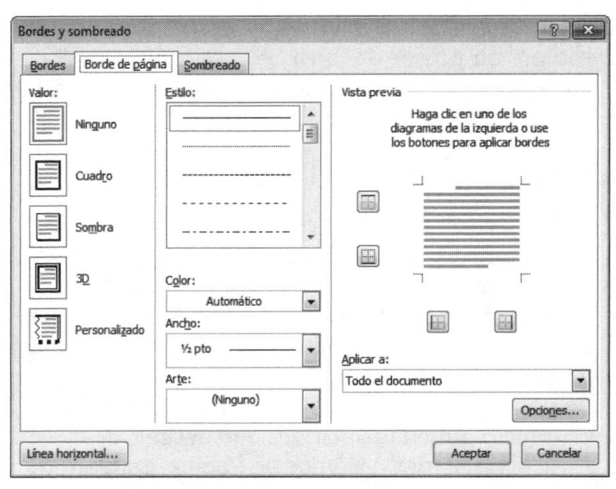

Figura 3.52. Cuadro de Borde de página.

3. Seleccione el estilo, el color y el ancho del borde.
   - Para especificar un borde artístico, por ejemplo, árboles, seleccione una opción del cuadro Arte.
   - Si desea que el borde aparezca en una página o sección determinada, haga clic en la opción que desee en Aplicar a.
   - Para especificar la posición exacta del borde en la página, haga clic en Opciones y seleccione las opciones que desee.

> ***Nota:** Para ver los bordes de página en la pantalla, muestre el documento en vista* Diseño de impresión.

Agregar un borde a un objeto de dibujo

> ***Nota:** Para agregar un borde a un objeto de dibujo, debe colocar dicho objeto en un lienzo de dibujo.*

1. En la ficha Insertar, en el grupo Ilustraciones, haga clic en Formas y, a continuación, haga clic en la parte inferior del menú Nuevo Lienzo de dibujo.
2. Haga clic con el botón derecho del ratón en el lienzo de dibujo y, a continuación, haga clic en Formato de lienzo de dibujo en el menú contextual.

3. En la ficha Colores y líneas, en Línea, elija un color, un estilo y un grosor de línea.
4. Agregue al lienzo de dibujo los objetos de dibujo adicionales que desee.

Cambiar o quitar bordes de imágenes, dibujo, tablas o texto

1. Seleccione el texto, la imagen, dibujo o tabla cuyo borde desea cambiar o quitar.
2. Haga clic con el botón derecho del ratón en el lienzo de dibujo que desea cambiar y, a continuación, haga clic en Formato de lienzo de dibujo (para dibujo) o Fondo de página (para el resto) en el menú contextual.
3. Cambie o quite las opciones que desee.
4. En la ficha Bordes o Bordes de Página, Imagen etc., vaya a Colores y líneas, y en Línea, cambie el color, el estilo y el grosor de línea. Para quitar, haga clic en ninguno (bordes) o en sin color (color).

Para dar sombreado a los bordes de un texto u objeto:

1. Seleccione un texto u objeto.
2. En la ficha Diseño de página, en el grupo Fondo de página, haga clic en Borde de página.
3. Haga clic la solapa Sombreado.
4. En el cuadro correspondiente seleccione las opciones que desee de Relleno, Trama, Estilo y Color.
5. Haga clic en **Aceptar**.

3.8. Insertar una portada

Microsoft Word ofrece una galería de útiles portadas prediseñadas. Las portadas siempre se insertan al principio de un documento, independientemente de la parte del mismo en la que aparezca el cursor.

1. En el grupo Páginas de la ficha Insertar, haga clic en Portada. Véase la figura 3.53.
2. Haga clic en un diseño de portada de la galería de opciones. Después de insertar la portada, puede reemplazar el texto de ejemplo con su propio texto haciendo clic para seleccionar un área de la portada, por ejemplo el título.

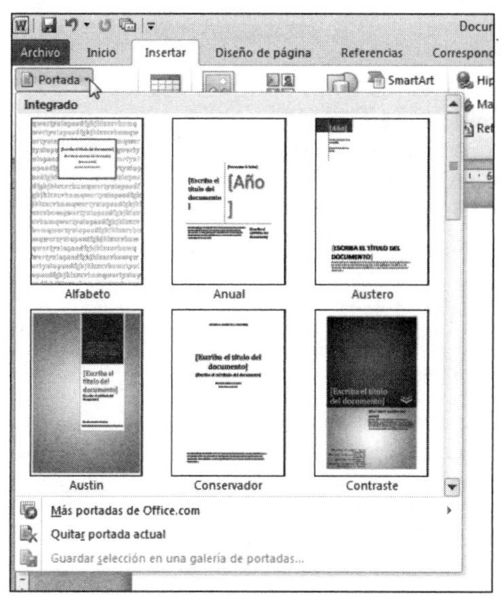

Figura 3.53. Insertar portada.

3. Si inserta otra portada en el documento, ésta sustituirá a la primera portada que insertó.
4. Para eliminar una portada insertada con Word, haga clic en la pestaña **Insertar**, haga clic en **Portadas** en el grupo **Páginas** y, a haga clic en **Quitar portada actual.**

3.9. Trabajar con tablas

En Microsoft Word puede insertar una tabla eligiendo un diseño entre varias tablas con formato previo (rellenas con datos por ejemplo) o seleccionando el número de filas y columnas deseadas. Se puede insertar una tabla en un documento o bien insertar una tabla dentro de otra para crear una más compleja. También se puede dibujar una tabla en aquellos casos en las que las celdas o columnas deban ser desiguales o simplemente, por deseo de personalizarla.

Usar plantillas de tabla

Puede utilizar plantillas de tabla para insertar tablas basadas en una galería de tablas con formato previo. Las plantillas de tabla contienen datos de ejemplo para ayudar a visualizar el aspecto que tendrá la tabla cuando se agreguen datos.

1. En primer lugar, haga clic en el lugar en el que desee insertar una tabla.
2. En la ficha Insertar, dentro del grupo Tablas, haga clic en Tabla, elija Tablas rápidas y, a continuación, haga clic en la plantilla que desee usar (por ejemplo una de las mostradas en la figura 3.54).
3. Reemplace los datos incluidos en la plantilla con los datos deseados.

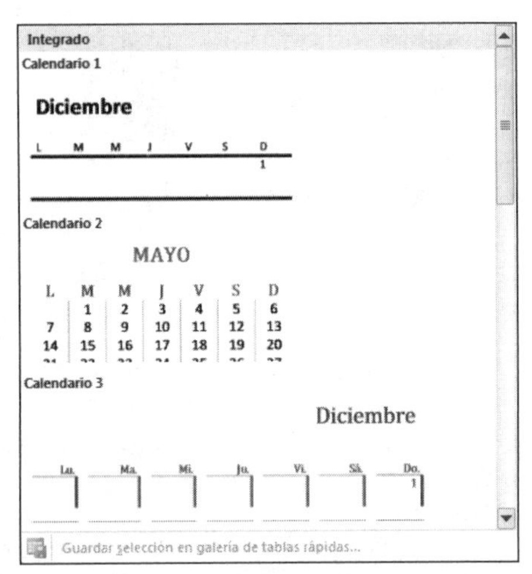

Figura 3.54. Insertar Tablas rápidas.

Utilizar el menú tabla

1. Haga clic donde desee insertar una tabla.
2. En la ficha Insertar, dentro del grupo Tablas, haga clic en Tabla y, a continuación, bajo Insertar tabla, seleccione el número de filas y columnas que desea usar. Véase la figura 3.55.

Utilizar el comando Insertar tabla

El comando Insertar tabla permite especificar las dimensiones de la tabla y aplicarle formato manualmente antes de insertar la tabla en un documento.

1. Haga clic donde desee insertar una tabla.
2. En la ficha Insertar, en el grupo Tablas, haga clic en Tabla y, a continuación, haga clic en Insertar tabla.

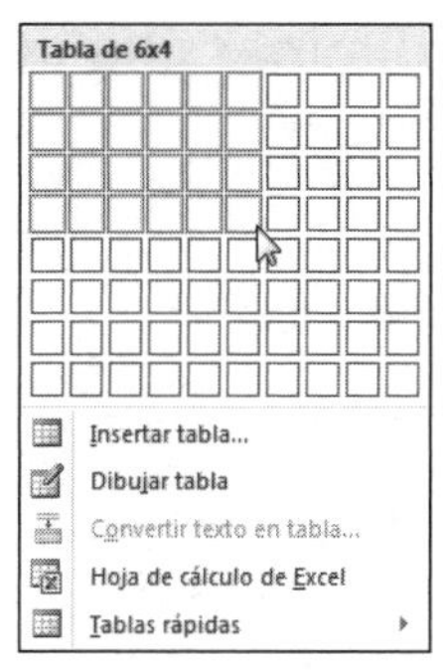

Figura 3.55. Insertar tablas manualmente.

Dibujar una tabla

Puede dibujar una tabla compleja; por ejemplo, una con celdas de diferente alto o que tengan un número variable de columnas por fila.

1. Haga clic en el lugar en que desee crear la tabla.
2. En la ficha Insertar, en el grupo Tablas, haga clic en Tabla y, después, en Dibujar tabla. El puntero se convierte en un lápiz.
3. Para definir los límites exteriores de la tabla, dibuje un rectángulo. A continuación, dibuje las líneas de las columnas y de las filas dentro del rectángulo.
4. Para borrar una línea o un bloque de líneas, en Herramientas de tabla, en la ficha Diseño, en el grupo Dibujar bordes, haga clic en Borrador.

Colocar una tabla dentro de otra

Las tablas incluidas dentro de otras tablas se denominan tablas anidadas y se suelen utilizar para diseñar páginas Web. Si imagina una página Web como una gran tabla que contiene otras tablas (con texto y gráficos dentro de distintas celdas de la tabla), puede distribuir los distintos elementos de la página. Puede insertar una tabla anidada haciendo clic en una celda y, a continuación, usando cualquiera de los métodos de insertar tablas, o bien, puede dibujarla en el lugar donde desea colocar la tabla anidada.

> ***Nota:*** *También puede copiar y pegar una tabla existente dentro de otra tabla.*

3.9.1. Agregar o eliminar una celda, fila o columna

Para agregar celdas, siga cualquiera de los procedimientos que se describen a continuación:

1. Haga clic en una celda situada a la derecha o encima del lugar donde desea insertar la celda. En Herramientas de tabla, en la ficha Presentación, haga clic en el Iniciador del cuadro de diálogo Filas y columnas.
2. Haga clic con el botón derecho del ratón en la celda que se encuentre a la derecha, izquierda, arriba o debajo de donde desee agregar una nueva celda. En el menú contextual, haga clic en Insertar y, a continuación, Insertar celdas. Aparecerá el cuadro de diálogo Filas y columnas.

La tabla 3.4 recoge las opciones para insertar celdas en una tabla en ambos casos.

Tabla 3.4. Opciones para insertar en una tabla.

Haga clic en	*Para*
Desplazar las celdas hacia la derecha	Insertar una celda y desplazar hacia la derecha todas las demás celdas de esa fila.
Desplazar las celdas hacia abajo	Insertar una celda y desplazar las celdas existentes una fila hacia abajo. Se agrega una nueva fila al final de la tabla.
Insertar una fila completa	Insertar una fila encima de la celda en la que se ha hecho clic.
Insertar una columna completa	Insertar una columna a la izquierda de la celda en la que se ha hecho clic con el puntero del ratón.

Nota: Word no inserta una nueva columna. Esta acción puede hacer que haya una fila con más celdas que las demás.

Para agregar una fila encima o debajo, lleve a cabo uno de estos dos pasos:

1. Haga clic en la celda encima o debajo de la cual desea agregar una fila. En Herramientas de tabla, en la ficha

Presentación, si desea agregar una fila encima de la celda, haga clic en Insertar en la parte superior dentro del grupo Filas y columnas y si desea agregar una fila debajo de la celda, haga clic en Insertar en la parte inferior, también dentro del grupo Filas y columnas.
2. Haga clic con el botón derecho del ratón en la celda que se encuentra encima o debajo de donde desee agregar una fila. En el menú contextual, haga clic en Insertar y, a continuación haga clic en Insertar filas encima o Insertar filas debajo.

> ***Nota:*** *Para agregar rápidamente una fila de una tabla, haga clic en la celda inferior derecha y, a continuación, presione la tecla* **Tab**.

Para agregar una columna a la izquierda o a la derecha, siga uno de estos pasos:

1. Haga clic en la celda a la izquierda o a la derecha de la cual desea agregar una columna. En Herramientas de tabla, en la ficha Presentación, si desea agregar una columna a la izquierda de la celda, haga clic en Insertar a la izquierda dentro del grupo Filas y columnas y si desea agregar una columna a la derecha de la celda, haga clic en Insertar a la derecha, también dentro del grupo Filas y columnas.
2. Haga clic con el botón derecho del ratón en la celda que se encuentra a la derecha o a la izquierda de donde desee agregar una fila. El menú contextual, haga clic en Insertar y, seguidamente haga clic en Insertar columnas a la izquierda o Insertar columnas a la derecha.

Eliminar una celda, fila o columna

Eliminar una celda:

1. Seleccione la celda que desea eliminar haciendo clic en su borde izquierdo. En Herramientas de tabla, haga clic en la ficha Presentación y, en el grupo Filas y columnas, haga clic en Eliminar y luego en Eliminar celdas.
2. Haga clic con el botón derecho del ratón en la celda que desee eliminar. En el menú contextual, haga clic en Eliminar celdas.

Para ambos casos, haga clic en una de las opciones mostradas en la tabla 3.5.

Tabla 3.5. Opciones para eliminar en una tabla.

Haga clic en	*Para*
Desplazar las celdas hacia la izquierda	Eliminar una celda y desplazar hacia la izquierda todas las demás celdas que se encuentren ubicadas en esa fila.
Desplazar las celdas hacia arriba	Eliminar una celda y desplazar una fila hacia arriba todas las demás celdas existentes en esa columna. Al final de la columna se agrega una nueva celda en blanco.
Insertar una fila completa	Eliminar toda la fila que contiene la celda sobre la que se ha hecho clic con el puntero del ratón.
Insertar una columna completa	Eliminar toda la columna que contiene la celda en la que se ha hecho clic.

Nota: Word no inserta una nueva columna. Esta acción puede hacer que haya una fila con menos celdas que las demás

Eliminar una fila:

1. Seleccione la fila que desea eliminar haciendo doble clic sobre su borde izquierdo. En el cuadro de diálogo Herramientas de tabla, haga clic en la ficha Presentación y, en el grupo Filas y columnas, haga clic en Eliminar y luego en Eliminar filas.
2. Seleccione la fila que desee eliminar haciendo doble clic en la izquierda de la fila. Haga clic con el botón derecho del ratón y, a continuación, haga clic en Eliminar filas en el menú contextual.

Eliminar una columna:

1. Seleccione la columna que desea eliminar haciendo clic en la línea superior de la cuadrícula o en el borde superior. En Herramientas de tabla, haga clic en la ficha Presentación, a continuación en el grupo Filas y columnas, haga clic en Eliminar y luego en Eliminar columnas.

2. Seleccione la columna que desee eliminar haciendo clic en la cuadrícula o en el borde superior de la columna.

Haga clic con el botón derecho del ratón y, a continuación, haga clic en Eliminar columnas en el menú contextual.

Nota: Para eliminar una tabla completa, siga los mismos pasos anteriores pero haciendo clic en Eliminar tabla.

3.9.2. Crear una tabla de contenido

Las tablas de contenido se crean eligiendo los estilos de título, como por ejemplo "Título 1", "Título 2" y "Título 3", que se desea incluir en las mismas. Microsoft Word busca los títulos que tienen el estilo elegido, aplica formato y sangría al texto del elemento en función del estilo de texto e inserta la tabla de contenido en el documento.

Word ofrece una galería con varias tablas de contenido para elegir. Marque las entradas de la tabla de contenido y, a continuación, haga clic en el estilo de dicha tabla que desee en la galería de opciones. Se creará automáticamente la tabla de contenido a partir de los títulos que haya marcado.

Marcar elementos para una tabla de contenido

La manera más sencilla de crear una tabla de contenido es utilizar Estilos de título integrados (formato que se aplica a un título). También se puede crear tablas de contenido basadas en los estilos personalizados que haya aplicado.

1. Seleccione el título al que desea aplicar un estilo de título determinado.
2. En la ficha Inicio, en el grupo Estilos, haga clic en el estilo que desee.

Marcar elementos de texto concretos

Si desea que la tabla de contenido incluya texto que no tiene formato de título, puede utilizar este procedimiento para marcar elementos de texto específicos.

1. Seleccione el texto que desea incluir en la tabla de contenido.
2. En la ficha Referencias, en el grupo Tabla de contenido, haga clic en Agregar texto (véase la figura 3.56).
3. Haga clic en el nivel en que desea etiquetar la selección como, por ejemplo, Nivel 1 para mostrar un nivel principal en la tabla de contenido.

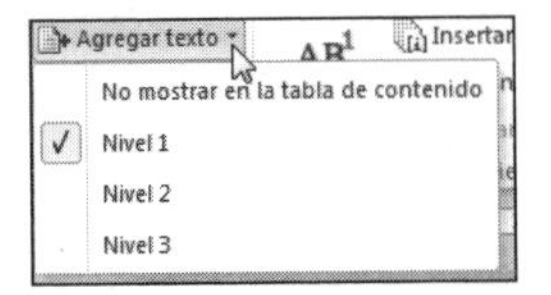

Figura 3.56. Agregar texto en tabla de contenido.

4. Repita los pasos 1 a 3 hasta haber etiquetado todo el texto que desea que aparezca en la tabla de contenido.

Crear una tabla de contenido a partir de los estilos de título integrados

Una vez marcados los elementos de la tabla de contenido, puede generarla. Utilice este procedimiento si creó un documento utilizando estilos de título.

1. Haga clic en el lugar donde desee insertar la tabla de contenido, normalmente se inseta al principio del documento.
2. En el grupo Tabla de contenido de la ficha Referencias, haga clic en Tabla de contenido y, después, haga clic en el estilo de la tabla de contenido que desee.

Si agregó o quitó títulos u otros elementos de tabla de contenido en el documento, puede actualizar rápidamente la tabla de contenido.

1. En el grupo Tabla de contenido de la ficha Referencias, haga clic en Actualizar tabla.
2. Haga clic en Actualizar sólo los números de página o en Actualizar toda la tabla.

> **Nota:** *Si no encuentra el estilo apropiado, haga clic en la flecha para expandir la galería de estilos rápidos. Si el estilo que desea no aparece en la galería de estilos rápidos, presione* **Control-Mayús-W** *para abrir el panel de tareas* Aplicar estilos. *Bajo* Nombre de estilo, *haga clic en el estilo que desea usar.*

Eliminar una tabla de contenido

1. En la ficha Referencias, en el grupo Tablas de contenido, haga clic en Tabla de contenido.
2. Haga clic en Quitar tabla de contenido.

3.9.3. Convertir texto en tabla o viceversa

Convertir texto en una tabla

1. Inserte caracteres separadores, como comas o tabulaciones, para indicar dónde desea dividir el texto en columnas. Utilice marcas de párrafo para especificar dónde desea que comience una nueva fila. Por ejemplo, en una lista con dos palabras en una línea, inserte una coma o una tabulación detrás de la primera palabra para crear una tabla de dos columnas.
2. Seleccione el texto que desee convertir.
3. En la ficha Insertar, en el grupo Tablas, haga clic en Tabla y, a continuación, haga clic en Convertir texto en tabla.
4. En el cuadro de diálogo Convertir texto en tabla, véase la figura 3.57, bajo Separar texto en, haga clic en la opción del carácter separador usado en el texto.

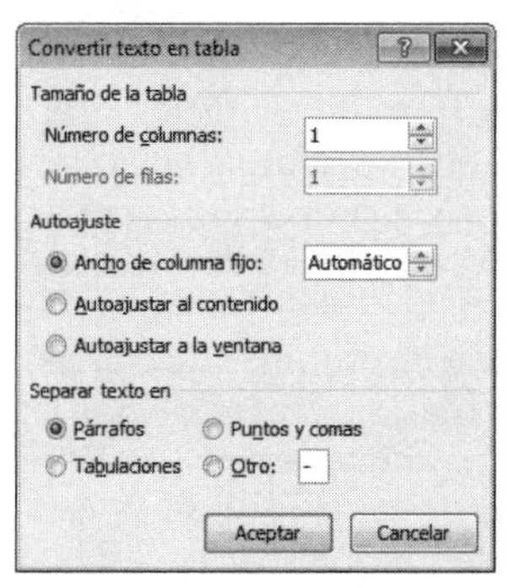

Figura 3.57. Convertir texto en tabla.

5. En el cuadro Número de columnas, elija el número de columnas deseado.
   Si no aparece el número de columnas esperado, puede que falte algún carácter separador en una o varias líneas del texto.
6. Seleccione cualquier otra opción que desee.

Convertir una tabla en texto

1. Seleccione las filas o la tabla que desee convertir en párrafos.
2. En Herramientas de tabla, en la ficha Presentación, en el grupo Datos, haga clic en Convertir texto a. Se abrirá el cuadro de diálogo mostrado (véase la figura 3.58).

3. En Separadores, haga clic en la opción del carácter separador que desee usar en lugar de los límites de las columnas.

Las filas se separan con marcas de párrafo.

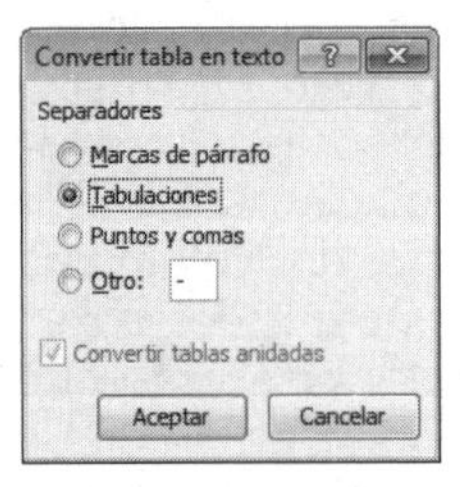

Figura 3.58. Convertir tabla en texto.

3.9.4. Aplicar estilo a una tabla

Una vez creada una tabla, Microsoft Word ofrece muchas formas de aplicarle formato. Si decide utilizar la opción Estilos de tabla, puede aplicar formato a la tabla en un solo paso e incluso obtener una vista previa del aspecto que tendrá la tabla con el formato de un estilo concreto antes de aplicar efectivamente ese estilo. Puede crear un aspecto personalizado para las tablas dividiendo o combinando celdas, agregando o eliminando columnas o filas, o agregando bordes. Si está trabajando con una tabla larga, puede repetir los títulos de tabla en cada una de las páginas en las que aparece ésta. Para impedir que aparezcan saltos de página inadecuados que interrumpan el flujo de la tabla, también puede especificar cómo y dónde debe dividirse la tabla entre las distintas páginas.

Colocando el puntero sobre cada uno de los estilos de tabla con formato previo, puede obtener una vista previa del aspecto que tendrá la tabla.

1. Haga clic en la tabla a la que desea aplicar formato.
2. En Herramientas de tabla, haga clic en la ficha Diseño. Dentro del grupo Estilos de tabla, coloque el puntero sobre los estilos de tabla hasta que encuentre el estilo que desea utilizar.
3. Haga clic en un estilo para aplicarlo a la tabla.
4. En el grupo Opciones de estilo de tabla, active o desactive la casilla de verificación que aparece junto a cada uno de los elementos de tabla para aplicarle o quitarle el estilo seleccionado.

3.9.5. Combinar y dividir celdas

Combinar celdas

Puede unir en una sola celda dos o más celdas de tabla situadas en la misma fila o columna. Por ejemplo, puede unir varias celdas en sentido horizontal para crear un título que ocupe varias columnas.

1. Seleccione las celdas que desea combinar haciendo clic en el borde izquierdo de una celda y, sin soltar el botón, arrastre el ratón por las otras celdas que desea combinar.
2. En Herramientas de tabla, en la ficha Presentación, en el grupo Combinar, haga clic en Combinar celdas.

Dividir celdas

1. Haga clic en una celda o seleccione el grupo de celdas que desee dividir.
2. En Herramientas de tabla, en la ficha Presentación, en el grupo Combinar, haga clic en Dividir celdas.
3. Escriba el número de columnas o filas en las que desea dividir las celdas seleccionadas.

3.9.6. Dividir una tabla

1. Para dividir una tabla en dos, haga clic en la fila que ocupará el primer lugar en la segunda tabla.
2. En Herramientas de tabla, en la ficha Presentación, en el grupo Combinar, haga clic en Dividir tabla.

3.10. Trabajar con ilustraciones

Existen varios tipos de ilustraciones que podrá utilizar para mejorar el aspecto de los documentos de Word. Puede insertar imágenes desde su ordenador o utilizar imágenes prediseñadas que ofrece la amplia galería de Microsoft Word. Podrá insertar formas para crear dibujos y, para trabajar con mayor profesionalidad, puede insertar gráficos SmartArt para representar información e ideas, o un gráfico para ilustrar datos y valores numéricos. Como novedad en Word 2010, podrá efectuar capturas de pantalla sin tener que salir de éste e insertarlas en los documentos.

3.10.1. Insertar una imagen

En los documentos se pueden insertar o copiar fotografías e imágenes prediseñadas procedentes de muchos orígenes distintos, incluidas las descargadas de un sitio Web que provea imágenes prediseñadas, las copiadas de una página Web o las insertadas desde una carpeta donde guarde imágenes.

Insertar imágenes prediseñadas

1. En la ficha Insertar, en el grupo Ilustraciones, haga clic en Imágenes prediseñadas.
2. En el panel de tareas Imágenes prediseñadas, en el cuadro de texto Buscar, escriba una palabra o frase que describa la imagen que desea, o bien, escriba todo el nombre del archivo de la imagen o parte de él.
3. Para modificar la búsqueda, siga uno de estos procedimientos o ambos:
   - Para expandir la búsqueda para incluir imágenes prediseñadas en la Web, haga clic en la casilla de verificación Incluir contenido de Office.com.
   - Para limitar a un tipo de medios específico los resultados de la búsqueda, haga clic en la flecha del cuadro Los resultados deben ser y active la casilla de verificación que aparece junto a Ilustraciones, Fotografías, Vídeos o Audio.

Insertar una imagen de una página Web

Abra el documento y desde la página Web, arrastre hasta el documento de Word la imagen que desee insertar. Asegúrese de que la imagen elegida no es un vínculo a otra página Web. Si arrastra una imagen vinculada, se insertará en el documento como un vínculo en lugar de como imagen. Si esto ocurre:

1. Abra el documento de Word.
2. En la página Web, haga clic con el botón derecho del ratón en la imagen y haga clic en **Copiar**.
3. En el documento de Word, haga clic con el botón derecho del ratón en el lugar donde desee insertar la imagen y, a continuación, haga clic en **Pegar**.

Insertar una imagen desde un archivo

Para insertar una imagen de un escáner o una cámara, use el software suministrado con el escáner o la cámara para transferir la imagen a su equipo. Guárdela y, a continuación, insértela siguiendo estos pasos:

1. Haga clic en el lugar donde desee insertar la imagen en el documento.
2. En el grupo Ilustraciones de la ficha Insertar, haga clic en Imagen.
3. Busque la imagen que desea insertar y haga doble clic en ella para insertarla al documento.

Nota: De forma predeterminada, Microsoft Word incrusta las imágenes en los documentos. Para reducir el tamaño de los archivos, puede vincular las imágenes. En el cuadro de diálogo Insertar imagen, *haga clic en la flecha situada junto a* Insertar *y, a continuación, haga clic en* Vincular al archivo.

3.10.2. Modificar una imagen

Cuando se inserta una imagen, ésta puede ser modificada, tanto su tamaño como su aspecto.

Para cambiar el tamaño de una imagen, seleccione la que haya insertado en el documento. Para aumentar o disminuir el tamaño en una o más direcciones, arrastre un controlador de tamaño hacia el centro o alejándolo de él mientras realiza uno de los siguientes procedimientos:

- Para mantener el centro de un objeto en el mismo lugar, mantenga presionada la tecla **Control** mientras arrastra el controlador de tamaño.
- Para mantener las proporciones del objeto, mantenga presionada la tecla **Mayús** mientras arrastra el controlador de tamaño.
- Para mantener las proporciones del objeto y mantener el centro en el mismo lugar, mantenga presionadas las teclas **Control** y **Mayús** mientras arrastra el controlador de tamaño.

Agregar un efecto a una imagen

Puede mejorar una imagen si le agrega efectos como sombras, iluminados, reflejos, bordes suaves, biseles y giros tridimensionales.

1. Haga clic sobre la imagen a la que desea agregar un nuevo efecto.
   Para agregar el mismo efecto a varias imágenes, haga clic en la primera imagen y, mantenga presionada la tecla **Control** mientras hace clic en las demás.

2. En Herramientas de imagen, en la ficha Formato (véase la figura 3.59), en el grupo Estilos de imagen, haga clic en Efectos de la imagen.
   Si no ve las fichas Herramientas de imagen o Formato, haga doble clic en la imagen para asegurarse de que está seleccionada. Si ve Modo de compatibilidad junto al nombre del archivo en la parte superior de la ventana, intente guardar el documento con un formato como `*.docx` o `*.xlsx` en lugar de usar un formato de archivo anterior como `*.doc` o `*.xls` y, a continuación, inténtelo de nuevo.

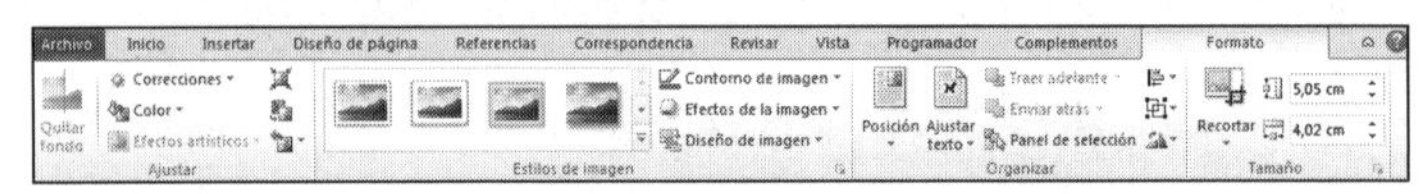

Figura 3.59. Herramientas de imagen.

3. Agregue el efecto que desee a la imagen. Para personalizar los efectos integrados, haga clic en el Iniciador del cuadro de diálogo Formato de imagen y ajuste las opciones que desee.

> ***Nota:*** *Para quitar un efecto que haya agregado a la imagen, seleccione la entrada de menú del efecto y, a continuación, haga clic en la opción para quitarlo. Por ejemplo, para quitar una sombra, haga clic en* Sombra *y elija la primera entrada,* Sin sombra.

Aplicar efectos artísticos a una imagen

Puede aplicar efectos artísticos a una imagen o un relleno de imagen para que tengan una apariencia más similar a un boceto, un dibujo o una pintura.

1. Haga clic en la imagen a la que desea agregar un efecto artístico.
2. En Herramientas de imagen, en la ficha Formato del grupo Ajustar, haga clic en Efectos artísticos (véase la figura 3.60).
   Si no ve las fichas Formato o Herramientas de imagen, asegúrese de que ha seleccionado una imagen. Es posible que deba hacer doble clic en ella para seleccionarla y abrir la ficha Formato.

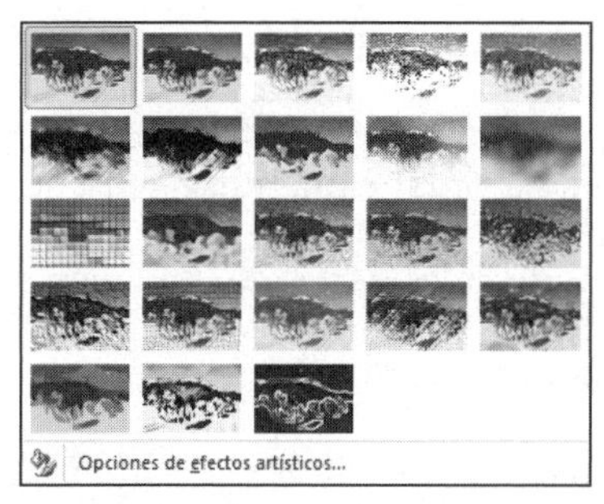

Figura 3.60. Galería de Efectos artísticos.

3. Haga clic en el efecto artístico que desee.

> ***Truco:*** *Puede mover el puntero del ratón sobre cualquiera de los efectos y usar* Vista previa *dinámica para ver el aspecto que tendrá la imagen con el efecto aplicado antes de hacer clic en el que desee usar.*

4. Para ajustar el efecto artístico, haga clic en Opciones de efectos artísticos.

Para eliminar un efecto artístico, haga clic en la imagen con el efecto artístico que desea quitar. En la ficha Formato del grupo Ajustar, haga clic en Efectos artísticos y, en la galería, haga clic en el primer efecto, Ninguno.

Para quitar todos los efectos agregados a una imagen, incluidos los efectos de otras galerías y no sólo los de la galería Efectos artísticos, haga clic en Restablecer imagen.

Quitar el fondo de una imagen

Puede quitar el fondo de una imagen para destacar o resaltar el tema de la misma o para quitar detalles que distraigan. Puede usar automáticamente la eliminación del fondo o dibujar líneas para indicar las áreas del fondo de la imagen que desea conservar y las que desea quitar.

1. Haga clic en la imagen a la que desee quitar el fondo.
2. En Herramientas de imagen, en la ficha Formato, en el grupo Ajustar, haga clic en el botón **Quitar Fondo**.
3. Haga clic en uno de los controladores de las líneas de marquesina y, a continuación, arrastre la línea de forma tal que contenga la parte de la imagen que desea conservar y excluya la mayoría de las áreas que desea quitar.

4. Si es necesario, siga uno de los siguientes procedimientos o ambos:
   - Para indicar las partes de la imagen que no desea quitar automáticamente, haga clic en Marcar las áreas para mantener.
   - Para indicar las partes de la imagen que desea quitar además de las marcadas automáticamente, haga clic en Marcar las áreas para quitar.

> ***Truco:*** *Si cambia de opinión sobre un área marcada con una línea, ya sea para mantenerla o para quitarla, haga clic en* Eliminar marca *y, a continuación, haga clic en la línea para cambiarla.*

5. Haga clic en Mantener cambios en el grupo Cerrar. Para cancelar la eliminación automática del fondo haga clic en Descartar todos los cambios en el grupo Cerrar.

3.10.3. Crear un dibujo

1. Haga clic en el lugar del documento donde desea crear el dibujo.
2. En la ficha Insertar, en el grupo Ilustraciones, haga clic en Formas (véase la figura 3.61).
3. Puede realizar cualquiera de estas acciones en la ficha Formato, que aparece tras insertar una forma de dibujo:
   - **Insertar una forma:** En el grupo Insertar formas de la ficha Formato, haga clic en una forma y, a continuación, haga clic en cualquier parte del documento.
   - **Cambiar una forma:** Haga clic en la forma que desee cambiar. En el grupo Insertar formas de la ficha Formato, haga clic en Editar forma, elija Cambiar forma y, a continuación, elija una forma diferente.
   - **Agregar texto a una forma:** Haga clic en la forma en la que desee el texto y, a continuación, escriba.
   - **Agrupar formas seleccionadas:** Seleccione varias formas al mismo tiempo presionando **Control** en el teclado y haciendo clic en cada forma que desee incluir en el grupo. En la ficha Formato, en el grupo Organizar, haga clic en Agrupar para que todas las formas se consideren como un solo objeto.
   - **Dibujar en el documento:** En el grupo Insertar formas de la ficha Formato, expanda las opciones de

formas haciendo clic en la flecha. En Líneas, haga clic en Forma libre o A mano alzada.

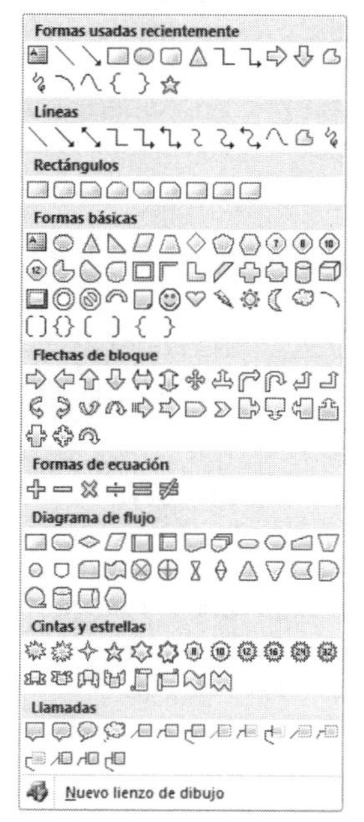

Figura 3.61. Galería de Formas.

Para terminar de dibujar con las líneas de los tipos Forma libre o A mano alzada, haga doble clic.

3.10.4. Modificar un dibujo

- **Ajustar el tamaño de las formas:** Seleccione la forma o las formas cuyo tamaño desee cambiar. En el grupo Tamaño de la ficha Formato, haga clic en las flechas o escriba dimensiones nuevas en los cuadros Alto y Ancho.
- **Aplicar un estilo a una forma:** En el grupo Estilos de forma, coloque el puntero sobre un estilo para ver el aspecto que tendrá la forma cuando le aplique dicho estilo. Haga clic en él para aplicarlo, o bien, haga clic en Relleno de forma o en Contorno de forma y seleccione las opciones que desee usar.
- **Usar sombras y efectos tridimensionales (3D) para agregar atractivo a las formas del dibujo:** En el grupo

Estilos de forma de la ficha Formato, haga clic en Efectos de formas y elija un efecto.

- **Alinear los objetos en el lienzo:** Para alinear los objetos, mantenga presionada la tecla **Control** mientras selecciona los objetos que desea alinear. En el grupo Organizar, haga clic en Alinear para elegir el tipo de alineación entre diversos comandos de alineación (véase la figura 3.62).

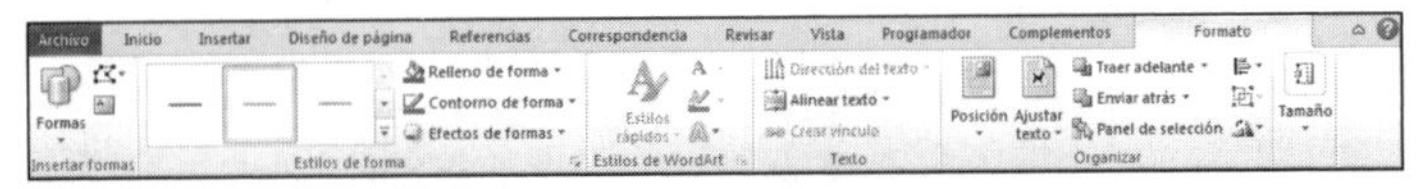

Figura 3.62. Herramientas de dibujo.

3.10.5. Insertar una captura

Puede agregar rápida y fácilmente una captura de pantalla a su archivo de Office para mejorar la legibilidad o capturar información sin salir de la aplicación en la que está trabajando.

Las capturas de pantalla son útiles para capturar instantáneas de información que podrían cambiar o caducar, como un artículo de noticias de última hora o una lista sensible al tiempo de vuelos disponibles y tarifas en un sitio Web de viaje. Son también útiles para copiar desde páginas Web y otros orígenes cuyos formatos podría no transferirse correctamente en el archivo por cualquier otro método. Las capturas de pantalla son imágenes estáticas. Al tomar una captura de pantalla de algo (por ejemplo, una página Web) y la información original cambia, no se actualiza la captura de pantalla.

1. Haga clic en el documento al que desea agregar la captura de pantalla.
2. En el grupo Ilustraciones de la ficha Insertar, haga clic en Captura (véase la figura 3.63).

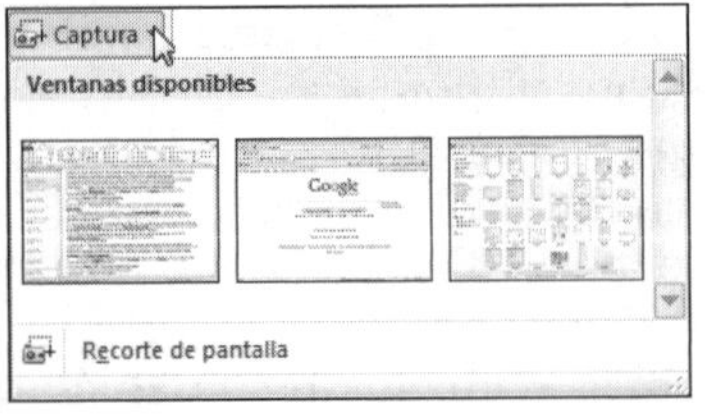

Figura 3.63. Captura de pantalla.

3. Siga uno de estos procedimientos:
   - Para agregar toda la ventana, haga clic en la miniatura de la galería Ventanas disponibles.
   - Para agregar parte de la ventana, haga clic en Recorte de pantalla y cuando el puntero se convierta en una cruz, mantenga presionado el botón primario del ratón para seleccionar el área de la pantalla que desea capturar.

Si tiene varias ventanas abiertas, haga clic en la ventana que desee recortar antes de hacer clic en Recorte de pantalla. Al hacer clic en Recorte de pantalla se minimiza el programa en el que está trabajando y sólo la ventana detrás de él estará disponible para el recorte.

> ***Nota:*** *Después de agregar la captura de pantalla, puede usar las herramientas de la ficha* Herramientas de imagen *para editar y mejorar la captura de pantalla.*

3.10.6. Ajustar texto

Una vez que haya insertado la imagen u objeto, podrá ajustar el texto alrededor de ella:

1. Si la imagen o el objeto se encuentran en un lienzo, selecciónelo. Si la imagen o el objeto no se encuentran en un lienzo de dibujo, seleccione la imagen o el objeto. (Reaparecerá la ficha Formato en la cinta de opciones.)
2. En la ficha Formato, dentro del grupo Organizar, haga clic en Posición. Véase la figura 3.64.

Figura 3.64. Ubicar una imagen en la página.

Otra de las opciones consiste en ajustar texto alrededor de una tabla:

1. Haga clic en la tabla.
2. En la ficha contextual Herramientas de tabla, en la ficha Presentación, en el grupo Tabla, haga clic en Propiedades.
3. En Ajuste del texto, haga clic en Alrededor. Véase la figura 3.65.

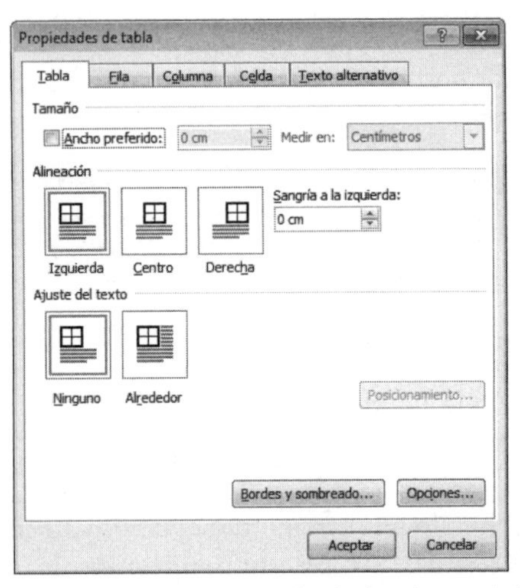

Figura 3.65. Ajustar texto alrededor de una tabla.

Para establecer la posición horizontal y vertical de la tabla, la distancia desde el texto adyacente y otras opciones, en Ajuste del texto, haga clic en Posición y elija las opciones que desee.

3.11. Vista e impresión de documentos

3.11.1. Vistas de un documento

Hay cinco tipos de vista de diseño de un documento: Diseño de Impresión, Lectura de pantalla completa, Diseño Web, Esquema y Borrador que se pueden activar en la barra de opciones en el menú `Vista`, o bien, haciendo clic en cualquiera de los botones, ubicados en el margen inferior derecho de la ventana, al lado del control deslizante de Zoom.

1. **Vista Diseño de Impresión:** Trabaje con esta vista para ver previamente la colocación de texto, gráficos y otros elementos en la página impresa. Es muy útil para modificar los encabezados y los pies de página, ajustar los márgenes y trabajar con columnas y objetos de dibujo. Para pasar a esta vista, haga clic en Diseño de Impresión ( ) del menú Vista, o bien, en el botón **Vista Diseño de Impresión**.
2. **Borrador o vista Normal:** Para escribir, modificar y aplicar formato al texto. Muestra el formato del texto pero simplifica el diseño de la página, así podrá escribir y modificarlo rápidamente. No aparecen los márgenes de la página ni los encabezados y pies de página.
   Esta vista puede activarse haciendo clic en Borrador del menú Vista, en la cinta de opciones, o bien, en la barra de estado de la parte inferior de la ventana en el botón **Vista Borrador** ( ).
3. **Vista Diseño Web:** Utilice esta modalidad cuando esté creando una página Web o un documento que ve en la pantalla. Puede ver fondos, el texto se ajusta a la ventana y los gráficos se colocan del mismo modo que en un Explorador de Web.
   Puede activar esta vista haciendo clic en Diseño Web del menú Vista y también, en la barra de estado, en el botón **Vista Diseño Web** ( ).
4. **Vista Esquema:** Podrá ver la estructura de un documento y mover, copiar y reorganizar texto arrastrando títulos. También facilita el trabajo con documentos maestros, que permiten organizar y modificar un documento largo de una forma más sencilla, como, por ejemplo, un libro con capítulos. En esta vista no aparecen los márgenes de la página, ni los encabezados y pies de páginas y tampoco los gráficos y los fondos.
   Si prefiere esta vista, haga clic en Esquema, del menú Vista, o bien, en el botón **Vista Esquema**.
5. **Vista en miniatura:** Las miniaturas son pequeñas vistas de cada una de las páginas del documento, mostradas en un panel independiente. Las miniaturas proporcionan una impresión visual del contenido de las páginas. Puede hacer clic en una para saltar directamente a la página. Las miniaturas están disponibles en las vistas

Normal, Diseño de impresión, Esquema y Diseño de lectura. No están disponibles en la vista Diseño Web ni en conjunción con Mapa del Documento. Para elegir esta opción, haga clic en Miniatura, en el menú Vista.

3.11.2. Configurar una impresora

Para que pueda imprimir documentos, es necesario configurar la impresora.

1. Haga clic en la ficha Archivo y, luego, haga clic después en Imprimir.
2. Haga clic en la flecha del apartado Impresora y se desplegará una lista donde podrá seleccionar la impresora deseada. Si no aparece la impresora que desea utilizar, haga clic en Agregar impresora.
3. Siga las instrucciones del asistente.

3.11.3. Establecer una impresora como predeterminada

Probablemente, le aparezcan por defecto varios iconos de impresoras. Para establecer una impresora como predeterminada:

1. Haga clic en el botón **Inicio** (que se encuentra situado en la esquina inferior izquierda de la pantalla) y haga clic en Panel de Control.
2. Haga clic en Dispositivos e Impresoras.
3. Con el botón derecho del ratón, haga clic en el icono de la impresora que desee utilizar como predeterminada.
4. Aparecerá un menú contextual, haga clic en Establecer como impresora predeterminada.
5. Si hay una marca de verificación junto al icono **Impresora** ( ), ya está configurada como predeterminada.

3.11.4. Imprimir documentos

En Word 2010, puede obtener una vista previa e imprimir documentos en un solo lugar, apareciendo automáticamente las propiedades de la impresora predeterminada y de la página en la primera sección, y la vista preliminar de su documento en la segunda sección. Esta sección la utilizamos para visualizar las páginas a imprimir antes de ser impresas.

1. Haga clic en la ficha Archivo y, a continuación, haga clic en Imprimir.
2. En la parte derecha de la ventana aparecerá el documento o los documentos a imprimir. Utilice para ello los botones de **Página siguiente** o **Página anterior** para cambiar de página.
3. Para modificar el texto en la vista preliminar, aumente el documento utilizando el control deslizante de zoom, situado en la esquina inferior derecha.
4. Cuando la forma del puntero del ratón cambie de una lupa a un cursor, realice los cambios que desee en el documento.

Para imprimir un número de copias de un documento o seleccionar sólo algunas páginas para que sean impresas, se necesita una configuración previa (véase la figura 3.66).

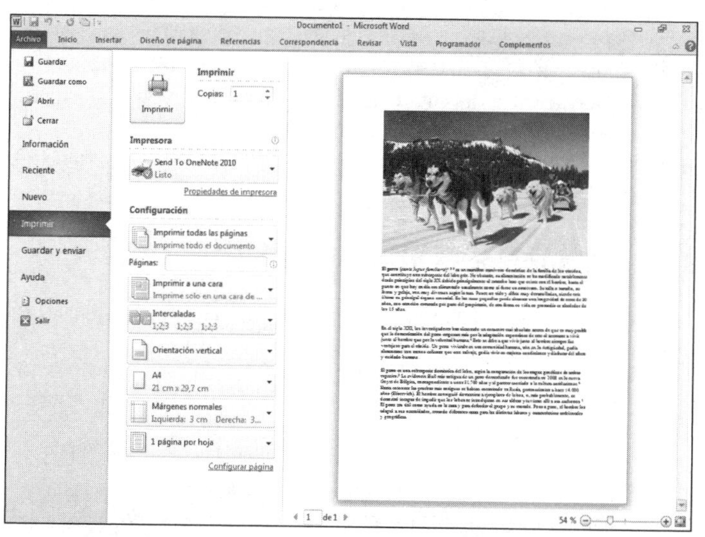

Figura 3.66. Configuración de página para imprimir.

1. Si desea imprimir una copia del documento completo, haga clic sobre el botón **Imprimir**. En el cuadro de texto Copias, podrá seleccionar el número de copias que desee imprimir.
2. Asegúrese de que en el cuadro Impresora aparece el nombre de la impresora que ha seleccionado, así como su estado, tipo y ubicación.

3. Si desea imprimir solamente una parte del documento, en el cuadro Intervalo de página, especifique la parte del documento que quiere imprimir: Imprimir todas las páginas, Imprimir selección, Imprimir página actual o Imprimir intervalo personalizado, especificando el número de las páginas que desea imprimir en el cuadro Páginas. Si se trata de páginas aisladas, separe los números con una coma. Si están contiguas, escriba el número de la primera y la última separados por un guión. Ejemplo: **1,5,7-10** (imprimiría la 1ª página, la 5ª, la 7ª, la 8ª, la 9ª y la 10ª).
4. Seleccione la opción Intercaladas si ha elegido dos o más copias del documento y prefiere que imprima una copia completa del mismo antes de que imprima la primera página de la siguiente copia. Si desea imprimir todas las copias de la primera página y, a continuación, todas las copias de las siguientes páginas, seleccione la opción Sin Intercalar.
5. Configure el resto de opciones, como el tamaño del documento, la orientación, los márgenes o si desea imprimir por una cara o por las dos.
6. Una vez seleccionadas las opciones de impresión, haga clic en el botón **Imprimir**.

3.11.5. Cancelar la impresión

Si está desactivado el modo de impresión en segundo plano, haga clic en **Cancelar** o haga clic en la tecla **Esc**.

Si está activado el modo de impresión en segundo plano, haga clic en el icono de impresora situado en la barra de estado (en el margen inferior de la ventana de Word).

> ***Advertencia:*** *Si va imprimir un documento corto y está activado el modo de impresión en segundo plano, puede que el icono de impresora no aparezca en la barra de estado el tiempo suficiente para que pueda hacer clic en él y cancelar la impresión.*

4 Excel

4.1. Introducción

Excel es una aplicación de hojas de cálculo de Microsoft Office. Permite crear y aplicar formato a libros (un conjunto de hojas de cálculo) para analizar datos y tomar decisiones fundadas sobre aspectos de su negocio. Concretamente, se puede usar para hacer un seguimiento de datos, crear modelos para analizarlos, escribir fórmulas para realizar cálculos con ellos, dinamizarlos de diversas maneras y presentarlos en una variedad de gráficos con aspecto profesional. Entre los escenarios más comunes de uso de Excel se incluyen:

- **Contabilidad:** Se pueden usar las eficaces características de cálculo de Excel en muchos informes contables y financieros (por ejemplo: estados de flujo de efectivo, balances de ingresos o estados de resultados).
- **Definición de presupuestos:** Ya sean sus necesidades personales o empresariales, puede crear cualquier tipo de presupuesto en Excel (por ejemplo: planes de presupuesto de marketing, presupuestos de eventos o presupuestos de jubilación).
- **Facturación y ventas Excel:** Es útil para administrar datos de ventas y facturación, y en éste se pueden crear fácilmente los formularios que se necesiten (por ejemplo: facturas de ventas, albaranes u órdenes de compra).
- **Informes con Excel:** Se pueden crear diversos tipos de informes para mostrar resúmenes o análisis de datos (por ejemplo: informes que miden el rendimiento de los proyectos, que muestran la variación entre los resultados reales y los proyectados, o que se pueden usar para pronosticar datos).

- **Planeación Excel:** Es una gran herramienta para crear planes profesionales u organizadores útiles (por ejemplo: planes semanales de clases, de estudios de marketing, de impuestos para fin de año u organizadores para ayudarlo con la planificación de comidas semanales, fiestas o vacaciones).
- **Seguimiento:** Se puede usar Excel para hacer el seguimiento de los datos en una planilla de horas o en una lista (por ejemplo: planillas de horas para hacer un seguimiento del trabajo o listas de inventario con las que se hace un seguimiento al inventario).
- **Uso de calendarios:** Gracias a su área de trabajo con cuadrícula, Excel se presta para crear cualquier tipo de calendario (por ejemplo: calendarios académicos para hacer el seguimiento de las actividades durante el año escolar o calendarios del año fiscal para hacer el seguimiento de eventos empresariales e hitos).

4.2. La ventana de Excel

La ventana de Excel se abrirá automáticamente cuando inicie la aplicación. Haga clic en el botón **Inicio**, seleccione Todos los programas, haga clic en la carpeta Microsoft Office y, a continuación, haga clic en Microsoft Excel. Una vez ejecutada la aplicación, aparecerá la ventana inicial de Excel con los elementos que se observan (véase la figura 4.1).

1. **Barra de herramientas de acceso rápido:** Es una barra de herramientas que se puede personalizar y contiene un conjunto de comandos independientes de la ficha en la cinta de opciones que se muestra. Se le puede agregar o quitar botones que representan comandos. Ésta se encuentra en la esquina superior izquierda de la ventana.
2. **Barra de títulos:** Aparece el nombre asignado al documento una vez guardado. Cuando aún no se le ha dado un nombre, aparecerá Libro1 - Microsoft Excel.
3. **Ficha Archivo:** Esta ficha reemplaza al Botón de Microsoft Office incluido en la versión anterior del programa. Al hacer clic en la ficha Archivo, verá los comandos básicos que incluyen abrir, guardar e imprimir el archivo. Pero a su vez dispone de comandos nuevos, como Información o Reciente.

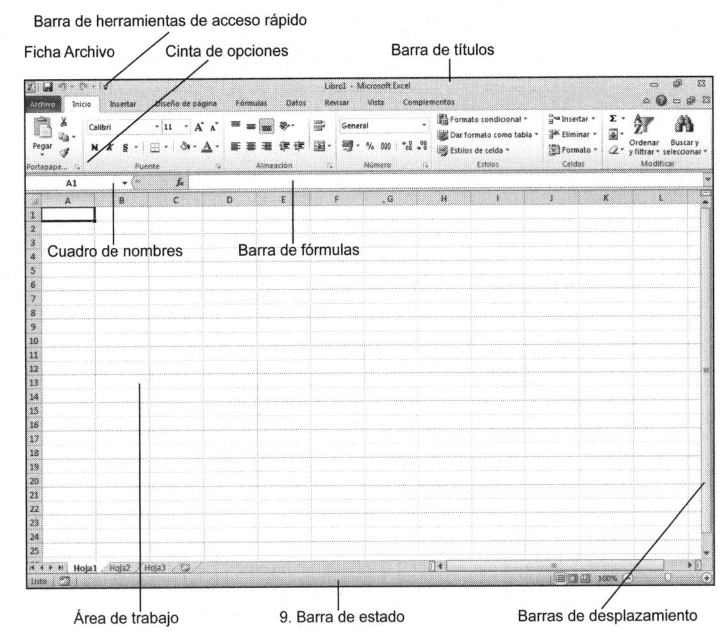

Figura 4.1. Ventana inicial de Excel.

4. **La cinta de opciones:** Compuesta por las fichas Inicio, Insertar, Diseño de página, Fórmulas, Datos, Revisar, Vista, Programador y Complementos. Mantiene a la vista todas sus funciones para una rápida accesibilidad a sus distintas opciones.

> ***Truco:*** *Para minimizar o restaurar la cinta de opciones, haga clic en el botón situado en la esquina superior derecha de la ventana ( ) o presione* **Control-F1**.

5. **Barra de fórmulas:** Consta de cuadro de nombres y barra de fórmulas.
   - **Cuadro de nombres:** Cuadro situado en el extremo izquierdo de la barra de fórmulas que identifica la celda, elemento de gráfico u objeto de dibujo seleccionado. Para dar nombre a una celda o rango, escriba el nombre en el cuadro Nombre y presione **Intro**. Para desplazarse hasta una celda con nombre y seleccionarla, haga clic en su nombre en el cuadro Nombre.

- **Barra de fórmulas:** Es la parte superior de la ventana de Excel que se utiliza para escribir o editar valores o fórmulas en celdas o gráficos. Muestra la fórmula o el valor constante almacenado en la celda activa (véase la figura 4.2).

Figura 4.2. La Barra de fórmulas.

6. **Área de trabajo:** Es la hoja de cálculo propiamente dicha, es la zona que contiene las celdas en las que se introducirán los datos. Puede minimizar, maximizar y cerrar () el área de trabajo haciendo clic en sus respectivos botones situados a la derecha de los nombres de las fichas de la cinta de opciones.
7. **Barras de Desplazamiento:** Permiten moverse con rapidez por las celdas. Están situadas una en la parte derecha de la zona de las celdas, para desplazarse verticalmente, y otra en la zona inferior, para desplazarse horizontalmente. A la izquierda de esta última existen unas fichas que permiten moverse por las diferentes páginas del Libro.
8. **Barra de estado:** Muestra información sobre el documento que tenemos en activo. Puede ver el número de celdas, filas y columnas, grabación de macros, entre otros, y un control deslizante para alejar o acercar la zona de texto. Esta barra es personalizable.

Nota: Para acceder al menú clásico de edición, haga clic en la zona de texto con el botón derecho del ratón seleccionando un texto, una imagen u objeto, y aparecerá la lista con las opciones básicas como Cortar, Copiar *y* Pegar, *junto a las opciones de estilo y formato, y otra ventana arriba con las opciones* Fuente, Tamaño, Color, *etc.*

4.3. La cinta de opciones

La cinta de opciones, véase la figura 4.3, se ha diseñado para ayudarle a encontrar fácilmente los comandos necesarios para completar una tarea. Los comandos se organizan en grupos y éstos a su vez en fichas. Cada ficha está relacionada con un tipo de actividad (como escribir o diseñar una página). Para reducir la aglomeración de elementos en pantalla, algunas fichas sólo se muestran cuando son necesarias, como por ejemplo la ficha Herramientas de imagen únicamente se muestra cuando se selecciona una imagen.

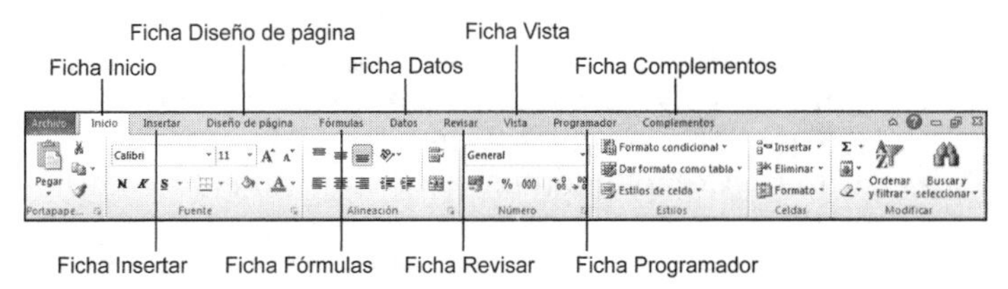

Figura 4.3. La cinta de opciones.

- En la ficha Inicio se encuentran los comandos más comunes como **Cortar**, **Copiar** o **Pegar** divididos en los siguientes grupos: Portapapeles, Fuente, Alineación, Número, Edición Estilos, Celdas y Modificar.
- La ficha Insertar consta de una serie de funciones para agregar imágenes, gráficos u objetos a la hoja de cálculo. Están agrupados en: Tablas, Ilustraciones, Gráficos, Minigráficos, Filtro, Vínculos, Texto y Símbolos.
- La ficha Diseño de página se utiliza, como indica su nombre, para dar un formato y estilo más atractivo a sus documentos en la hoja de cálculo. Está dividida en los grupos Temas, Configurar página, Ajustar área de impresión, Opciones de la hoja y Organizar.
- La ficha Fórmulas está destinada para el trabajo de las múltiples operaciones que pueden realizarse en la hoja de cálculo de Excel. Están agrupadas en Biblioteca de funciones, Nombres definidos, Auditoría de fórmulas y Cálculo.
- La ficha Datos muestra las diversas opciones para trabajar con datos relativos externos o del propio documento, y complementarios tales como comentarios o especificar criterios complejos para limitar registros. Está dividida en los grupos Obtener datos externos, Conexiones, Ordenar y filtrar, Herramientas de datos y Esquema.
- La ficha Revisar permite revisiones automáticas, gestionar cambios y proteger datos contenidos en las celdas, filas, columnas, la hoja completa y hasta el propio libro de trabajo.

Consta de los siguientes grupos: Revisión, Idioma, Comentarios y Cambios.

- La ficha Vista está destinada a la visualización de la hoja. Los grupos son Vistas del libro, Mostrar, Zoom, Ventana y Macros.
- La ficha Programador sirve para ver, crear, convertir o definir funciones de código, crear macros y gestionar archivos XML. Estas funciones están agrupadas en: Código, Complementos, Controles, XML y Modificar.
- La ficha Complementos tiene una función complementaria que agrega comandos personalizados y características especializadas, como plantillas, etiquetas inteligentes o esquemas XML. Esta ficha no es visible hasta que el usuario instale algún complemento.

4.4. Tareas básicas para manejar archivos

4.4.1. Crear un libro

Un libro de Excel es un archivo que incluye una o varias hojas de cálculo que sirven para organizar distintos tipos de información relacionada. Para crear un libro nuevo, se puede abrir un libro en blanco. Asimismo, el libro nuevo se puede basar en otro existente, en una plantilla de libro predeterminada o en cualquier otra plantilla.

Abrir un nuevo libro en blanco:

1. Haga clic en la ficha Archivo.
2. Haga clic en Nuevo.
3. En Plantillas disponibles, haga doble clic en Libro en blanco ( ).

> ***Truco:*** *Para crear rápidamente un libro nuevo en blanco, presione* **Control-N**.

Basar un nuevo libro en otro existente:

1. Haga clic en la ficha Archivo.
2. Haga clic en Nuevo.
3. En Plantillas, haga clic sobre la opción Nuevo a partir de existente ( ).

4. En el cuadro de diálogo Nuevo a partir de un libro existente, desplácese hasta la unidad, carpeta o ubicación de Internet que contiene el libro que desee abrir.
5. Haga clic en el libro y, a continuación, en **Abrir**.

Basar un nuevo libro en una plantilla:

1. Haga clic en la ficha Archivo.
2. Haga clic en Nuevo.
3. En Plantillas disponibles, seleccione Plantillas de Office o Mis plantillas ( ).
4. Siga uno de los procedimientos siguientes:
   - Para usar una de las plantillas de muestra que se instalan con Excel de forma predeterminada, en Plantillas instaladas, haga doble clic en la plantilla que desee.
   - Para usar sus plantillas, en la ficha Mis plantillas, haga doble clic en la plantilla que desee.

4.4.2. Abrir, guardar y cerrar un libro

Al abrir en Excel 2010 un documento creado en versiones anteriores de Excel (1997-2003-2007), se activa el modo de compatibilidad donde puede ver Modo de compatibilidad en la barra de título de la ventana del documento. Esto permite que el documento se pueda abrir con la nueva versión de Excel, pero no podrá utilizar ninguna de sus nuevas funciones. Esto afectará a las versiones más antiguas de Excel como pueden ser Excel 1997 y Excel 2003, ya que Excel 2007 es muy similar a esta versión.

Para abrir un libro ya existente:

1. Haga clic en la ficha Archivo y a continuación haga clic en Abrir.
2. Seleccione la unidad, carpeta u otra ubicación que contenga el documento que quiera abrir.
3. Abra la carpeta donde se encuentre el archivo.
4. Haga clic sobre el archivo elegido.
5. Por último haga clic en **Abrir**.

Truco: *También podrá personalizar la barra de herramientas de acceso rápido mostrando el comando* **Abrir** *o usar la combinación de teclas* **Control-A**, *realizando en ambos casos los pasos anteriormente explicados.*

Una vez finalizada la edición del libro, haga clic en la ficha Archivo y luego haga clic en Guardar. Si va a guardar el archivo por primera vez, debe darle un nombre al documento. También podrá guardar una copia de un documento, guardar un archivo con otro formato o guardar un archivo para usar en una versión anterior de Office.

Si desea guardar una copia de un documento:

1. Haga clic en Guardar como de la ficha Archivo.
2. Le aparecerá un cuadro de diálogo donde tendrá que seleccionar la ubicación donde quiera guardar el archivo.
3. En el cuadro Nombre de archivo, escriba un nombre para el archivo.
4. Despliegue la lista Tipo y, seleccione el formato en el que desee guardar el archivo.
5. Haga clic en **Guardar**.

Para cerrar un documento, haga clic en la ficha Archivo y haga clic en Cerrar, o bien, haga clic en el clásico botón **Cerrar** ( ), situado en la esquina superior derecha de la ventana. También puede usar la combinación de teclas **Control-R**.

4.4.3. Insertar y eliminar una hoja de cálculo

Para agregar una o varias hojas de cálculo a un libro, siga uno de los siguientes procedimientos:

1. En la ficha Inicio, en el grupo Celdas, haga clic en Insertar y, a continuación, haga clic en Insertar hoja. Aparecerá una nueva hoja en la barra de fichas de hojas de cálculo (véase la figura 4.4).
2. En la parte izquierda de la pantalla, encima de la barra de estado haga clic en Insertar hoja de cálculo ( ).

Hoja1 Hoja2 Hoja3

Figura 4.4. Barra de fichas de hojas de cálculo.

3. Presione **Mayús-F11**.

Para eliminar una hoja de cálculo, haga clic con el botón derecho del ratón encima de la ficha de la hoja de cálculo en la barra de fichas de hojas de cálculo que desee eliminar, y aparecerá un menú contextual (véase la figura 4.5). A continuación, haga clic en Eliminar, o bien, en la ficha Inicio, en el grupo Celdas, haga clic en Eliminar y luego haga clic en Eliminar hoja.

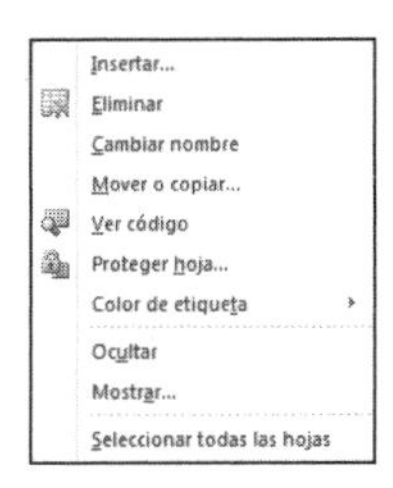

Figura 4.5. Menú contextual en Hojas de cálculo.

Puede cambiar el nombre de un libro. Para ello, haga clic con el botón derecho del ratón sobre la ficha de la hoja de cálculo en la barra de fichas de hojas de cálculo que desee cambiar el nombre, y haga clic en Cambiar nombre. Una vez cambiado el nombre, presione **Intro** y el nombre quedará guardado.

4.4.4. Desplazamiento por un libro

Para desplazarse por las diferentes hojas de cálculo de un libro, haga clic en las fichas de la barra de fichas de hojas de cálculo (Hoja 1, Hoja 2, Hoja 3...).

Para desplazarse por las celdas de una hoja de cálculo, haga clic en cualquier celda o utilice las teclas de cursor (flechas). La celda en la que haga clic o a la que mueva el cursor con las teclas de dirección se convertirá en la celda activa.

Si lo que pretende es desplazarse a un área diferente de la hoja, utilice las barras de desplazamiento:

- Haciendo clic sobre las flechas de los extremos de la barra de desplazamiento vertical se moverá una fila arriba y abajo.
- Haciendo clic en los extremos de la barra de desplazamiento horizontal se moverá una columna a derecha o izquierda.
- Para desplazarse una ventana entera, haga clic en la zona vacía de las barras de desplazamiento.
- Si pretende desplazarse una gran distancia, arrastre el cuadro de desplazamiento.
- Si la hoja de cálculo es de gran tamaño, mantenga pulsada la tecla **Mayús** mientras hace esto.

> ***Advertencia:*** *El tamaño del cuadro de desplazamiento es proporcional al área utilizada de la hoja de cálculo visible en la ventana. La posición del cuadro indica la ubicación relativa del área visible dentro de la hoja de cálculo.*

4.5. Trabajar con hojas de cálculo

Una hoja de cálculo es el documento principal que se utiliza en Excel, y en la que introducirá sus datos. Consta de celdas, que se organizan en filas y columnas, y que se pueden utilizar para organizar y relacionar entre sí distintos tipos de información.

4.5.1. Celdas

La celda es la unidad básica de funcionamiento de Microsoft Excel. En las celdas introducirá los datos necesarios para sus operaciones.

Aunque puede utilizar celdas para operaciones aisladas, lo más normal es que las utilice en conjunción con otras celdas. Está dotada de una serie de atributos que le otorgan una función concreta en relación al resto de la hoja de cálculo fundamental para las múltiples tareas y operaciones que puedan realizarse (organizativas, matemáticas, etc.) (véase la figura 4.6).

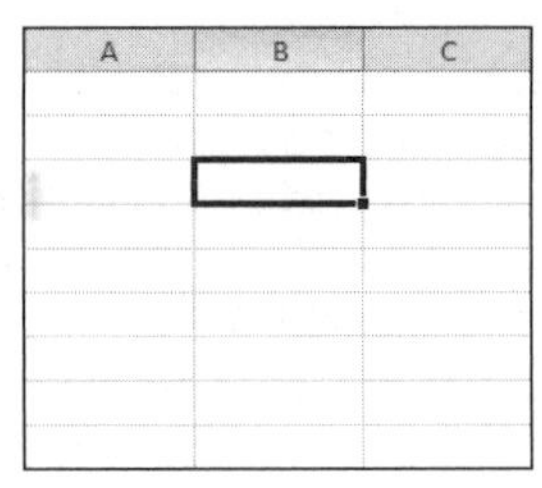

Figura 4.6. Celda.

4.5.2. Filas y columnas

Se denomina fila a la serie de celdas consecutivas en sentido horizontal, y columna a las colocadas en sentido vertical (véanse las figuras 4.7 y 4.8).

Al referirse a una determinada celda, se hace por su ubicación, utilizando para ello la letra que corresponda a su columna y el número de su fila, a no ser que se haya dado un nombre específico a esa celda.

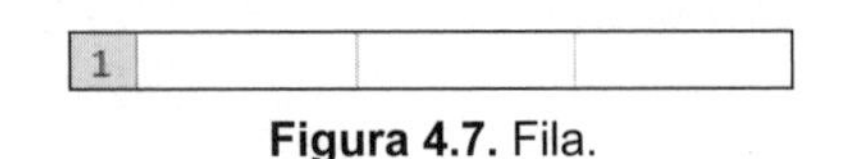

Figura 4.7. Fila.

Figura 4.8. Columna.

4.5.3. Cuadro de nombres y barra de fórmulas

El cuadro de nombres es el lugar de la barra de herramientas en Excel en el que figura el nombre de la celda seleccionada. Por defecto, las celdas se denominarán por su ubicación dentro de la hoja, recibiendo el nombre de su columna y fila, aunque podrá dar un nombre determinado a cada celda haciendo clic en el cuadro de nombres e introduciendo el nuevo nombre para ésta. Para terminar, pulse la tecla **Intro**.

La barra de fórmulas permite escribir o editar valores o fórmulas en celdas o gráficos. Muestra el valor constante almacenado en la celda activa. La barra de fórmulas se encuentra en la barra de herramientas, junto al cuadro de nombres.

4.5.4. Seleccionar celdas, filas, columnas y hojas de cálculo

Para seleccionar celdas:

1. Si las celdas son adyacentes, haga clic en una celda de las que desee seleccionar y mantenga el botón primario del ratón pulsado, seleccionando el resto de celdas.
2. Si las celdas no son adyacentes, haga clic en una de las celdas que desee seleccionar y manteniendo pulsado **Control**, haga clic en el resto de las celdas.
3. Para seleccionar todas las celdas de una hoja de cálculo, haga clic en **Seleccionar todo** ( ), botón situado en la esquina izquierda de la hoja de cálculo, o bien, pulse **Control-A**.

Para seleccionar una fila o una columna:

- Para seleccionar una o varias filas, coloque el puntero del ratón en el número de la fila que desee seleccionar.

Cuando el puntero del ratón pase a ser una flecha negra (⬇), haga un clic con el botón primario del ratón y, a continuación, se seleccionará la fila deseada. Para seleccionar varias filas a la vez, realice este mismo procedimiento manteniendo pulsada la tecla **Control**.

- Para seleccionar una o varias columnas, coloque el puntero del ratón en la letra de la columna que desee seleccionar. Cuando el puntero del ratón pase a ser una flecha negra (➡), haga un clic con el botón primario del ratón y, a continuación, se seleccionará la columna deseada. Para seleccionar varias columnas a la vez, realice este mismo procedimiento manteniendo pulsada la tecla **Control**.

Para seleccionar rápidamente las diferentes hojas de cálculo de un libro, puede hacer clic en las fichas de las hojas de cálculo que se encuentran en la parte inferior de la ventana. Si desea escribir o modificar datos de varias hojas de cálculo al mismo tiempo, puede agruparlas seleccionando varias hojas.

- **Dos o más hojas adyacentes:** Haga clic en la ficha de la primera hoja. Después, mantenga presionada la tecla **Mayús** mientras hace clic en la ficha de la última hoja que desea seleccionar.
- **Dos o más hojas no adyacentes:** Haga clic en la ficha de la primera hoja. Después, mantenga presionada la tecla **Control** mientras hace clic en las fichas de las otras hojas que desea seleccionar.
- **Todas las hojas de un libro:** Haga clic con el botón derecho del ratón en una ficha y, a continuación, haga clic en el comando Seleccionar todas las hojas del menú contextual.

4.5.5. Mover o copiar celdas, filas y columnas

Al mover o copiar una celda, fila o columna, Excel mueve o copia toda la selección, incluidas las fórmulas y sus valores resultantes, así como los formatos y los comentarios.

1. Seleccione el área que desea mover o copiar.
2. En la ficha Inicio en el grupo Portapapeles seleccione cortar, si quiere sustituir el área o copiar si quiere duplicar el área seleccionada. Los métodos abreviados de teclado son para Cortar **Control-X** y para Copiar **Control-C**.

3. En la ficha Inicio, que se encuentra situada en el grupo Portapapeles, haga clic en **Pegar**.

4.5.6. Insertar celdas, filas y columnas

Puede insertar celdas en blanco por encima o a la izquierda de la celda activa en una hoja de cálculo. Cuando inserta celdas en blanco, Excel desplaza las demás celdas en la misma columna hacia abajo o las celdas en la misma fila hacia la derecha para ajustar las celdas nuevas. Asimismo, puede insertar filas por encima de una fila seleccionada y columnas a la izquierda de una columna seleccionada.

Insertar celdas en blanco en una hoja de cálculo:

1. Seleccione la celda o el rango de celdas en las que desee insertar las nuevas celdas en blanco. Seleccione luego el mismo número de celdas que desea insertar. Por ejemplo, para insertar cinco celdas en blanco, debe seleccionar cinco celdas.
2. En el grupo Celdas de la ficha Inicio, haga clic sobre la flecha situada junto a Insertar y, a continuación, en Insertar celdas.
3. En el cuadro de diálogo Insertar celdas (véase la figura 4.9), haga clic en la dirección en la que desea desplazar las celdas circundantes.

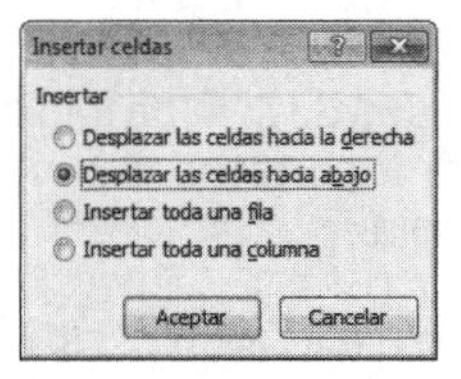

Figura 4.9. Cuadro de diálogo Insertar celdas.

Insertar filas en una hoja de cálculo:

1. Siga uno de los procedimientos siguientes:
   - Para insertar una sola fila, selecciónela toda o una celda de la fila encima de la cual desea insertar la nueva fila. Por ejemplo, para poder insertar una nueva fila encima de la fila 5, haga clic en una celda de dicha fila.
   - Para insertar varias filas, seleccione las filas encima de las cuales desea insertar las nuevas. Seleccione

el mismo número de filas que desea insertar. Por ejemplo, para insertar tres nuevas filas, debe seleccionar tres filas.
- Para insertar filas no adyacentes, mantenga presionada la tecla **Control** mientras selecciona las filas no adyacentes.

2. En el grupo Celdas de la ficha Inicio, haga clic sobre la flecha situada junto a Insertar y, a continuación, en Insertar filas de hoja.

Insertar columnas en una hoja de cálculo:

1. Siga uno de los procedimientos siguientes:
   - Para insertar una única columna, seleccione la columna o una celda de la columna situada inmediatamente a la derecha de la posición en la que desea insertar la nueva. Por ejemplo, para insertar una nueva columna a la izquierda de la columna B, haga clic en una celda de dicha columna.
   - Para insertar varias columnas, seleccione las columnas situadas inmediatamente a la derecha de la posición en la que desea insertar las nuevas. Seleccione el mismo número de columnas que desea insertar. Por ejemplo, para insertar tres columnas nuevas, deberá seleccionar tres columnas.
   - Para insertar columnas no adyacentes, mantenga presionada tecla **Control** mientras selecciona columnas no adyacentes.
2. En el grupo Celdas de la ficha Inicio, haga clic en la flecha situada junto a Insertar y, a continuación, en Insertar columnas de hoja.

> ***Truco:*** *Para insertar celdas, filas o columnas, también puede hacer clic con el botón derecho del ratón en las celdas seleccionadas y, a continuación, hacer clic en* Insertar.

4.5.7. Eliminar celdas, filas y columnas

1. Seleccione en primer lugar las celdas, filas o columnas que desea eliminar.
2. En la ficha Inicio, en el grupo Celdas, haga clic en la flecha junto a Eliminar y luego realice una de las siguientes acciones:
   - Para eliminar celdas seleccionadas, haga clic en Eliminar celdas.

- Para eliminar filas seleccionadas, haga clic en Eliminar filas de hoja.
- Para eliminar columnas seleccionadas, haga clic en Eliminar columnas de hoja.

Truco: *Puede hacer clic con el botón derecho del ratón en una selección de celdas, hacer clic en* Eliminar *y luego seleccionar la opción que desea. También puede hacer clic con el botón derecho del ratón en una selección de filas o columnas y luego hacer clic en* Eliminar.

3. Si va a eliminar una celda o un rango de celdas, haga clic en Desplazar las celdas hacia la izquierda, Desplazar las celdas hacia arriba, Toda la fila o Toda la columna en el cuadro de diálogo Eliminar.

4.6. Trabajar con datos en hojas de cálculo

4.6.1. Copiar y pegar datos en una celda

A veces, cuando copia el contenido de una celda, desea pegar sólo el valor y no la fórmula subyacente que se muestra en la barra de fórmulas.

Por ejemplo, es posible que desee copiar el valor resultante de una fórmula en una celda de otra hoja de cálculo. O bien, es posible que desee eliminar los valores que usó en una fórmula después de copiar el valor resultante en otra celda de la hoja de cálculo. Estas acciones generan un error de referencia de celda no válida (#¡REF!) en la celda de destino, porque ya no se puede hacer referencia a las celdas que contienen los valores que usó en la fórmula.

Para evitar este error, pegue los valores resultantes de las fórmulas sin la fórmula en las celdas de destino.

1. En una hoja de cálculo, seleccione las celdas que contienen los valores resultantes de una fórmula determinada que desee copiar.
2. En la ficha Inicio, en el grupo Portapapeles, haga clic en Copiar).
3. Seleccione seguidamente la celda superior izquierda del área de pegado.

Truco: *Para mover o copiar una selección a una hoja de cálculo o un libro diferentes, haga clic en una ficha de otra hoja de cálculo o cambie a otro libro y, a continuación, seleccione la celda superior izquierda del área de pegado.*

4. En la ficha Inicio, en el grupo Portapapeles, haga clic en Pegar y, a continuación, haga clic en Pegar valores ( ).

Truco: *Al mover el puntero sobre las opciones del menú, se mostrarán los resultados como una vista previa en el área de pegado de la hoja de cálculo.*

4.6.2. Arrastrar

Para mover el contenido de una celda o rango de celdas, siga estos pasos:

1. Seleccione con el ratón la celda o rango que desea mover o arrastrar.
2. Sitúe el puntero del ratón sobre uno de los bordes de la zona seleccionada hasta que el puntero del ratón se transforme en ( ).
3. Haga clic en el ratón y arrástrelo hasta el lugar donde desee ubicar los datos.

Advertencia: *Al soltar el botón del ratón, si existen datos en la zona de rango de destino, aparecerá un cuadro de diálogo informando de que el contenido que existía será eliminado.*

4.6.3. Ortografía

Microsoft Excel le permite revisar la ortografía de los datos que ha introducido. Para ello, siga los siguientes pasos:

1. Seleccione en primer lugar el rango de celdas que desea revisar. Si desea revisar toda la hoja de cálculo, haga clic en cualquier celda.
2. Haga clic en la ficha Revisar y, seguidamente en el comando Ortografía ( ).
3. Si el corrector ortográfico encuentra alguna palabra que no aparece en el diccionario, realice las correcciones apropiadas mediante las opciones que aparecen en la ficha Revisar.

4.6.4. Buscar y reemplazar

Mediante esta función podrá buscar texto y números en una hoja de cálculo y reemplazarlos por otros datos. Para ello siga el siguiente procedimiento:

1. En una hoja de cálculo, haga clic en cualquier celda o rango de celdas.
2. En la ficha Inicio, en el grupo Edición, haga clic en Buscar y seleccionar.
3. Siga uno de los siguientes procedimientos:
   - Para buscar texto o números, haga clic en Buscar.
   - Para buscar y reemplazar texto o números, haga clic en Reemplazar.
4. En el cuadro Buscar, escriba el texto o los números que desee buscar, o bien haga clic en la flecha del cuadro Buscar y haga clic en una búsqueda reciente que se encuentre en la lista.
   - Puede usar caracteres comodín, como un asterisco (*) o un signo de interrogación (?), en sus criterios de búsqueda.
5. Haga clic en Opciones para definir en detalle su búsqueda y, a continuación, siga uno de estos procedimientos:
   - Para buscar datos en una hoja de cálculo o en un libro entero, en el cuadro Dentro de, seleccione la opción Hoja o Libro.
   - Para buscar datos en filas o columnas, en el cuadro Buscar, haga clic en Por filas o Por columnas.
   - Para buscar datos con detalles específicos, en el cuadro Buscar dentro de, haga clic en Fórmulas, Valores o Comentarios.
6. Si desea buscar texto o números que además tienen un formato específico, haga clic en Formato y elija sus opciones en el cuadro de diálogo Buscar formato.
7. Siga uno de estos procedimientos:
   - Para buscar texto o números, haga clic en **Buscar todos** o **Buscar siguiente**.
   - Para reemplazar texto o números, escriba el nuevo texto o número en el cuadro **Reemplazar con** (o deje el cuadro en blanco para no reemplazar los caracteres con nada) y, a continuación, haga clic en **Buscar** o **Buscar todos**.
8. Para reemplazar la coincidencia resaltada o todas las coincidencias encontradas, haga clic en **Reemplazar** o **Reemplazar todos**.

Truco: *Microsoft Excel guarda las opciones de formato que se definen. Si vuelve a buscar datos en la hoja de cálculo y no encuentra caracteres que sabe que contiene, es posible que deba borrar las opciones de formato de la búsqueda anterior. En el cuadro de diálogo* Buscar y reemplazar, *haga clic en la ficha* Buscar *y en* Opciones *para mostrar las opciones de formato. Haga clic en la flecha junto a* Formato *y haga clic en* Borrar formato de búsqueda.

4.7. Formato y estilo

4.7.1. Formato y estilo en celda, fila y columna

Para distinguir entre los diferentes tipos de información, puede modificar las celdas aplicando bordes, sombreándolas con un color o una trama, así como cambiar el tipo de letra o asignar a las cifras de la celda valores monetarios. Para ello, haga clic en el la ficha Inicio en el grupo Celdas y a continuación, haga clic en Formato.

Se desplegará un menú con diferentes opciones de cambio de alto de fila y ancho de columna, funciones de visibilidad para mostrar y ocultar, cambios de nombre, organización y protección de hojas, etc (véase la figura 4.10).

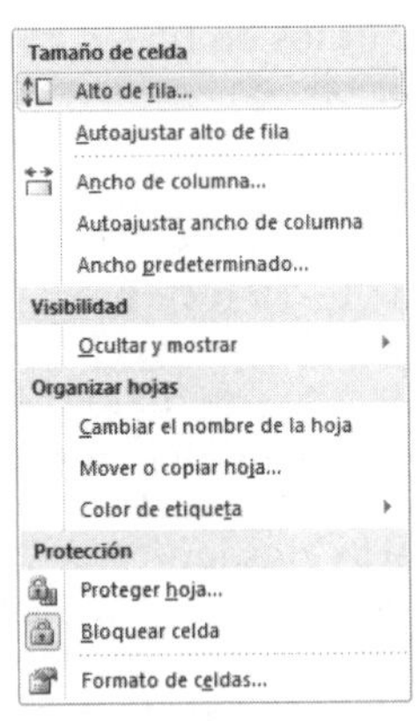

Figura 4.10. Lista de opciones de Formato de celdas.

Tras establecer un formato a una celda o a un rango de celdas, podrá aplicar ese formato a otras celdas utilizando el comando Copiar formato del grupo Portapapeles en la ficha Inicio.

Desde las diferentes fichas, podrá modificar a su gusto el aspecto de la celda. Puede utilizar las opciones Girar texto o Bordes. Los datos de una columna suelen ocupar bastante menos espacio que el rótulo de la columna. Para evitar crear columnas innecesariamente anchas o abreviar el texto del rótulo, puede girar en ángulo dicho rótulo y asignarle bordes, utilizando para ello el cuadro de diálogo Orientación de la ficha Alineación (véase la figura 4.11).

Figura 4.11. Grupo Alineación.

En este cuadro de diálogo, tendrá de manera clara y concisa todas las funciones de formato de celda, tales como Número, Alineación, Fuente, Bordes, Color de relleno, y Proteger. Para aplicar varios formatos en un solo paso y asegurarse de que las celdas tienen un formato coherente, puede aplicar un estilo. Para ello, haga clic en Estilos de celda en el grupo Estilos de la ficha Inicio, y escoja el que más le guste. Existen varios estilos predefinidos, pero puede crear estilos nuevos según sus preferencias (véase la figura 4.12).

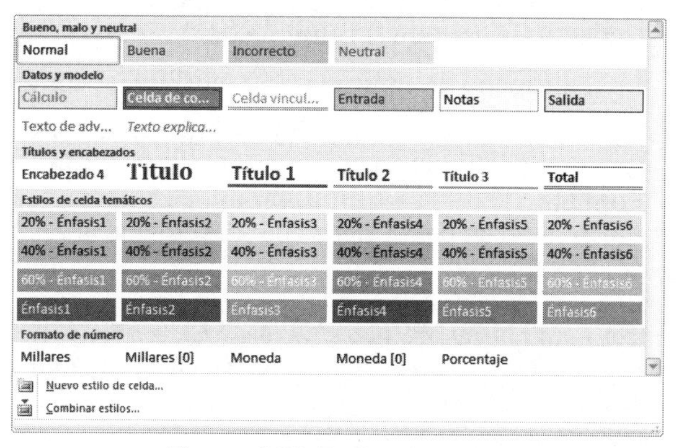

Figura 4.12. Estilos de celda.

> ***Truco:*** *Para acceder rápidamente al cuadro de diálogo de formato de celdas, haga clic en el Iniciador de cuadro de diálogo* Fuente, *situado en la esquina inferior derecha de este mismo grupo.*

En una hoja de cálculo, puede especificar un ancho de columna comprendido entre 0 (cero) y 255. Este valor representa el número de caracteres que se pueden mostrar en una celda con formato de fuente estándar. El ancho de columna predeterminado es de 8,43 caracteres. Si el ancho de columna se establece como 0, la columna se oculta.

Puede especificar un alto de fila comprendido entre 0 (cero) y 409. Este valor representa la medida en puntos del alto. El alto de fila predeterminado es de 12,75 puntos. Si el alto de fila se establece como 0, la fila se oculta.

Puede definir las medidas de filas o columnas haciendo clic en Formato, en el grupo Celdas de la ficha Inicio, y posteriormente, en Alto de Fila o Ancho de Columna.

Dependiendo de si ha seleccionado una fila o columna, aparecerá la opción de cambiar el alto (de las filas) o el ancho (de las columnas). También existe la opción de autoajustar el tamaño de la fila o columna, de tal manera que ocupe el espacio necesario para hacer visibles los datos contenidos en la mayor de sus celdas. Para ello, seleccione la fila o columna, haga clic en Formato, y luego en Autoajustar alto de fila o Autoajustar ancho de Columna, según corresponda.

Hacer coincidir el ancho de columna con otra columna:

1. Seleccione una celda de la columna.
2. En la ficha Inicio, en el grupo Portapapeles, haga clic en Copiar y, seleccione la columna de destino.

Cambiar el ancho de columna para ajustarlo al contenido:

1. Seleccione la columna o columnas que desea cambiar.
2. En la ficha Inicio, en el grupo Celdas, haga clic en Formato.
3. En Tamaño de celda, haga clic en Autoajustar ancho de columna.

> ***Truco:*** *Para ajustar rápidamente todas las columnas de la hoja de cálculo, haga clic en el botón* **Seleccionar todo** *y, a continuación, haga doble clic en cualquier borde entre dos encabezados de columnas.*

Cambiar el ancho predeterminado de todas las columnas de una hoja de cálculo o un libro:

1. Haga clic en su ficha de hoja (o del libro).
2. En la ficha Inicio, que se encuentra en el grupo Celdas, haga clic en Formato.

3. En la sección Tamaño de celda, haga clic en Ancho predeterminado.
4. En el cuadro Ancho estándar de columna, escriba una medida nueva.

Establecer un alto específico para una fila:

1. Seleccione la fila o filas que desea cambiar.
2. En la ficha Inicio, en el grupo Celdas, haga clic en Formato.
3. En Tamaño de celda, haga clic en Alto de fila.
4. En el cuadro Alto de fila, escriba el valor que desee.

Cambiar el alto de fila para ajustarlo al contenido:

1. Seleccione la fila o filas que desea cambiar.
2. En la ficha Inicio, que se encuentra en el grupo Celdas, haga clic en Formato.
3. En la sección Tamaño de celda, haga clic en Autoajustar alto de fila.

4.7.2. Formato de página

Los márgenes de la página son los espacios en blanco que se encuentran entre los datos de la hoja de cálculo y los bordes de la página impresa. Los márgenes superior e inferior de la página pueden usarse para algunos elementos como encabezados, pies de página y números de página.

Para alinear mejor una hoja de cálculo en una página impresa, puede usar márgenes predefinidos, especificar márgenes personalizados o centrar la hoja de cálculo de forma horizontal o vertical en la página.

> **Nota:** *Los márgenes que defina en una determinada hoja de cálculo se guardarán con ella al guardar el libro. No se pueden cambiar los márgenes de página predeterminados en los libros nuevos.*

Para configurar los márgenes de la página haga clic en la ficha Diseño de página.

Haga clic en el comando Márgenes. Seleccione el tipo de margen que se adecue más a sus necesidades de entre los mostrados en la lista o haga clic sobre Márgenes personalizados, para establecer los márgenes manualmente (véase la figura 4.13).

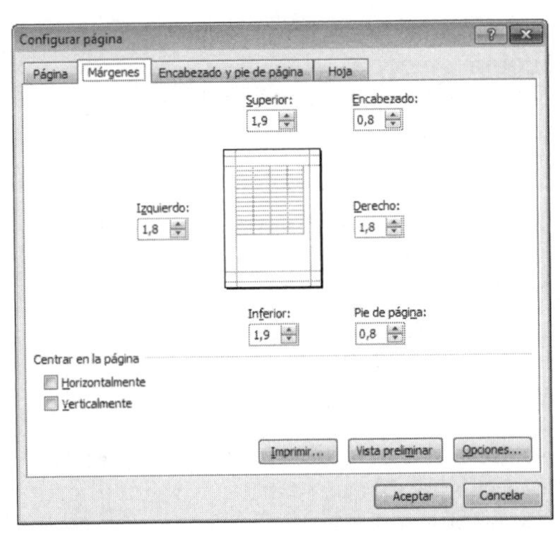

Figura 4.13. Configuración de márgenes.

Dentro de la ficha Diseño de página, puede establecer la orientación de la página, el tamaño de la misma e incluso el área que desea que se utilice a la hora de enviar el documento a imprimir.

También es interesante incluir el número de página en cada hoja del libro, para que si decide imprimirlo, pueda localizar y organizar el total de las hojas del libro de Excel.

Si desea que los números aparezcan en las páginas cuando imprime una hoja de cálculo, puede insertar números de página en los encabezados o pies de página de las páginas de hojas de cálculo. En la vista Normal, no se muestran los números de página que inserta en la hoja de cálculo, sólo se muestran en la vista Diseño de página y en las páginas impresas.

Puede insertar números de página en una hoja de cálculo en la vista Diseño de página, donde puede verlos, o puede usar el cuadro de diálogo Configurar página si desea insertar números de página en más de una hoja de cálculo al mismo tiempo. Para otros tipos de hoja, como hojas de gráfico, sólo puede insertar números de página mediante el cuadro de diálogo Configurar página.

De forma predeterminada, las páginas se numeran en orden secuencial, empezando por la página 1, pero puede iniciar la secuencia con un número diferente. También puede cambiar el orden en que se numeran las páginas.

Puede insertar números de página en varias hojas de cálculo en el libro usando el cuadro de diálogo Configurar página. Esto le permite agregar números de página a varias hojas de cálculo en un libro, pero cada hoja de cálculo contiene su propio conjunto de números de página. Por ejemplo, si el libro contiene dos hojas de cálculo ambas con dos páginas, la primera hoja tendrá dos páginas numeradas 1 y 2. La segunda también tendrá dos páginas numeradas 1 y 2.

> **Nota:** *Para agregar números de página a todas las hojas de cálculo de un libro de forma secuencial, debe cambiar el número con el que comienza cada hoja de cálculo.*

1. Haga clic en las hojas de cálculo o las hojas de gráficos a las que desea agregar los números de página.
2. En la ficha Diseño de página, en el grupo Configurar página, haga clic en el Iniciador de cuadro de diálogo.
3. En el cuadro de diálogo Configurar página, en la ficha Encabezado y pie de página, haga clic en Personalizar encabezado o Personalizar pie de página.
4. Para especificar el lugar donde desea que aparezca el número en el encabezado o pie de página, haga clic en los cuadros Sección izquierda, Sección central o Sección derecha.
5. Para insertar números, haga clic en el botón **Insertar número de página** ( ).
6. Para agregar el número total de páginas, escriba un espacio después de **&[Página]**, escriba la palabra **de** seguida de un espacio y, a continuación, haga clic en el botón **Insertar número de páginas**.

Para numerar todas las páginas de la hoja de cálculo de forma secuencial, primero agregue números de página a todas las hojas de cálculo en un libro y, a continuación, use el siguiente procedimiento para que el número de página de cada hoja de cálculo comience con el número adecuado. Por ejemplo, si el libro contiene dos hojas de cálculo que se imprimirán ambas como dos páginas, se usará este procedimiento para que la numeración de página de la segunda hoja de cálculo comience con el número 3.

1. En la ficha Diseño de página, en el grupo Configurar página, haga clic en el Iniciador de cuadro de diálogo.
2. En la ficha Página, que se encuentra en el cuadro Primer número de página, escriba el número que desea usar para la primera página.

Truco: Para usar el sistema de numeración predeterminado, escriba **Automático** *en el cuadro* Primer número de página.

4.8. Trabajar con ilustraciones

4.8.1. Insertar dibujos e imágenes

Para insertar en una hoja de Excel una imagen procedente de otro archivo, haga clic en la hoja de cálculo donde desee insertar la imagen y elija la celda o área donde desea ubicarla.

1. Haga clic en la ficha Insertar.
2. En el grupo Ilustraciones, si se trata de una imagen concreta, haga clic en Imagen y, si desea insertar una imagen prediseñada, haga clic en Imágenes prediseñadas.
3. En ambos casos, localice la imagen deseada e insértela en la hoja de cálculo.

Para modificar una imagen, deberá seleccionarla. Una vez seleccionada, aparecerá la ficha Formato de Imagen. En el grupo Ajustar podrá realizar modificaciones en la imagen.

Puede aumentar o reducir el brillo y el contraste de la imagen, modificar las tonalidades del color, aplicar multitud de efectos, etc. Para eliminar ciertas zonas de la imagen haga clic en el botón **Recortar**. A continuación, haga clic sobre los márgenes resaltados de alguno de los cuatro lados y arrastre.

En caso de que no esté conforme con los cambios realizados a la imagen, haga clic en el botón **Restablecer imagen** (véase la figura 4.14).

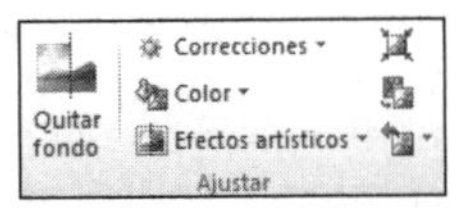

Figura 4.14. Grupo Ajustar imagen.

Si desea dibujar en Microsoft Excel, seleccione una celda en la hoja de cálculo.

Haga clic en la ficha Insertar y, en el grupo Ilustraciones, haga clic en Formas. En el menú desplegable aparecerán una variedad de formas agrupadas en Líneas, Rectángulos, Formas básicas, Flechas, etc. Escoja la que prefiera, y a continuación sitúe el cursor en la zona específica donde desea colocarla (véase la figura 4.15).

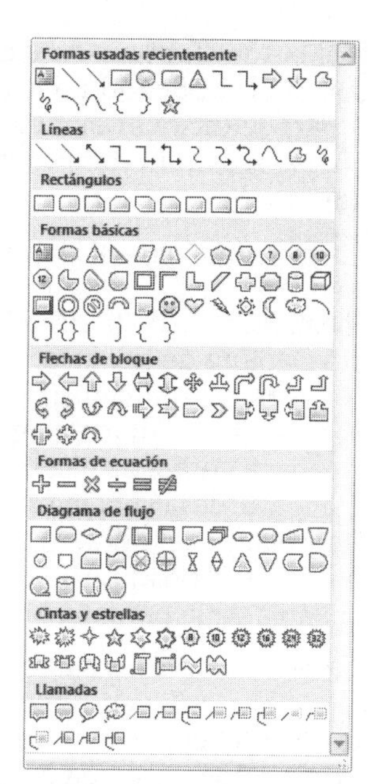

Figura 4.15. Galería de Formas.

4.8.2. Insertar una captura

Puede agregar rápida y fácilmente una captura de pantalla a su archivo de Office para mejorar la legibilidad o capturar información sin salir de la aplicación en la que está trabajando. Esta característica está disponible en Microsoft Excel, Outlook, PowerPoint y Word y la puede usar para tomar una fotografía de todas o parte de las ventanas abiertas en el equipo. Estas capturas de pantalla son fáciles de leer en los documentos impresos y en las diapositivas de PowerPoint que proyecta.

Las capturas de pantalla son útiles para capturar instantáneas de información que podrían cambiar o caducar, como un artículo de noticias de última hora o una lista sensible al tiempo de vuelos disponibles y tarifas en un sitio Web de viaje. Las capturas de pantalla también son útiles para copiar desde páginas Web y otros orígenes cuyos formatos podrían no transferirse correctamente en el archivo por cualquier otro método. Las capturas de pantalla son imágenes estáticas. Al tomar una captura de pantalla de algo (por ejemplo, una página Web) y la información original cambia, no se actualiza la captura de pantalla.

Al hacer clic en el botón **Captura de pantalla**, puede insertar toda la ventana de la aplicación o usar la herramienta Recorte de pantalla para seleccionar una parte de la ventana. Sólo las ventanas que no se han minimizado a la barra de tareas pueden capturarse.

1. Haga clic en la hoja de cálculo a la que desea agregar la captura de pantalla.
2. En el grupo Ilustraciones de la ficha Insertar, haga clic en el comando Captura de pantalla.
3. Siga uno de estos procedimientos:
   - Para agregar toda la ventana, haga clic en la miniatura de la galería Ventanas disponibles.
   - Para agregar parte de la ventana, haga clic en Recorte de pantalla y cuando el puntero se convierta en una cruz, mantenga presionado el botón del ratón para seleccionar el área de la pantalla que desea capturar.

Si tiene varias ventanas abiertas, haga clic en la ventana que desee recortar antes de hacer clic en Recorte de pantalla. Al hacer clic en Recorte de pantalla, se minimiza la aplicación en la que está trabajando y sólo la ventana de detrás de él estará disponible para el recorte.

> ***Nota:*** *Se puede agregar una captura de pantalla a la vez. Para agregar varias capturas de pantalla, repita los pasos 2 y 3.*

> ***Truco:*** *Después de agregar la captura de pantalla, puede usar las herramientas de la ficha* Herramientas de imagen *para editar y mejorar la captura de pantalla.*

4.8.3. Elaborar gráficos y minigráficos

Microsoft Excel admite muchos tipos de gráfico para ayudarlo a mostrar los datos de forma comprensible. Cuando crea un gráfico o cambia el tipo de uno existente, ya sea en Microsoft Excel o en otras aplicaciones de Microsoft Office, como Microsoft Word, Microsoft PowerPoint o Microsoft Outlook, puede seleccionar uno de siguientes tipos de gráficos:

- De columnas.
- De líneas.
- Circulares.
- De barras.
- De área.

- De tipo XY.
- De cotizaciones.
- De superficie.
- De anillos.
- De burbujas.
- Radiales.

Esta versión no incluye el asistente para gráficos. En su lugar, para crear un gráfico básico puede hacer clic en el tipo de gráfico que desee en el grupo Gráficos de la ficha Insertar. Para crear un gráfico que muestre los detalles deseados, puede seguir los siguientes pasos:

1. En la hoja de cálculo, organice los datos que desea trazar en un gráfico.
2. Seleccione las celdas que contienen los datos que desea utilizar en el gráfico.

> ***Truco:*** *Si selecciona únicamente una celda, Excel traza automáticamente en un gráfico todas las celdas adyacentes a esa celda que contienen datos. Si las celdas que desea trazar en un gráfico no están en un intervalo continuo, puede seleccionar celdas o rangos no adyacentes siempre que la selección forme un rectángulo. También puede ocultar las filas o las columnas que no desee trazar en el gráfico.*

3. En la ficha Insertar, en el grupo Gráficos, siga uno de los procedimientos siguientes:
   - Haga clic en el tipo de gráfico y, a continuación, haga clic en el subtipo de gráfico que desea utilizar.
   - Para ver todos los tipos de gráficos disponibles, haga clic en ( ) para mostrar el cuadro de diálogo Insertar gráfico y, a continuación, haga clic en las flechas para desplazarse por los tipos de gráficos (véase la figura 4.16).
4. De forma predeterminada, el gráfico se coloca en la hoja de cálculo como un gráfico incrustado. Si desea colocar el gráfico en una hoja de gráfico independiente, puede cambiar su ubicación mediante el procedimiento siguiente.
   1. Haga clic en cualquier parte del gráfico incrustado para activarlo.
   2. En la ficha Diseño, en el grupo Ubicación, haga clic en Mover gráfico.

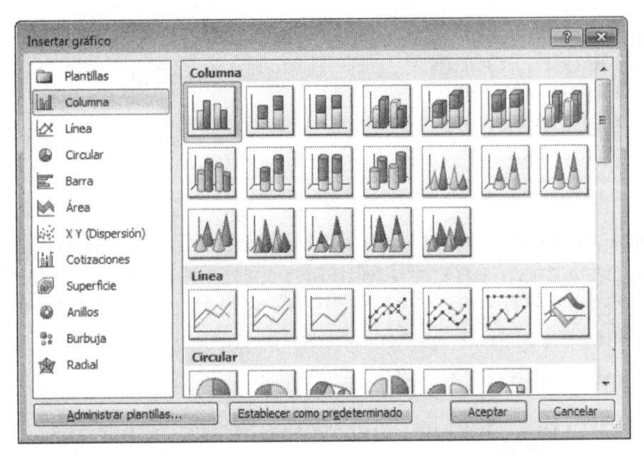

Figura 4.16. Cuadro de diálogo Insertar gráfico.

3. En Elija dónde desea colocar el gráfico, siga uno de los procedimientos siguientes:
   - Para mostrar el gráfico en una hoja de gráfico, haga clic en Hoja nueva.
   - Para mostrar el gráfico como un gráfico incrustado en una hoja de cálculo, haga clic en Objeto en y, a continuación, haga clic en una hoja de cálculo en el cuadro Objeto en.

Para terminar el proceso deberá especificar un nombre para el gráfico. Excel asigna automáticamente un nombre al mismo, por ejemplo Gráfico1 si es el primer gráfico que haya creado en la hoja de cálculo. Para cambiar el nombre del gráfico, haga lo siguiente:

1. Haga clic en el gráfico.
2. En la ficha Presentación, en el grupo Propiedades, haga clic en el cuadro de texto Nombre de gráfico.
3. Escriba el nombre que desee utilizar para identificar el gráfico.
4. Presione **Intro** para finalizar.

> **Truco:** *Para crear rápidamente un gráfico basado en el tipo de gráfico predeterminado, seleccione los datos que desea utilizar para el gráfico y, a continuación, presione* **Alt-F1** *o* **F11**. *Al presionar* **Alt-F1**, *el gráfico se muestra como un gráfico incrustado. Al presionar* **F11**, *el gráfico aparece en una hoja de gráfico independiente.*

Nota: *Cuando ya no necesite un gráfico, puede eliminarlo. Haga clic en el gráfico para seleccionarlo y presione la tecla* **Supr**.

Un minigráfico, novedad en Microsoft Excel 2010, es un pequeño gráfico en una celda de una hoja de cálculo que ofrece una representación visual de los datos. Use minigráficos para mostrar tendencias en una serie de valores, como aumentos o reducciones periódicos, ciclos económicos o para resaltar valores mínimos y máximos. Coloque un minigráfico cerca de sus datos para lograr un mayor impacto.

A diferencia de los gráficos en una hoja de cálculo de Excel, los minigráficos no son objetos, un minigráfico en realidad es un pequeño gráfico en el fondo de una celda.

Dado que un minigráfico es un pequeño gráfico incrustado en una celda, se puede escribir texto en una celda y usar un minigráfico como fondo.

Para aplicar una combinación de colores a los minigráficos, elija un formato integrado de la galería de estilos (ficha Diseño, disponible cuando se selecciona una celda que contiene un minigráfico). Puede usar los comandos Color de minigráfico o Color de marcador para elegir un color para los valores alto, bajo, primero y último (como verde para alto y naranja para bajo).

Los datos que se presentan en una fila o columna son útiles, pero los patrones pueden resultar difíciles de reconocer a simple vista. El contexto de estos números se puede proporcionar insertando minigráficos junto a los datos. Al ocupar una pequeña cantidad de espacio, un minigráfico puede mostrar una tendencia basándose en datos adyacentes en una representación gráfica clara y compacta. Aunque no es obligatorio que una celda de minigráfico esté directamente junto a los datos subyacentes, es muy recomendable.

Puede ver rápidamente la relación entre un minigráfico y los datos subyacentes y, cuando los datos cambian, puede ver el cambio en el minigráfico de inmediato. Además de crear un minigráfico único para una fila o columna de datos, puede crear varios minigráficos al mismo tiempo seleccionando varias celdas correspondientes a los datos subyacentes, como se muestra en la siguiente imagen (véase la figura 4.17).

También puede crear minigráficos para filas de datos que agregará más adelante usando el controlador de relleno sobre una celda adyacente que contenga un minigráfico.

Para poder crear un minigráfico siga el procedimiento que se describe a continuación:

1. Seleccione una celda vacía o un grupo de celdas vacías en las que desee insertar uno o más minigráficos.
2. En la ficha Insertar, en el grupo Minigráficos, haga clic en el tipo de minigráfico que desea crear: Línea, Columna o Pérdida y ganancia.

Figura 4.17. Grupo Minigráficos.

3. En el cuadro Rango de datos, escriba el rango de celdas que contienen los datos en los cuales desea basar los minigráficos.

Cuando se seleccionan uno o más minigráficos en la hoja de cálculo, aparece Herramientas de minigráficos, que muestran la ficha Diseño. En la ficha Diseño, puede elegir uno o más comandos entre los siguientes grupos: Minigráfico, Tipo, Mostrar, Estilo y Grupo. Use estos comandos para crear un minigráfico nuevo, cambiar el tipo, darle formato, mostrar u ocultar puntos de datos en un minigráfico de línea o dar formato al eje vertical en un grupo de minigráficos. Estas opciones se describen detalladamente en la siguiente sección.

Si el rango de datos incluye fechas, puede seleccionar Tipo de eje de fecha en las opciones de Eje (Herramientas para minigráfico, ficha Diseño, grupo Agrupar, comando Eje) para organizar los puntos de datos en el minigráfico para que reflejen períodos irregulares. Por ejemplo, si los primeros tres puntos de fechas están separados cada uno exactamente por una semana y el cuarto punto de fecha es un mes más tarde, el espacio entre el tercer y el cuarto punto de fecha aumenta proporcionalmente para reflejar el período más grande.

También puede usar las opciones de Eje para establecer valores mínimos y máximos para el eje vertical de un minigráfico o grupo de minigráficos. Establecer estos valores lo ayuda explícitamente a controlar la escala de manera que la relación entre los valores se muestre de una forma más lógica. También puede usar la opción Representar datos de derecha a izquierda para cambiar la dirección en que se representan los datos en un minigráfico o grupo de minigráficos.

Después de crear minigráficos, puede controlar qué puntos de valor se muestran (como alto, bajo, primero, último o cualquier valor negativo), cambiar el tipo de minigráfico (**Línea**, **Columna** o **Pérdida y ganancia**), aplicar estilos de una galería o establecer opciones de formato individuales, establecer opciones en el eje vertical y controlar cómo se muestran los valores vacíos o cero en el minigráfico.

Puede resaltar marcadores de datos individuales (valores) en un minigráfico de línea haciendo que algunos o todos los marcadores queden visibles.

1. Seleccione el minigráfico o los minigráficos a los que desea aplicar formato.
2. En Herramientas para minigráfico, haga clic sobre la ficha Diseño.
3. En el grupo Mostrar, active la casilla de verificación Marcadores para mostrar los marcadores de datos.
4. En el grupo Mostrar, active la casilla de verificación Puntos negativos para mostrar los valores negativos.
5. En el grupo Mostrar, active las casillas de verificación Punto alto o Punto bajo para mostrar los valores más altos o más bajos.
6. En el grupo Mostrar, active las casillas de verificación Primer punto o Último punto para mostrar los primeros o los últimos valores.

Utilice la galería de estilos de la ficha Diseño, que está disponible cuando selecciona una celda que contiene un minigráfico para cambiar el estilo o formato de los minigráficos.

1. Seleccione un minigráfico único o un grupo de minigráficos.
2. Para aplicar un estilo predefinido, en la ficha Diseño, en el grupo Estilo, haga clic en un estilo o en el botón **Más** en la esquina inferior derecha del cuadro para ver estilos adicionales.
3. Para cambiar el color de un minigráfico o sus marcadores, haga clic en Color de minigráfico o en Color de marcador y, a continuación, elija la opción que desee.

Puede mostrar u ocultar marcadores de datos. En un minigráfico con estilo de línea, puede mostrar los marcadores de datos de manera que pueda resaltar valores individuales.

1. En la hoja de cálculo, seleccione un minigráfico.
2. En la ficha Diseño, en el grupo Mostrar, active cualquiera de las casillas de verificación para mostrar marcadores individuales (como alto, bajo, negativo, primero o úl-

timo) o active la casilla de verificación Marcadores para mostrar todos los marcadores. Al desactivar una casilla se oculta el marcador específico.

Finalmente puede controlar la manera en que un minigráfico trata celdas vacías en un rango (y por lo tanto cómo se muestra el minigráfico) mediante el cuadro de diálogo Configuración de celdas ocultas y vacías (Herramientas para minigráfico, ficha Diseño, grupo Minigráfico, comando Editar datos).

4.8.4. Cambiar la ubicación de un gráfico

El gráfico se coloca en la hoja de cálculo como un gráfico incrustado. Si desea colocar el gráfico en una hoja de gráfico independiente, puede cambiar su ubicación.

1. Haga clic en el gráfico incrustado o en la hoja de gráfico para seleccionarlos y mostrar las herramientas de gráfico.
2. En la ficha Diseño, en el grupo Ubicación, haga clic en Mover gráfico.
3. En Seleccione dónde desea colocar el gráfico, siga uno de los procedimientos siguientes:
   - Para mostrar el gráfico en una hoja de gráfico, haga clic en Hoja nueva.
   - Para crear rápidamente un gráfico basado en el tipo de gráfico predeterminado, seleccione los datos que desea utilizar para el gráfico y, a continuación, presione **Alt-F1** o **F11**. Al presionar **Alt-F1**, el gráfico se muestra como un gráfico incrustado. Al presionar **F11**, el gráfico aparece en una hoja de gráfico independiente.
   - Si con frecuencia utiliza un tipo de gráfico específico cuando crea un gráfico, es conveniente establecer dicho tipo de gráfico como el predeterminado. Después de seleccionar el tipo y el subtipo de gráfico en el cuadro de diálogo Insertar gráfico, haga clic en Establecer como predeterminado.
   - Al crear un gráfico, las herramientas de gráfico aparecen disponibles y se muestran las fichas Diseño, Presentación y Formato. Puede utilizar los comandos de estas fichas para modificar el gráfico con el fin de que presente los datos de la forma que desea. Utilice la ficha Diseño para mostrar las series de

datos por filas o por columnas, realizar cambios en el origen de datos del gráfico, cambiar la ubicación del mismo, cambiar el tipo de gráfico, guardarlo como una plantilla o seleccionar opciones de diseño y formato predefinidas. Utilice la ficha **Presentación** para cambiar la disposición de los elementos del gráfico, como los títulos del gráfico o los de datos, utilizar herramientas de dibujo o agregar cuadros de texto e imágenes al gráfico. Utilice la ficha **Formato** para agregar colores de relleno, cambiar estilos de línea o aplicar efectos especiales.

4.9. Fórmulas

Las fórmulas son ecuaciones que pueden realizar cálculos, devolver información, manipular el contenido de otras celdas, comprobar condiciones, etc. Una fórmula siempre comienza con el signo igual (=). Por ejemplo, la siguiente fórmula usa la función `Raíz` para devolver la raíz cuadrada del valor que contiene la celda `A1`.

```
=RAIZ(A1)
```

Una fórmula también puede contener lo siguiente (véase la figura 4.18):

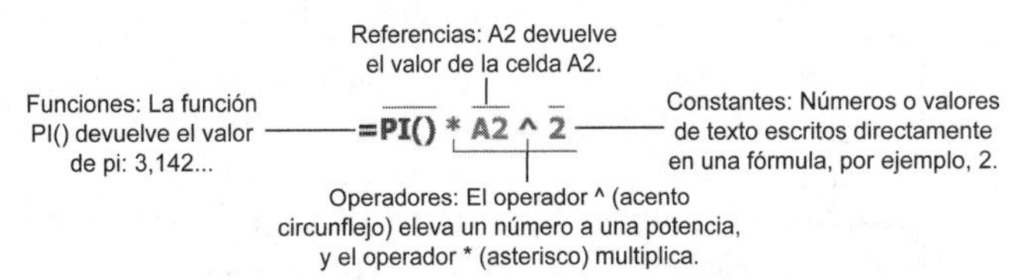

Figura 4.18. Partes de una fórmula.

- **Funciones:** Fórmula ya escrita que toma un valor o valores, realiza una operación y devuelve un valor o valores. Utilice funciones para simplificar y acortar fórmulas en una hoja de cálculo, especialmente aquellas que llevan a cabo cálculos prolongados o complejos.
- **Referencias:** Una referencia es una fórmula básica predefinida o modelo a seguir en todas las interacciones de cálculo. En las referencias de celda se pueden utilizar datos de distintas partes de una hoja de cálculo en una

fórmula, o bien utilizar el valor de una celda en varias fórmulas. También puede hacerse referencia a las celdas de otras hojas de cálculo en el mismo libro.

- **Operadores:** Signos o símbolos que especifican el tipo de cálculo que se debe llevar a cabo en una expresión. Hay operadores matemáticos, comparativos, lógicos y referenciales.
- **Constantes:** Valores que no han sido calculados y que, por tanto, no varían. Por ejemplo, el número 210 y el texto "Ingresos trimestrales" son constantes. Las expresiones, o los valores resultantes de ellas, no lo son.

4.9.1. Crear una fórmula sencilla

Para crear una fórmula sencilla (la tabla 4.1 recoge algunos ejemplos) haga clic en una celda, escriba el signo igual (=) y, a continuación, introduzca la fórmula. Excel realizará la operación y escribirá el resultado.

Tabla 4.1. Ejemplos de fórmulas.

Fórmula de ejemplo	*Acción*
`=SUMA(A:A)`	Suma todos los números de la columna A.
`=PROMEDIO (A1:B4)`	Halla el promedio de todos los números del rango.

1. Haga clic en la celda en la que desee escribir la fórmula.
2. Para iniciar la fórmula con la función, haga clic en Insertar función (fx) en la barra de fórmulas.
3. Seleccione la función que desee utilizar. Puede escribir una pregunta que describa lo que desee hacer en el cuadro Buscar una función (por ejemplo, **Sumar números** devuelve la función `SUMA`), o elegir entre las categorías del cuadro O seleccionar una categoría. Haga clic en Ir.
4. Escriba los argumentos en el cuadro de diálogo Argumentos de función.
5. Una vez completa la fórmula, haga clic en **Aceptar**.

Crear una fórmula con referencias y nombres

Las siguientes fórmulas contienen referencias relativas y nombres de otras celdas. La celda que contiene la fórmula se denomina celda dependiente cuando su valor depende de los valores de otras celdas. Por ejemplo, la celda B2 es una celda dependiente si contiene la fórmula =C2.

Referencia relativa en una fórmula, es la dirección de una celda basada en la posición relativa de la celda que contiene la fórmula y la celda a la que se hace referencia. Si se copia la fórmula, la referencia se ajusta automáticamente. Una referencia relativa toma la forma A1.

Nombre es una palabra o cadena de caracteres que representa una celda, rango de celdas, fórmula o valor constante. Utilice nombres fáciles de entender, como Productos, para referirse a rangos difíciles de entender, como Ventas!C20:C30. La tabla 4.2 recoge un ejemplo.

Tabla 4.2. Fórmulas donde se utilizan referencias relativas y nombres.

Fórmula de ejemplo	*Acción*
=C2	Utiliza el valor de la celda C2.
=Hoja2!B2	Utiliza el valor de la celda B2 de Hoja2.
=Activo-Pasivo	Resta la celda Pasivo de la celda Activo.

1. Haga clic en la celda en la que desee escribir la fórmula.
2. En la barra de fórmulas, escriba = (signo de igual).
3. Siga uno de los procedimientos siguientes:
    - Para crear una referencia, seleccione una celda, un rango de celdas, una ubicación de otra hoja de cálculo o una ubicación de otro libro. Este comportamiento se denomina semiselección. Puede arrastrar el borde de la selección de celdas para mover la selección, o bien arrastrar la esquina del borde para ampliar la selección.
    - Para escribir una referencia a un rango con nombre, presione **F3**, seleccione el nombre en el cuadro Pegar nombre y haga clic en **Aceptar**.
4. Presione **Intro**.

4.9.2. Fórmulas y funciones

Las funciones son fórmulas predefinidas que ejecutan fórmulas utilizando valores específicos, denominados argumentos, en un orden determinado o estructura. Las funciones pueden utilizarse para ejecutar operaciones simples o complejas.

Cuando cree una fórmula que contenga una función, el cuadro de diálogo **Insertar función** le ayudará a introducir las funciones de la hoja de cálculo. A medida que introduzca una función en la fórmula, el cuadro de diálogo **Insertar función** irá mostrando el nombre de la misma, cada uno de sus argumentos, una descripción de ella y de cada argumento, el resultado actual de la función y el resultado actual de toda la fórmula (véase la figura 4.19).

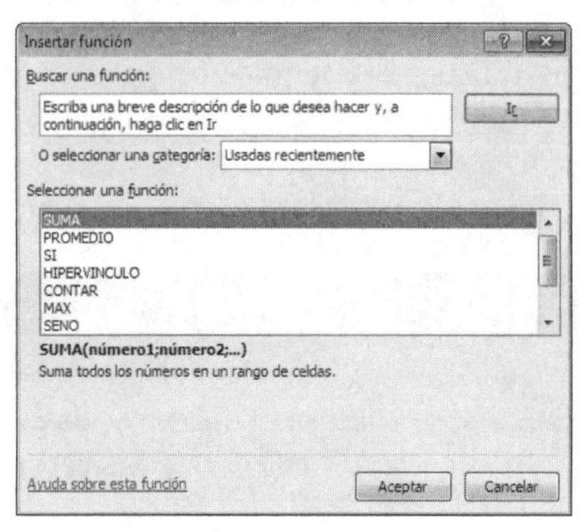

Figura 4.19. Cuadro de diálogo Insertar función.

La estructura de una función comienza con el signo igual (=), seguido por el nombre de la función, un paréntesis de apertura, los argumentos de la función separados por comas y un paréntesis de cierre.

> ***Nota:*** *Para obtener la lista de funciones disponibles en una celda, selecciónela y pulse las teclas* **Mayús-F3**.

4.9.3. Referencias

Una referencia identifica el rango en una hoja de cálculo e indica a Excel en qué celdas debe buscar los valores o datos que desea utilizar en las fórmulas. De forma predeterminada, la aplicación identifica las referencias por el sistema A1, que otorga una letra (desde A hasta IV) a cada columna y un número (de 1 a 65536) a cada fila. Para hacer referencia a una celda, escriba la letra de la columna seguida del número de fila, de tal manera que C3 hace referencia a la celda situada en la confluencia de la columna C y la fila 3.

También puede hacer referencia a un rango de celdas. Para ello, se utilizan dos valores separados por dos puntos (:).

- Si desea hacer referencia a varias celdas de una misma columna, por ejemplo, las celdas comprendidas entre las filas 2 y 5 de la columna D, escriba **D2:D5**.
- Si desea referirse a varias celdas de una misma fila, por ejemplo, las celdas de la fila 3 comprendidas entre las columnas E y J, escriba **E3:J3**.
- Si desea señalar todas las celdas de una columna, por ejemplo, la columna F, escriba **F:F**.
- Si desea referirse a todas las celdas de una fila, por ejemplo, la 4, escriba **4:4**.
- Para hacer referencia a todas las celdas desde la columna E hasta la G escriba **E:G**.
- Para hacer referencia al rango de celdas entre las columnas B y E y las filas 5 y 10, escriba **B5:E10**.

Las referencias pueden ser relativas o absolutas. De forma predeterminada, la aplicación convierte a las nuevas referencias en relativas. Esto significa que la referencia indica una celda en una ubicación específica. Si copia esa fórmula en otras filas o columnas, la referencia se ajustará automáticamente. Por el contrario, las referencias absolutas permanecen inmutables, de manera que si copia la celda en otra posición, la referencia permanece invariable, de tal manera que no se ajustará. Las referencias absolutas van encabezadas por el símbolo $ (por ejemplo, `$A$1`). Existe un tercer tipo de referencias, las referencias mixtas. En éstas, una de las dos coordenadas es fija y la otra relativa, por ejemplo `$A1` (columna absoluta, fila relativa) o A$1 (columna relativa, fila absoluta). Si se copia en filas y columnas la referencia, se ajustará la relativa, mientras que la absoluta permanecerá invariable.

4.9.4. Fórmulas y funciones comunes

Existen tantas fórmulas como el ingenio lógico y matemático humano sea capaz de concebir y de esta manera crear a partir de premisas o referencias para elaborar complicados cálculos.

A continuación citaremos las más comunes:

- **Matemático:** Sumar, restar, multiplicar o dividir números, calcular porcentajes, redondear un número, elevarlo a una potencia, calcular el número mayor o menor de un rango, calcular el factorial o las permutaciones de un número, etc.

- **Estadísticas:** Calcular el promedio de un grupo de números, calcular la media, calcular la moda.
- **Financieras:** Calcular un saldo acumulativo, calcular una tasa anual compuesta de crecimiento (CAGR), etc.
- **Contabilidad:** Contar celdas que contengan números, celdas que no están en blanco, la frecuencia de un valor, valores únicos entre duplicados, números mayores o menores que un número, calcular un total acumulado, entre otras.
- **Conversión:** Convertir horas, medidas, números de un sistema numérico en otro, números arábigos a romanos, hexadecimales...
- **Fecha y Hora:** Agregar fechas, horas, calcular la diferencia entre dos fechas, calcular la diferencia entre dos horas, contar los días antes de una fecha, mostrar la fecha como día de la semana, insertar la fecha y la hora actuales en una celda, insertar fechas julianas, etc.
- **De texto:** Cambiar mayúsculas/minúsculas, combinar texto y número, combinar texto con fechas u horas, nombres y apellidos, dos o más columnas utilizando una función, repetir un carácter en una celda, mostrar los últimos cuatro dígitos de números de identificación, etc.
- **Búsqueda:** Buscar valores en una lista de datos, por ejemplo.
- **Condicionales:** Crear fórmulas condicionales, comprobar si un número es mayor o menor que otro, mostrar u ocultar los valores cero, ocultar valores e indicadores de error de las celdas, etc.

De texto

Para cambiar entre mayúsculas y minúsculas, utilice las funciones `MAYUSC`, `MINUSC` y `NOMPROPIO` para realizar estas tareas. Escriba la función precedida del signo igual (=) y seguida de referencia a la celda. Por ejemplo, `=MAYUSC (A2)`.

La función `MAYUSC` cambia todo el texto de la celda a mayúsculas, la función `MINUSC` lo cambia a minúsculas y la función `NOMPROPIO` cambia a mayúsculas la primera letra del texto y cualquier otra que se encuentre después de un carácter que no sea otra letra, mientras convierte el resto a minúsculas.

Si desea combinar nombres y apellidos, esta función le permitirá juntar palabras que se encuentren en diferentes celdas. Esto le resultará muy útil si, por ejemplo, desea juntar los nombres y apellidos que figuran en entradas diferentes de una hoja.

Para ello, utilice la función CONCATENAR o el signo &. En la fórmula se debe incluir entrecomillado en texto o los espacios que desee introducir.

Si introduce la fórmula =CONCATENAR(A2," ",B2) el resultado será "Luis Martín", separado por un espacio. Si prefiere separar los nombres por una coma, la fórmula sería =CONCATENAR(B2,", ",A2). En este segundo caso, el resultado sería "Martín, Luis". En este caso, recuerde introducir un espacio después de la coma.

Condicionales

Las fórmulas condicionales analizan una premisa y devuelven un valor lógico (Verdadero o Falso). Para estas tareas utilice las funciones Y, O y NO, además de los operadores.

La función Y devuelve VERDADERO si todos los argumentos son VERDADERO y FALSO si al menos un argumento es FALSO. La función O devolverá VERDADERO si alguno de los argumentos es VERDADERO y FALSO si todos los argumentos son FALSO.

La función NO invierte el valor lógico del argumento. Utilícela para asegurarse de que un valor no sea igual a otro valor específico.

De búsqueda y referencia

La función BUSCAR devuelve un valor procedente de un rango de una fila o columna o de una matriz. Esta función tiene dos formas de sintaxis: vectorial y matricial. La forma vectorial de Buscar localiza en un rango de una fila o columna un valor (vector) y devuelve un valor desde la misma posición en un segundo rango de una fila o de una columna.

En la forma matricial de Buscar, lo que realiza la función es una búsqueda del valor especificado en la primera fila o primera columna de la matriz y devuelve un valor desde la misma posición en la última fila o columna de la matriz.

Existen muchas otras funciones. Para saber las que puede utilizar en cada momento, además de ver una somera descripción, haga clic en el cuadro Insertar función y selecciónela, a continuación, de la lista que aparece.

Matemáticas y estadísticas

Puede sumar números al escribirlos en una celda. Por ejemplo, escriba **=2+2** en una celda. Inmediatamente, en esa celda aparecerá el resultado de la operación, en este caso, 4.

Para sumar todos los números de una fila o columna utilice el botón **Autosuma**. Haga clic en una celda bajo la columna o a la derecha de la fila cuyos números desea sumar, haga clic en **Autosuma** y pulse **Intro**.

Para poder sumar números que no están en una fila o columna, utilice la función `SUMA` e introduzca las referencias a las celdas.

Puede realizar restas sencillas escribiendo en una celda la función que quiera realizar encabezada por el símbolo igual, como por ejemplo `=6-4`.

Para realizar una resta utilizando referencias a determinadas celdas, escriba la fórmula, por ejemplo, `=A2-A3`.

> ***Nota:*** *El sumar números negativos tendrá el mismo efecto que restarlos.*

Para multiplicar números utilice el operador asterisco (*) o la función `PRODUCTO`. Para hacer multiplicaciones sencillas, escriba la operación en una celda precedida por el símbolo igual (=), como por ejemplo, `=2*3`.

4.9.5. Mover y copiar fórmulas

Para mover una fórmula, siga los siguientes pasos:

Es importante que sea consciente de lo que puede ocurrir a las referencias de celda (referencia de celda: conjunto de coordenadas que ocupa una celda en una hoja de cálculo. Por ejemplo, la referencia de la celda que aparece en la intersección de la columna B y la fila 3 es B3.) independientemente de si son absolutas (referencia de celda absoluta: en una fórmula, dirección exacta de una celda, independientemente de la posición de la celda que contiene la fórmula. Una referencia de celda absoluta tiene la forma A1.) o relativas (referencia relativa: en una fórmula, dirección de una celda basada en la posición relativa de la celda que contiene la fórmula y la celda a la que se hace referencia. Si se copia la fórmula, la referencia se ajusta automáticamente. Una referencia relativa toma la forma A1.), cuando se mueve una fórmula mediante el método de cortar y pegar, o cuando se copia una fórmula mediante el método de copiar y pegar.

- Cuando se mueve una fórmula, las referencias de celda existentes en ella no cambian, independientemente del tipo de referencia que se utilice.

- Cuando se copia una fórmula, las referencias de celda pueden cambiar en función del tipo de referencia de celda que se utilice.
  1. Seleccione la celda que contenga la fórmula.
  2. En la ficha Inicio, en el grupo Portapapeles, haga clic en Cortar.
  3. Siga uno de los procedimientos siguientes:
     - Para pegar la fórmula y el formato, en la ficha Inicio, en el grupo Portapapeles, haga clic en Pegar.
     - Para pegar la fórmula solamente, en la ficha Inicio, en el grupo Portapapeles, haga clic en Pegar, en Pegado especial y luego en Fórmulas.

> **Nota:** *También puede mover fórmulas arrastrando el borde de la celda seleccionada a la celda superior izquierda del área de pegado. Se reemplazarán los datos que pueda haber. Compruebe que las referencias de celda contenidas en la fórmula producirán el resultado adecuado. Para mover una fórmula, utilice una referencia absoluta.*

Para copiar una fórmula, siga los siguientes pasos:

1. Seleccione la celda que contiene la fórmula que desea copiar.
2. En la ficha Inicio, en el grupo Portapapeles, haga clic en Copiar.
3. Siga uno de los procedimientos siguientes:
   - Para pegar la fórmula y el formato, en la ficha Inicio, en el grupo Portapapeles, haga clic en Pegar.
   - Para pegar la fórmula solamente, en la ficha Inicio, en el grupo Portapapeles haga clic en Pegar, en Pegado especial y luego en Fórmulas.

> **Nota:** *Puede pegar solamente los resultados de la fórmula. En la ficha* Inicio, *en el grupo* Portapapeles, *haga clic en* Pegar, *en* Pegado especial *y luego en* Valores.

4. Compruebe que las referencias de celda de la fórmula producen el resultado deseado. Si es necesario, cambie el tipo de referencia haciendo lo siguiente:
   1. Seleccione la celda que contenga la fórmula.
   2. En la barra de fórmulas, seleccione la referencia que desea cambiar.
   3. Seguidamente, presione la tecla **F4** para alternar las combinaciones.

La tabla 4.3 recoge cómo se actualiza un tipo de referencia si la fórmula que la contiene se copia dos celdas hacia abajo y dos hacia la derecha (véase la figura 4.20).

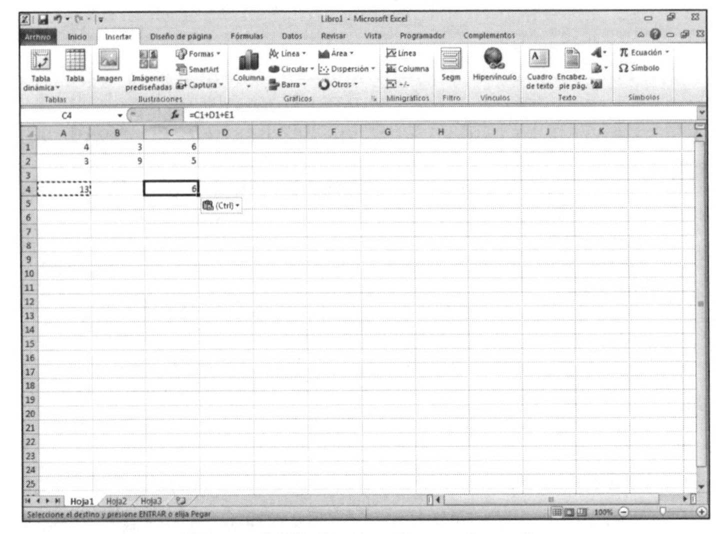

Figura 4.20. Copiando una formula.

Tabla 4.3. Actualización de una referencia tras una copia.

Si la Referencia es:	*Cambia a:*
\$A\$1 (columna absoluta y fila absoluta)	\$A\$1
A\$1 (columna relativa y fila absoluta)	C\$1
\$A1 (columna absoluta y fila relativa)	\$A3
A1 (columna relativa y fila relativa)	C3

4.10. Trabajar con divisas, EUROCONVERT

Al igual que en Excel 2007, la nueva versión de Excel cuenta con una herramienta muy útil a la hora de trabajar con conversiones a euro. Se trata de la función EUROCONVERT que convierte un número a euros, convierte un número de euros a la moneda de un estado que ha adoptado el euro, o bien convierte un número de una moneda de un estado que ha adoptado el euro a otro utilizando el euro como moneda intermedia (triangulación). Las monedas disponibles para conversión son las de los estados miembro de la Unión Europea (UE) que han adoptado el euro. La función utiliza los tipos de conversión fijos establecidos por la UE.

En el caso de no estar disponible esta función y devuelva el error `#¿NOMBRE?`, deberá instalar y cargar el complemento Herramientas para el euro. Para ello siga este procedimiento:

1. En la ficha Archivo, haga clic en Opciones y, a continuación, elija Complementos.
2. En el cuadro de lista Administrar, seleccione la opción Complementos de Excel y, a continuación, haga clic en **Ir** (véase la figura 4.21).
3. En la lista Complementos disponibles, active la casilla Herramientas para el euro y, a continuación, haga clic en **Aceptar**.
4. Si es necesario, siga las instrucciones del programa de instalación.

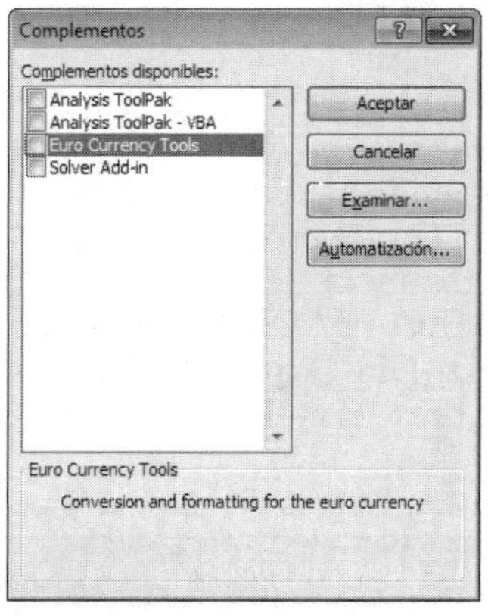

Figura 4.21. Complementos Excel 2010.

Sintaxis:

```
EUROCONVERT(número;origen;destino;máxima_
precisión;precisión_de_triangulación)
```

`Número` es el valor de la moneda que se desea convertir o una referencia a una celda que contiene el valor.

`Origen` es una cadena de tres letras, o una referencia a una celda que contiene la cadena, que corresponde al código ISO para la moneda de origen. La tabla 4.4 recoge los códigos de moneda que están disponibles en la función EUROCONVERT.

Tabla 4.4. Códigos de moneda disponibles en EUROCONVERT.

País o región	*Unidad básica de moneda*	*Código ISO*
Bélgica	franco	BEF
Luxemburgo	franco	LUF
Alemania	marco alemán	DEM
España	peseta	ESP
Francia	franco	FRF
Irlanda	libra	IEP
Italia	lira	ITL
Países Bajos	florín	NLG
Austria	chelín	ATS
Portugal	escudo	PTE
Finlandia	marco finlandés	FIM
Grecia	dracma	GRD
Eslovenia	tolar	SIT

`Destino` es una cadena de tres letras, o una referencia de celda, que corresponde al código ISO de la moneda a la que se desea convertir el número. (Vea la tabla anterior 4.4 para conocer los códigos ISO.) `Máxima_precisión` es un valor lógico (VERDADERO o FALSO), o una expresión que calcula un valor de VERDADERO o FALSO, que especifica la forma en la que se debe presentar el resultado (véase la tabla 4.5).

Tabla 4.5. Valores de Máxima_precisión.

Utilice	*Si desea que Excel*
FALSO (valor predeterminado)	Muestre el resultado con las reglas de redondeo específicas de la moneda, véase la tabla 4.6. Excel utiliza el valor de precisión de cálculo para calcular el resultado y el valor de precisión de presentación para ver el resultado. FALSO es el valor predeterminado si se omite el argumento máxima_precisión.
VERDADERO	Muestre el resultado con todos los dígitos significativos resultantes del cálculo.

La tabla siguiente recoge las reglas de redondeo específicas de la moneda, es decir, el número de posiciones decimales que utiliza Excel para calcular la conversión de una moneda y mostrar el resultado.

Tabla 4.6. Reglas de redondeo específicas de cada moneda.

Código ISO	*Precisión de cálculo*	*Precisión de presentación*
BEF	0	0
LUF	0	0
DEM	2	2
ESP	0	0
FRF	2	2
IEP	2	2
ITL	0	0
NLG	2	2
ATS	2	2
PTE	0	2
FIM	2	2
GRD	0	2
SIT	2	2
EUR	2	2

`Precisión_de_triangulación` es un número entero igual o mayor que 3 que especifica el número de dígitos significativos que van a utilizarse para el valor en euros intermedio al realizar la conversión entre dos monedas de los estados que han adoptado el euro. Si se omite este argumento, Excel no redondeará el valor en euros intermedio. Si se incluye este argumento, al convertir una moneda de los estados que han adoptado el euro a euros, Excel calcula el valor en euros intermedio que podría, a continuación, convertirse a una moneda de los estados que han adoptado el euro.

Advertencia: *Debe saber que:*

- *Excel trunca los ceros a la derecha del valor de retorno.*
- *Si el código ISO de origen es el mismo que el de destino, Excel devuelve el valor original del número.*

- *Los parámetros no válidos devuelven* `#VALOR`.
- *Esta función no aplica formato de número.*
- *Esta función no se puede utilizar en las fórmulas de matriz.*

Ejemplos

El ejemplo será más fácil de entender si lo copia a una hoja de cálculo en blanco.

1. Cree un libro o una hoja de cálculo en blanco.
2. Seleccione el ejemplo en el tema de Ayuda. No seleccione los encabezados de fila ni de columna.
3. Presione **Control-C**.
4. En la hoja de cálculo, seleccione la celda A1 y presione **Control-V**.
5. Para cambiar entre ver los resultados y ver las fórmulas que devuelven los resultados, presione **Control-'** (acento grave), o en la ficha Fórmulas, en el grupo Auditoría de fórmulas, haga clic en Mostrar fórmulas.

Nota: *En estos ejemplos se supone que los tipos de conversión de 1 euro son iguales a 6,55957 francos franceses y a 1,95583 marcos alemanes. La función* `EUROCONVERT` *utiliza los tipos actuales establecidos por la UE. Microsoft actualizará la función si cambian los tipos. Para obtener toda la información sobre las reglas y los tipos que están actualmente en vigor, vea las publicaciones de la Comisión Europea sobre el euro.*

La tabla 4.7 recoge el valor resultante almacenado en la celda, no el valor con formato de los siguientes ejemplos.

Tabla 4.7. Ejemplos de la función EUROCONVERT.

	A	*B*	*C*
1	**Cantidad**	**Origen**	**Destino**
2	1,2	DEM	EUR
3	1	FRF	EUR
4	1	FRF	EUR
5	1	FRF	DEM
6	1	FRF	DEM

Fórmula	Descripción (resultado)
=EUROCONVERT (A2; B2;C2)	Convierte 1,2 marcos alemanes en el equivalente en euros con una precisión de cálculo y presentación de dos posiciones decimales (0,61).
=EUROCONVERT(A3; B3;C3;VERDADERO;3)	Convierte 1 franco en el equivalente en euros con una precisión de cálculo y presentación de 3 posiciones decimales (0,152).
=EUROCONVERT(A4;B4; C4;FALSO;3)	Convierte 1 franco en el equivalente en euros con una precisión de cálculo y presentación de 2 posiciones decimales (0,15).
=EUROCONVERT(A5;B5; C5;VERDADERO;3)	Convierte 1 franco en el equivalente en marcos alemanes con una precisión de cálculo intermedio de 3 y una presentación de todas las cifras significativas.
=EUROCONVERT(A6;B6; C6;FALSO;3)	Convierte 1 franco en el equivalente en marcos alemanes con una precisión de cálculo intermedio de 3 y una precisión de presentación de dos (0,3).

4.11. Vista e impresión de documentos

4.11.1. Vistas

En Excel 2010 es interesante visualizar el documento minuciosamente antes de imprimirlo, por ello, al igual que en el resto de aplicaciones de la *suite* disponemos de varias vistas. Las más destacables son:

- **Vista Normal:** Vista por defecto de las hojas, en las que se añaden datos y se edita la manera en que se visualiza la información en las celdas.
- **Vista Diseño de página:** Vista más detallada en la que se pueden editar varios aspectos como por ejemplo el encabezado, pie de página, numeración de páginas, etc.

Además de estos dos tipos de vista disponemos de los siguientes:

- Lectura de pantalla completa.
- Diseño Web.
- Esquema.
- Borrador.

Los botones que dan acceso a estas vistas están situados en la parte inferior derecha de la pantalla junto al zoom manual.

4.11.2. Configurar impresora

Para que pueda imprimir documentos, es necesario configurar la impresora.

1. Haga clic en la ficha Archivo y, a continuación, haga clic en Imprimir.
2. Haga clic en la flecha del apartado Impresora y se desplegará una lista donde podrá seleccionar la impresora deseada. Si no aparece la impresora que desea utilizar, haga clic en Agregar impresora.
3. Siga las instrucciones del asistente.

Nota: *Este procedimiento sólo será necesario realizarlo una sola vez.*

4.11.3. Establecer una impresora como predeterminada

Probablemente, le aparezcan por defecto varios iconos de impresoras. Para establecer una impresora como predeterminada:

1. Haga clic en el botón **Inicio** (situado en la esquina inferior izquierda de la pantalla) y haga clic en Panel de Control.
2. Haga clic en Dispositivos e Impresoras.
3. Con el botón derecho del ratón, haga clic en el icono de la impresora que desee utilizar como predeterminada.
4. Aparecerá un menú contextual, haga clic en Establecer como impresora predeterminada.
5. Si hay una marca de verificación junto al icono **Impresora** ( ), ya está configurada como predeterminada.

4.11.4. Imprimir

Los libros y las hojas de cálculo se pueden imprimir de forma completa o parcial, uno por uno o varios al mismo tiempo. Además, si los datos que desea imprimir están en una tabla de Microsoft Excel, puede imprimir solamente la tabla de Excel.

También se puede imprimir un libro en un archivo en lugar de en una impresora. Esta opción resulta muy útil cuando es necesario imprimir el libro con un tipo distinto de impresora de la que se utilizó para imprimirlo originalmente.

Antes de imprimir

Antes de imprimir una hoja de cálculo que contenga una gran cantidad de datos o gráficos, puede ajustarla rápidamente en la vista Diseño de página para dotarla de un aspecto profesional. En esta vista, puede ver los datos en el contexto de las páginas impresas. Puede fácilmente agregar o modificar encabezados o pies de página, ocultar o mostrar los encabezados de fila y columna, cambiar la orientación de página de las páginas impresas, cambiar la disposición y el formato de los datos, usar las reglas para medir el ancho y el alto de los datos y configurar los márgenes de impresión.

Para presentar todos los datos en las páginas impresas, asegúrese de que estén a la vista en la pantalla. Por ejemplo, cuando hay texto o números que son demasiado anchos para caber en una columna, el texto impreso se truncará y los números impresos se verán como signos de número (##). Para evitar imprimir textos truncados y signos de número en lugar del texto, puede aumentar el ancho de las columnas para proporcionar espacio a los datos. También puede aumentar el alto de fila ajustando el texto para que quepa en el ancho de columna, de forma que el texto sea visible en la pantalla y en las páginas impresas.

Para que los datos sean más fáciles de leer o explorar, puede aplicar formatos diferentes para ayudar a destacar la información importante. Sin embargo, tenga presente que algunas opciones de formato (por ejemplo, los colores de texto o los sombreados de celda) que se ven bien en la pantalla tal vez no produzcan los resultados esperados al imprimirlos en una impresora en blanco y negro. Si usa texto de colores o sombreados de celda, emplee colores que contrasten bien en una impresión en blanco y negro.

También puede imprimir una hoja de cálculo con líneas de cuadrícula visibles, para que los datos, las filas y las columnas se destaquen mejor.

Imprimir una hoja de cálculo o libro de forma completa o parcial

1. Realice uno de los procedimientos siguientes:
   - Para imprimir parte de la hoja, haga clic en la hoja de cálculo y, a continuación, seleccione el rango de datos que desea imprimir.
   - Para imprimir toda la hoja, haga clic en ella para activarla.
   - Para imprimir un libro, haga clic en cualquiera de sus hojas de cálculo.
2. Haga clic en Archivo y luego en Imprimir.
3. En Configuración, seleccione una opción para imprimir la selección, la o las hojas activas, o todo el libro.

> ***Nota:*** *Si la hoja de cálculo cuenta con áreas de impresión definidas, Excel sólo imprimirá esas áreas. Si no desea imprimir solamente un área definida, active la casilla de verificación* Omitir áreas de impresión.

Imprimir varias hojas de cálculo a la vez

1. Seleccione las hojas de cálculo que desee imprimir.
2. Haga clic en Archivo y luego en Imprimir.

Imprimir una tabla de Excel

1. Haga clic en una celda de la tabla para activar la tabla.
2. Haga clic en Archivo y luego en Imprimir.
3. En Configuración, haga clic en Tabla seleccionada.

Imprimir un libro en un archivo

1. Haga clic en Archivo y, a continuación, en Imprimir.
2. En Impresora, seleccione la impresora con la que desea imprimir el archivo.
3. Haga clic en Imprimir a un archivo y, a continuación, haga clic en Imprimir.
4. En el cuadro de diálogo Imprimir a un archivo, en Nombre de archivo de salida, escriba el nombre del archivo que desea imprimir (véase la figura 4.22).
5. Haga clic en **Aceptar** para finalizar.

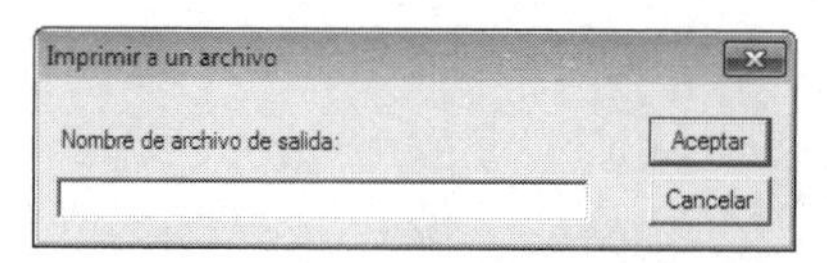

Figura 4.22. Cuadro Imprimir a un archivo.

Nota: *Si imprime un libro en un archivo para poder imprimir éste posteriormente en un tipo de impresora diferente de la que se utilizó originalmente para imprimir el documento, es posible que cambien los saltos de página y el espaciado de la fuente.*

4.11.5. Cancelar impresión

Si está desactivado el modo de impresión en segundo plano, haga clic en **Cancelar** o haga clic en la tecla **Esc**.

Si está activado el modo de impresión en segundo plano, haga clic en el icono de impresora situado en la barra de estado (en el margen inferior de la ventana de Word).

Advertencia: *Si va imprimir un documento corto y está activado el modo de impresión en segundo plano, puede que el icono de impresora no aparezca en la barra de estado el tiempo suficiente para que pueda hacer clic en él y cancelar la impresión.*

5 PowerPoint

5.1. Introducción

En PowerPoint 2010, el principal énfasis está puesto en las incorporaciones y las mejoras en lo que respecta a la edición de vídeos e imágenes. Existen muchas formas nuevas de colaborar de manera sencilla con amigos en las presentaciones. En esta nueva versión dispondrá de transiciones y animaciones nuevas, incluyéndose en fichas propias en la cinta de opciones, nuevos diseños de elementos gráficos SmartArt y podrá realizar una fácil organización de las diapositivas dividiéndolas en secciones, entre otras novedades. Trabajará con una cinta de opciones mejorada y podrá convertir las presentaciones en vídeos para que éstas se puedan ver desde cualquier lugar.

5.2. La ventana de PowerPoint

La ventana inicial de PowerPoint aparece automáticamente cuando se abre la aplicación. Haga clic en el botón **Inicio**, seleccione Todos los programas, haga clic en la carpeta Microsoft Office y, a continuación, haga clic en Microsoft PowerPoint. Una vez iniciado la aplicación, aparecerá la ventana inicial de PowerPoint, véase la figura 5.1.

1. **Barra de herramientas de acceso rápido:** Es una barra de herramientas que se puede personalizar y contiene un conjunto de comandos independientes de la ficha en la cinta de opciones que se muestra. Se le puede agregar o quitar botones que representan comandos. Ésta se encuentra en la esquina superior izquierda de la ventana.

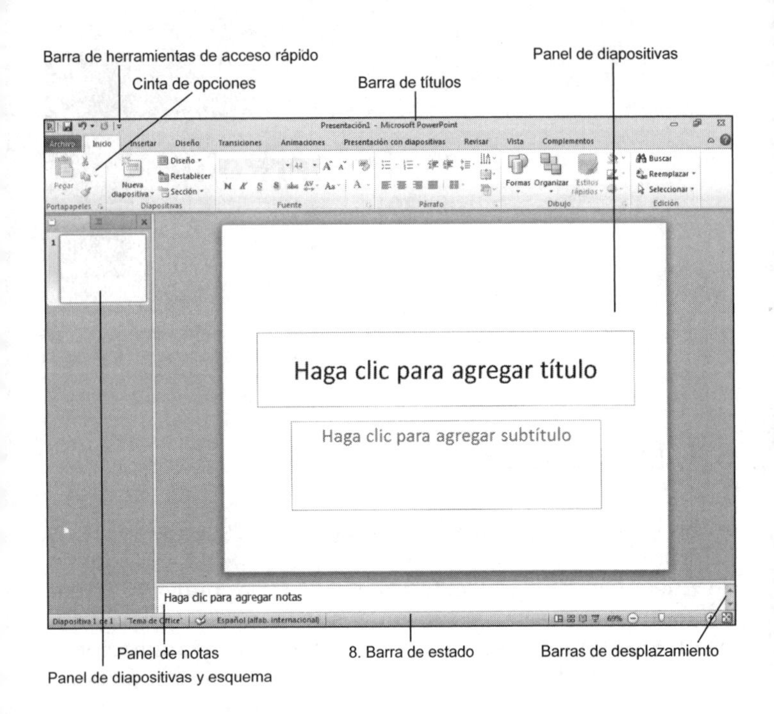

Figura 5.1. Ventana inicial de Microsoft PowerPoint.

2. **Barra de títulos:** Contiene el nombre que le ha asignado al documento una vez guardado. Si hasta el momento no lo ha guardado con ningún nombre, aparecerá como Presentación1 - Microsoft PowerPoint.
3. **Cinta de opciones:** Contiene las fichas Inicio, Insertar, Diseño, Transiciones, Animaciones, Presentación con diapositivas, Revisar, Vista, Programador, y Complementos. Al hacer clic en cualquiera de estas fichas, se mostrará a la vista las opciones correspondientes.
4. **Panel de diapositivas y esquema:** Fichas que permiten visualizar en miniatura las diapositivas insertadas en la presentación.
5. **Panel de diapositivas:** Área de trabajo donde escribirá y diseñará su presentación.
6. **Panel de notas:** En esta zona de la pantalla podrá escribir las notas de texto que acompañen a cada diapositiva.
7. **Barras de desplazamiento:** Permiten desplazarse por las diferentes diapositivas y mostrar las zonas que quedan fuera de la pantalla.

8. **Barra de estado:** Muestra información sobre la diapositiva que tenemos en activo. Puede ver el número de diapositiva, el idioma y un control deslizante para alejar o acercar la zona de texto. Esta barra es personalizable.

5.3. Tareas básicas para manejar archivos

5.3.1. Crear presentaciones

Para crear una presentación en PowerPoint, es necesario seguir un proceso que implica una estructuración de tareas. El primer paso será crear la presentación. Podrá utilizar una presentación en blanco para comenzar desde cero, una existente para manipular su contenido y diseño o, utilizar una plantilla de las que ofrece PowerPoint 2010. Una vez creada la presentación, podrá insertarle tantas diapositivas como desee, añadiéndoles contenido y estableciéndoles formato y diseño. Para enriquecer las presentaciones, utilice imágenes, vídeos, audio y añada efectos a las presentaciones como transiciones y animaciones de diapositivas.

Crear una presentación con diapositivas en blanco

1. Haga clic en la ficha Archivo y, a continuación, haga clic en Nuevo.
2. Haga doble clic en Presentación en blanco, o haga clic una vez sobre éste y luego haga clic en el botón **Crear** (véase la figura 5.2).

Crear una nueva presentación a partir de otra existente

Puede crear una nueva presentación a partir de otra existente. Al realizar estos pasos, se crea una copia de la presentación existente para que pueda cambiar el diseño y el contenido, creando una nueva presentación sin modificar la original.

1. Haga clic en la ficha Archivo y, a continuación, haga clic en Nuevo.
2. Haga doble clic en Nuevo a partir de existente, o haga clic una vez sobre éste y luego haga clic en el botón **Crear**.
3. Busque la presentación en su ordenador y luego haga clic sobre **Abrir**.
4. A continuación, haga los cambios necesarios en la presentación.

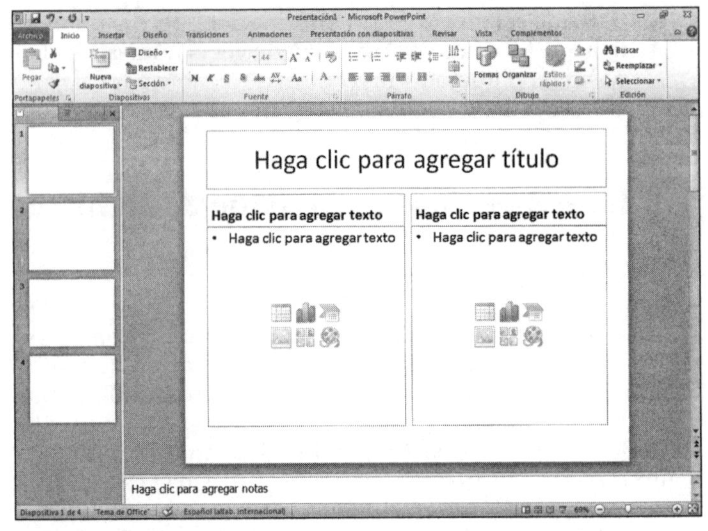

Figura 5.2. Presentación con diapositivas en blanco.

Aplicar una plantilla a una presentación

Si desea que una presentación contenga una disposición bien estudiada de elementos y colores, fuentes, efectos, estilo y diseño para las diapositivas sencillas, aplique una plantilla (archivo `.potx`). Esto le servirá de punto de partida para una nueva presentación en blanco.

1. Haga clic en la ficha Archivo y, a continuación, haga clic en Nuevo.
2. Puede seleccionar Plantillas de ejemplo, Mis plantillas o utilizar Plantillas de Office.
3. Seleccione la que desea haciendo doble clic en ella o seleccionándola y haciendo clic en el botón **Descargar**.

5.3.2. Abrir, guardar y cerrar una presentación

Para abrir una presentación previamente guardada:

1. Haga clic en Abrir en la ficha Archivo, o puede hacerlo desde la barra de herramientas de acceso rápido.
2. Seleccione la unidad, carpeta u otra ubicación donde se encuentre el archivo que desee abrir.
3. Abra la carpeta y seleccione el archivo deseado.
4. Haga clic en **Abrir**.

Para guardar una presentación, haga clic en Guardar en la ficha Archivo o en la barra de herramientas de acceso rápido. Si es la primera vez que guarda el archivo, PowerPoint le solicitará un nombre. Posteriormente, para guardar el archivo con un nombre diferente, haga clic en la opción Guardar como, también en la ficha Archivo. Escriba el nuevo nombre para el archivo y seleccione la unidad y carpeta donde desea guardarlo. También puede seleccionar el tipo de archivo en este mismo cuadro.

Para cerrar una presentación, haga clic en la ficha Archivo y haga clic en **Cerrar**, o bien, haga clic en el clásico botón **Cerrar**, situado en la esquina superior derecha de la ventana.

5.3.3. Insertar y eliminar una diapositiva

Para insertar una nueva diapositiva, haga clic en la ficha Inicio, y en el grupo Diapositivas, haga clic en Nueva diapositiva ( ) si desea que la nueva diapositiva tenga el mismo diseño que la anterior, o bien haga clic en la flecha situada a la derecha de este botón. Haga clic en este comando tantas veces como diapositivas nuevas desee.

> ***Truco:*** *También puede crear nuevas diapositivas en el panel de diapositivas y esquema, haciendo clic en la parte donde no haya ninguna diapositiva con el botón derecho del ratón y seleccionando en el menú contextual* Nueva diapositiva.

Para eliminar diapositivas, en el panel de diapositivas y esquema, haga clic en la ficha Diapositivas, haga clic con el botón derecho del ratón en la diapositiva que desea eliminar y, a continuación, haga clic en Eliminar diapositiva (véase la figura 5.3).

5.4. Trabajar con una presentación

5.4.1. Elementos de una presentación

Diapositivas

Las diapositivas son el elemento gráfico que, aparte de suministrar gran parte de la información, visualmente dan atractivo a la presentación. Se le pueden dar gran número de estilos diferentes para variar su apariencia gráfica, y así conseguir un mayor impacto en los destinatarios de la presentación.

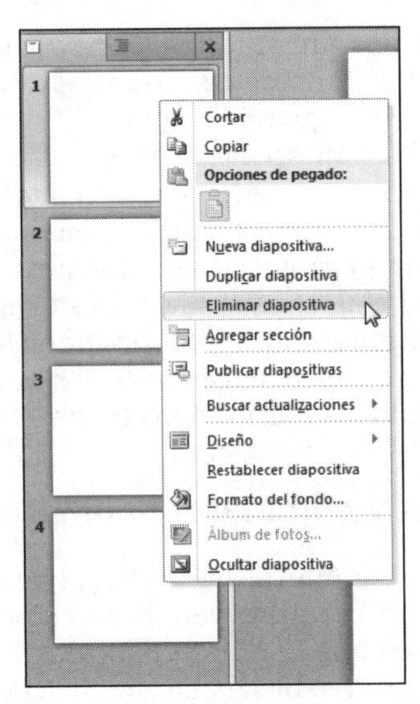

Figura 5.3. Eliminar una diapositiva.

Se pueden dividir en diferentes secciones para una mejor organización. Podrá introducir una o varias diapositivas en las distintas partes de la presentación, según la cantidad de información que se quiera suministrar, siendo posible la inserción de imágenes, audio y vídeos para ganar impacto.

Notas

Las notas de texto añaden información adicional a las diapositivas. Puede imprimir las notas en una página de notas que le sirva de apoyo durante la presentación, o si son notas para la audiencia, distribuirlas para complementar dicha presentación.

Escriba en el panel de notas el texto con el que desea apoyar a cada diapositiva. Podrá cambiar el formato de las notas utilizando los comandos de la cinta de opciones. A las páginas de notas también se les puede agregar gráficos o tablas que permitan una comprensión más rápida de los datos aportados.

Esquema

El esquema es el orden estructural que seguirá la presentación. En cualquier momento puede cambiar el orden de las diapositivas. Para conocer el esquema de forma rápida y eficaz, haga clic en la ficha Esquema, donde podrá ver el estado actual de su presentación en cada momento del proceso.

5.4.2. Desplazarse por una presentación

Existen varias maneras de desplazarse por las distintas diapositivas que forman una presentación. Para ir a una diapositiva puede utilizar las fichas Esquema y Diapositivas. Haga clic en la diapositiva que desee seleccionar. También puede desplazarse utilizando la barra de desplazamiento que aparece a la derecha del panel de diapositivas.

5.4.3. Vistas de una presentación

Las vistas de PowerPoint se pueden encontrar en dos lugares diferentes:

- En la ficha Vista en el grupo Vistas de presentación (véase la figura 5.4).
- En la parte derecha de la barra de estado, están disponibles las vistas principales (Normal, Clasificador de diapositivas, Vista de lectura y Presentación con diapositivas).

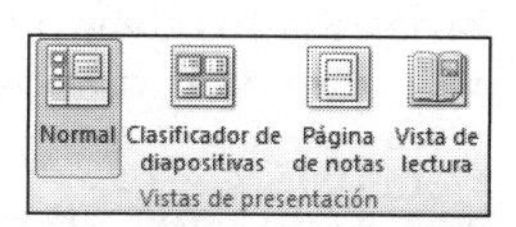

Figura 5.4. Vistas de la presentación en la ficha Vista.

Las vistas que existen son:

- La vista Normal () es la vista de modificación principal, que utilizará para escribir y diseñar la presentación.
- La vista Clasificador de diapositivas () es una vista en miniatura de las diapositivas. Resulta muy útil para obtener una idea global del estado de la presentación y reorganizar o añadir diapositivas, así como obtener una vista previa de las animaciones y transiciones.
- Presentación con diapositivas () llena toda la pantalla, como una presentación real. Aquí verá la presentación tal y como la verá el público.
- La vista Página de notas es la visualización en formato de pantalla completa de las notas para trabajar con ellas con mayor precisión.

- Vista de lectura (icono) se usa para realizar la presentación sin público, es decir, no en la vista Presentación con diapositivas a pantalla completa, sino en una ventana con controles sencillos que le permitan repasar la presentación fácilmente.

5.5. Diapositivas

5.5.1. Cambiar el orden de las diapositivas

Siga uno de estos procedimientos:

- En la vista Normal, elija la ficha Esquema y seleccione uno o varios iconos de diapositivas, a continuación, arrastre la selección a una nueva ubicación.
- En la vista Normal, elija la ficha Diapositivas y seleccione una o varias diapositivas en miniatura y, a continuación, arrastre la selección a una nueva ubicación.
- En la vista Clasificación de diapositivas, seleccione una o varias diapositivas y arrástrelas a una nueva ubicación.

Para seleccionar varias diapositivas a la vez, pulse **Mayús** antes de hacer clic en el icono de la diapositiva o miniatura.

> **Nota:** *Puede seleccionar una o varias diapositivas y hacer clic con el botón derecho del ratón sobre cualquiera de ellas. En el menú contextual que aparecerá, puede utilizar las opciones* Copiar *y* Pegar.

5.5.2. Acercar o alejar una diapositiva

Haga clic en el área donde desea cambiar el zoom, ya sea en la ficha Esquema, en la ficha Diapositivas o en la diapositiva mostrada en el panel de diapositivas. Haga clic en la ficha Vista y haga clic en Zoom. Le aparecerá un cuadro (véase la figura 5.5) para ajustar el porcentaje de zoom deseado. Para aumentar o alejar una diapositiva del panel de diapositivas, puede utilizar la barra deslizante de zoom de la barra de estado, o si desea que la diapositiva rellene la pantalla, haga clic en Ajustar a la ventana (icono), en el grupo Zoom de la ficha Vista.

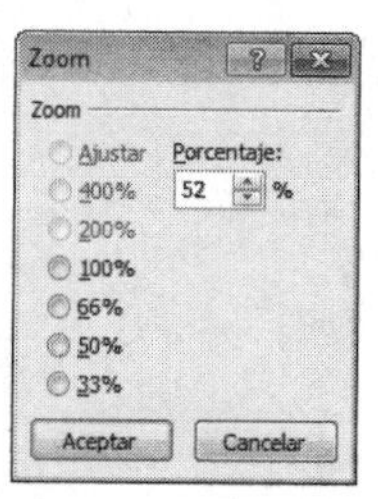

Figura 5.5. Cuadro de Zoom.

5.5.3. Duplicar una diapositiva

Las diapositivas duplicadas se insertan justo debajo de las diapositivas seleccionadas.

1. En la vista Normal, elija la ficha Esquema o la ficha Diapositivas y seleccione las diapositivas que desea duplicar. Si desea seleccionar las diapositivas en orden, deje pulsada la tecla **Mayús** mientras hace clic en las diapositivas que desee duplicar. En caso contrario, pulse la tecla **Control**.
2. Seleccione la vista Clasificador de diapositivas, la cual mostrará un esquema de visualización más amplio de las diapositivas a modo de álbum. Seleccione la o las diapositivas que desee duplicar, haga clic con el botón derecho del ratón en Copiar, a continuación sitúe el ratón en el panel y de nuevo con el botón derecho del ratón haga clic en Pegar.

Truco: También puede duplicar diapositivas presionando las teclas **Control-Mayús-D**.

5.5.4. Ordenar las diapositivas en secciones lógicas

En Microsoft PowerPoint 2010, puede usar la nueva característica Secciones para organizar sus diapositivas, al igual que usaría carpetas para organizar archivos. Puede usar secciones con nombre para mantener un seguimiento de los grupos de diapositivas. Puede ver las secciones tanto en vista Clasificador de diapositivas (véase la figura 5.6) como en vista Normal (véase la figura 5.7), siendo la primera más útil cuando desee organizar y ordenar las diapositivas en categorías lógicas que ya ha definido.

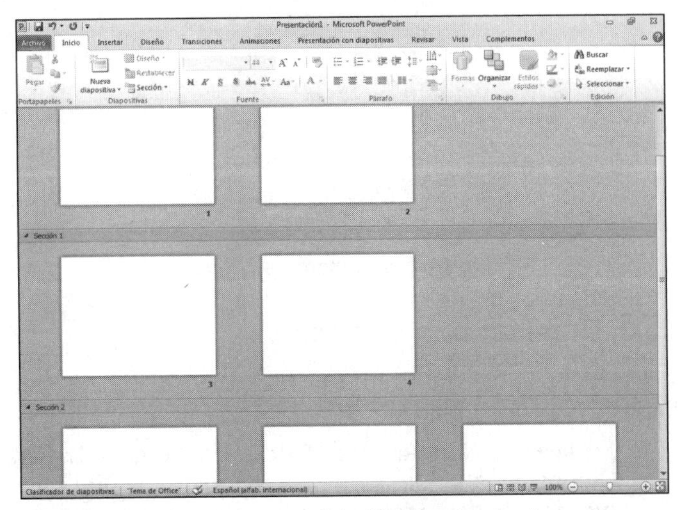

Figura 5.6. Secciones en vista Clasificador de diapositivas.

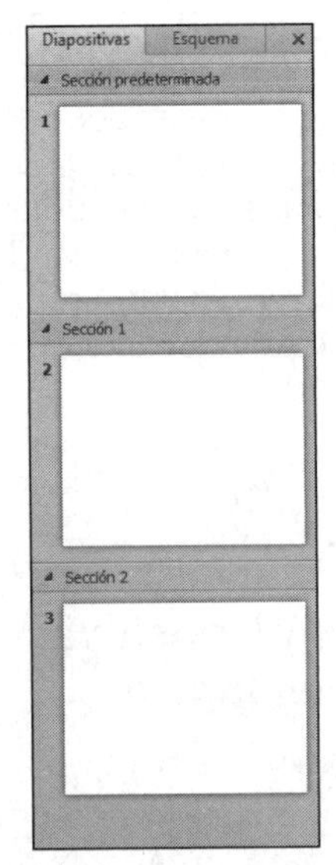

Figura 5.7. Secciones en vista Normal.

Agregar y asignar nombre a una sección

1. Tanto en la vista Normal como en la vista Clasificador de diapositivas, haga clic entre las dos diapositivas entre las que desea agregar una sección, apareciendo

una línea intermitente. Haga clic en Sección (icono) en el grupo Diapositivas de la ficha Inicio, y luego haga clic en Agregar sección.

2. Para cambiar el nombre de la sección por el que desee, seleccione la sección, haga clic de nuevo en Sección y haga clic en Cambiar nombre de sección. Escriba el nombre que desee y haga clic en Cambiar nombre.

Subir o bajar una sección en la lista de diapositivas

Para mover la secciones hacia arriba o hacia abajo, haga clic con el botón derecho del ratón sobre la sección que desee mover, y haga clic en Subir sección o Bajar sección.

Quitar una sección

Para quitar una sección, seleccione la sección que desea eliminar y haga clic en Sección en el grupo Diapositivas de la ficha y haga clic en Quitar sección. También podrá eliminar una sección y las diapositivas que ésta contiene, para ello, haga clic en Eliminar sección y diapositivas, o podrá eliminar todas las secciones de la lista de diapositivas haciendo clic en Eliminar todas las secciones.

> **Nota:** *Podrá cambiar el nombre de las secciones y eliminarlas haciendo clic con el botón derecho del ratón sobre las secciones deseadas.*

5.5.5. Mostrar u ocultar una diapositiva

Para ocultar una o varias diapositivas, haga clic en la diapositiva que desea ocultar y clic en Ocultar diapositiva (icono) en el grupo Configurar de la ficha Presentación con diapositivas. Tanto en la vista Normal como en la vista Clasificador de diapositivas, puede hacer clic con el botón derecho del ratón sobre la diapositiva y, en el menú contextual, haga clic en Ocultar diapositiva. El icono de la diapositiva oculta aparece con el número de la diapositiva dentro, junto a la diapositiva que ha ocultado. Véase la figura 5.8.

Para mostrar de nuevo las diapositivas ocultas, realice el mismo procedimiento que realizó para ocultarlas.

> **Advertencia:** *La diapositiva se guarda en el archivo, aunque esté oculta cuando se ejecuta la presentación.*

Figura 5.8. Panel de diapositivas con diapositiva oculta.

5.5.6. Crear una diapositiva que contenga los títulos de otras diapositivas

Para iniciar o finalizar una presentación con diapositivas, puede crear una que incluya los títulos de las diapositivas seleccionadas en la presentación. Una nueva diapositiva, con los títulos en una lista con viñetas de las diapositivas, aparecerá delante de la primera seleccionada.

1. En la vista Normal, seleccione el texto que desee incluir del panel de texto.
2. En el panel de notas, seleccione el texto de la diapositiva, haga clic en **Copiar**.
3. En el panel que contiene las fichas Diapositivas y Esquema, haga clic en la pestaña Diapositivas y haga clic en **Pegar** en el número de diapositivas que desee permutar.

5.6. Trabajar con texto en una diapositiva

5.6.1. Agregar texto a una diapositiva

Puede agregar texto a marcadores de texto, cuadros de texto y formas. También puede agregar un texto de WordArt.

El texto que escriba en los marcadores de posición, como títulos y listas con viñetas, se podrá modificar en la diapositiva o en la ficha Esquema y exportarlo desde esta ficha a Microsoft Word. El texto de un objeto, como un cuadro de texto o una forma y el texto de WordArt no aparecerá en la ficha Esquema y deberá modificarse en la diapositiva.

- **Marcadores de posición:** Los diseños de diapositivas contienen marcadores de posición de objetos y texto en variedad de combinaciones. En los marcadores de posición de texto, escriba los títulos, los subtítulos y el texto principal de las diapositivas. Puede cambiar el tamaño y mover los marcadores de posición, así como darles formato con bordes y colores.
- **Formas:** Las formas como cuadrados, círculos, globos de llamada y flechas de bloque pueden contener texto. Cuando escribe texto en una forma, el texto se adjunta a ésta y se mueve y gira junto con ella.
- **Cuadros de texto:** Utilice los cuadros de texto para colocar texto en cualquier parte de una diapositiva, como fuera de un marcador de posición de texto. Por ejemplo, puede agregar un título a una imagen creando un cuadro de texto y situándolo cerca de ésta. Además, un cuadro de texto es muy útil para agregar texto a una autoforma, cuando no desea adjuntarlo a ella. Un cuadro de texto puede tener bordes, relleno o un efecto de sombra o efecto tridimensional (3D), así como cambiar de forma.
- **WordArt:** Utilice WordArt para conseguir elaborados efectos de texto. WordArt puede estirar o torcer el texto, curvarlo, girarlo o hacerlo tridimensional.

Para agregar texto a un marcador de posición en una diapositiva, haga clic dentro del marcador de texto y luego escriba o pegue el texto (véase la figura 5.9).

Si lo que desea es insertar texto dentro de la diapositiva, siga el siguiente procedimiento:

1. En el grupo Texto de la ficha Insertar, haga clic en Cuadro de texto.
2. Haga clic en la diapositiva, y después arrastre el puntero para dibujar el cuadro de texto.
3. Escriba o pegue el texto que considere en la caja de texto donde se encuentra el cursor.

Para agregar texto a una forma, selecciónela y luego escriba o pegue el texto.

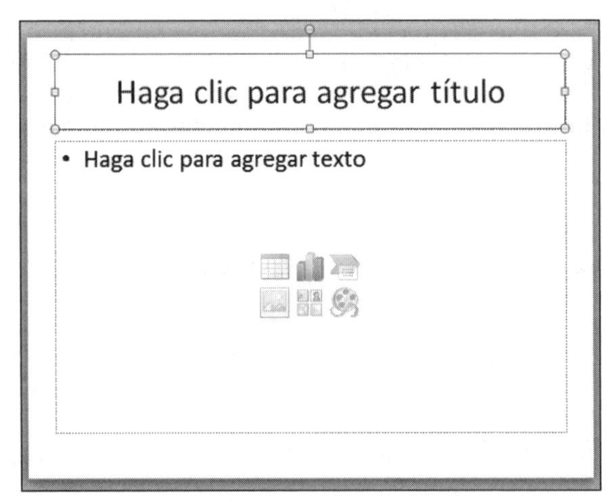

Figura 5.9. Marcador de posición.

También podrá agregar WordArt siguiendo los pasos:

1. Seleccione la diapositiva a la que desee agregar el nuevo objeto WordArt.
2. En la ficha Insertar, en el grupo Texto, haga clic en WordArt (A).
3. Haga clic sobre el efecto WordArt en particular que desee y escriba el texto.

5.6.2. Seleccionar texto

Para seleccionar texto, siga uno de los procedimientos de la tabla 5.1:

Tabla 5.1. Métodos de selección de texto.

Descripción	*Acción*
Seleccionar una palabra	Haga doble clic en la palabra.
Seleccionar un párrafo y todo el texto subordinado	Haga clic tres veces en cualquier parte del párrafo. En la ficha Eesquema de la vista Normal, elija el icono de la diapositiva o viñeta y cuando aparezca el puntero de cuatro flechas, haga clic. (Esto funciona también con el texto de los marcadores de posición seleccionados en la diapositiva).

Descripción	Acción
Seleccionar todo el texto de una diapositiva	En la ficha Esquema de la vista Normal, haga clic en el icono de la diapositiva y cuando aparezca el puntero de cuatro flechas, haga clic de nuevo.
Seleccionar el texto en un marcador de posición, forma o cuadro de texto	Sitúe el punto de inserción en el objeto y, a continuación, pulse **Control-A**.
Seleccionar el texto de todos los marcadores de posición de la presentación	Sitúe el punto de inserción en la ficha Esquema y, a continuación, pulse **Control-A**.

Para seleccionar sólo algunos caracteres de una palabra y PowerPoint selecciona la palabra entera, haga lo siguiente:

1. Haga clic en la ficha Archivo y, a continuación, haga clic en Opciones.
2. Seleccione Avanzadas y, en Opciones de edición, desactive la casilla de verificación Al realizar una selección, seleccionar automáticamente la palabra completa.
3. A continuación, seleccione los caracteres.

5.6.3. Copiar y pegar texto

Para copiar el texto de una diapositiva y pegarlo en otra, abra las dos presentaciones y realice los siguientes pasos:

1. Seleccione el texto que desea copiar de una diapositiva y haga clic sobre él con el botón derecho del ratón. Haga clic en Copiar.
2. Muestre la diapositiva en la que desea pegar el texto y haga clic donde decida pegarlo, a continuación, haga clic con el botón derecho del ratón y, por último, haga clic en Pegar. Puede elegir una de las opciones de pegado como mantener el formato de origen, combinar el formato o mantener sólo el texto.

Nota: *Si desea mover un elemento en vez de copiarlo, en el menú contextual, haga clic en* Cortar *y no en* Copiar.

Truco: *Para copiar también puede presionar las teclas* **Control-C**, *para cortar las teclas* **Control-X** *y para pegar las teclas* **Control-V**.

5.6.4. Buscar y reemplazar texto

Para buscar un texto concreto en una presentación:

1. En el grupo Edición de la ficha Inicio, haga clic en Buscar.
2. En el cuadro Buscar, introduzca el texto que desee buscar.
3. Haga clic en Buscar siguiente.

Nota: *Para cancelar una búsqueda en curso, pulse* **Esc.**

Para reemplazar un texto:

1. En la ficha Inicio, en el grupo Edición, haga clic en Reemplazar.
2. En el cuadro Buscar, introduzca el texto que desea buscar y reemplazar.
3. En el cuadro Reemplazar con, introduzca el texto que desee utilizar en su lugar.
4. Para buscar la siguiente aparición del texto, haga clic en Buscar siguiente.
5. Siga uno de estos procedimientos:
   - Para reemplazar la aparición del texto seleccionada actualmente, haga clic en Reemplazar.
   - Para reemplazar todas las apariciones del texto, haga clic en Reemplazar todas.

Nota: *Para poder cancelar una búsqueda en curso, pulse la tecla* **Esc.**

5.6.5. Ortografía

PowerPoint no revisa la ortografía de objetos incrustados como gráficos, efectos especiales de texto como WordArt u objetos insertados. Siga uno de estos procedimientos: revisar la ortografía de toda la presentación o mientras escribe.

Para revisar la ortografía de toda la presentación:

1. En la ficha Revisar, en el grupo Revisión, haga clic en Ortografía (ABC).
2. Seleccione la opción que desee para cada palabra en la que se detenga el corrector ortográfico: cambiar la palabra por la ortografía sugerida, omitirla, agregarla al diccionario personalizado o a la lista Autocorrección.

5.7. Diseño de una diapositiva

5.7.1. Diseño de una diapositiva

Los diseños de diapositiva contienen el formato, el posicionamiento y los marcadores de posición de todo el contenido que aparece en una diapositiva. Los marcadores de posición son los contenedores de los diseños que guardan los diversos tipos de contenido, por ejemplo texto (incluido el texto principal, las listas con viñetas y los títulos), tablas, gráficos, películas, sonidos, imágenes e imágenes prediseñadas. El diseño también contiene los colores del tema colores, fuentes, efectos y fondo de la diapositiva. Para aplicar un diseño a una diapositiva:

1. Seleccione la vista Normal y, en el panel que contiene las fichas Esquema y Diapositivas, haga clic en la ficha Diapositivas.
2. Haga clic sobre la superficie de la diapositiva a la que desea aplicar el diseño.
3. En la ficha Inicio, en el grupo Diapositivas, haga clic en Diseño y, a continuación, seleccione el diseño que desea (véase la figura 5.10).

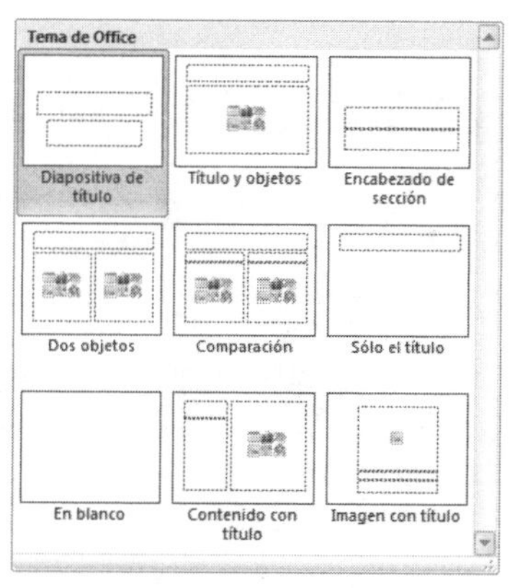

Figura 5.10. Diseño de una diapositiva.

> ***Nota:*** *Si aplica un diseño de diapositiva a una o más diapositivas de su presentación y, a continuación, vuelve atrás y edita el diseño agregando un marcador de posición o un texto de mensaje personalizado, debe volver a aplicar el diseño a las diapositivas para que adopten el diseño actualizado.*

5.7.2. Temas

PowerPoint ofrece una variedad de temas de diseño, que incluyen combinaciones de colores coordinados, fondos, estilos de fuente y colocación de marcadores de posición. Usar los temas prediseñados ayuda a cambiar más rápidamente la apariencia general de una presentación.

De forma predeterminada, PowerPoint aplica a las nuevas presentaciones en blanco un tema sencillo, el tema Office. Sin embargo, se puede cambiar fácilmente la apariencia de una presentación aplicando un tema diferente.

1. En la ficha Diseño, en el grupo Temas, haga clic en el tema de documento que desea aplicar. Para mostrar una vista previa del aspecto que tendrá la diapositiva actual cuando se le aplique un tema determinado, coloque el puntero sobre la miniatura de dicho tema.
2. Para ver más temas, en la ficha Diseño, en el grupo Temas, haga clic en Más (véase la figura 5.11).

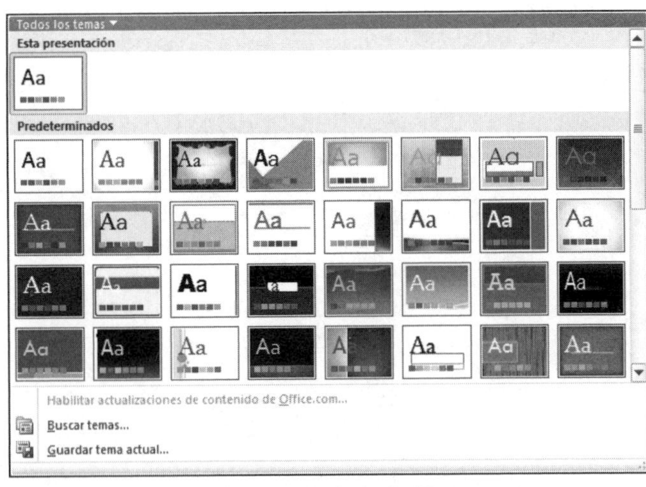

Figura 5.11. Galería de Temas.

3. Puede seleccionar diferentes colores, fuentes y efectos a la diapositiva haciendo clic en Colores, Fuentes o Efectos en el grupo Temas de la ficha Diseño.
4. Si desea cambiar el fondo de las diapositivas, seleccione uno en Estilos de fondo, grupo Fondo de la ficha Diseño.

Para personalizarlo, haga clic en Formato de fondo y ajústelo como desee.

5.7.3. Tamaño y orientación de una diapositiva

1. Haga clic en Configurar página de la ficha Diseño, y a continuación, en el cuadro de diálogo Tamaño de diapositivas para seleccione el tamaño que desee, o bien introduzca el tamaño exacto que prefiera utilizando los cuadros Alto y Ancho.
2. Seleccione la orientación para las diapositivas y para las notas, documentos y esquemas.
3. Haga clic en **Aceptar**.

5.7.4. Encabezado y pie de página

Agregar un pie de página a una diapositiva

1. En la ficha Insertar, en el grupo Texto, haga clic en Encabezado y pie de página ( ).
2. En el cuadro de diálogo Encabezado y pie de página (véase la figura 5.12), en la ficha Diapositiva, seleccione la casilla de verificación Pie de página y, luego, escriba el texto que desea ver en el botón del centro de la diapositiva.
3. Para evitar que el texto del encabezado aparezca en la diapositiva de título, seleccione la casilla de verificación No mostrar en diapositiva de título.
4. Siga uno de estos procedimientos:
   - Para mostrar la información del pie de página en la diapositiva seleccionada únicamente, haga clic luego sobre **Aplicar**.
   - Para mostrar la información del pie de página en todas las diapositivas de la presentación, haga clic en **Aplicar a todas**.

> ***Nota:*** *Puede incluir la fecha, la hora y el número de diapositiva haciendo clic en sus respectivas casillas de verificación.*

Para introducir encabezados y pies de página a las notas, y los documentos para distribuir, haga clic en la ficha Notas y documentos para distribuir, y realice la misma selección que con las diapositivas.

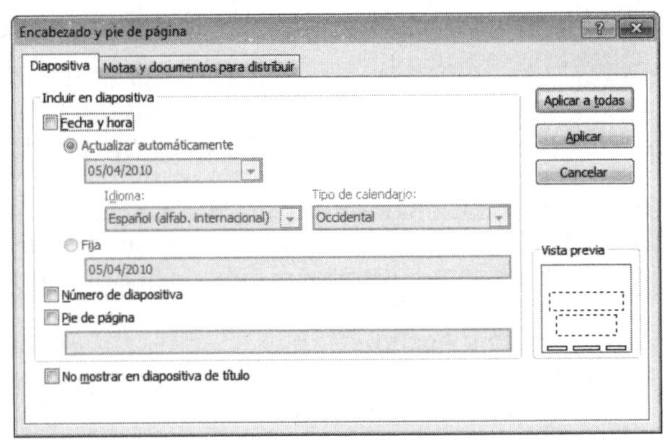

Figura 5.12. Cuadro de Encabezado y pie de página.

5.8. Insertar imágenes y gráficos a una diapositiva

5.8.1. Insertar gráficos e imágenes

Agregar un gráfico

1. En el grupo Ilustraciones de la ficha Insertar, haga clic en Gráfico ( ).
2. En el cuadro de diálogo Insertar gráfico, haga clic en las flechas para desplazarse por los tipos de gráficos (véase la figura 5.13).
3. Seleccione el tipo de gráfico que desee y, a continuación, haga clic en **Aceptar**. Cuando coloca el puntero del ratón sobre algún tipo de gráfico, aparece la información en pantalla con el nombre.

Puede insertar organigramas SmartArt. Para ello:

1. En la ficha Insertar, dentro del grupo Ilustraciones, haga clic en SmartArt.
2. En la galería Elegir un Gráfico SmartArt (véase la figura 5.14), seleccione el organigrama que desee y, a continuación, haga clic en **Aceptar**.
3. Automáticamente surgirá el nuevo cuadro Escriba aquí su texto, con el nombre de título del gráfico en la parte inferior.
4. Escriba el texto para cada una de las partes del organigrama.

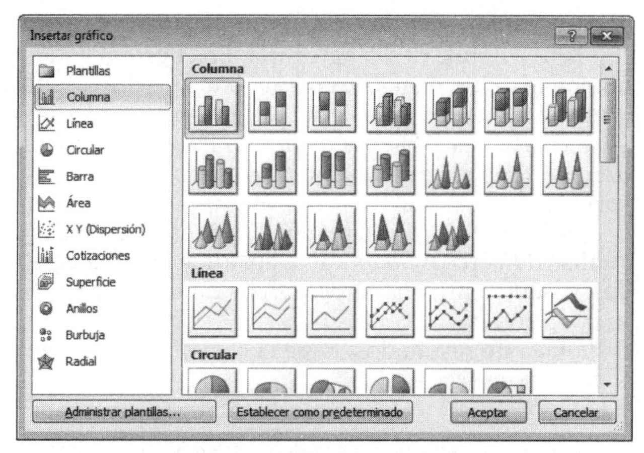

Figura 5.13. Cuadro Insertar gráfico.

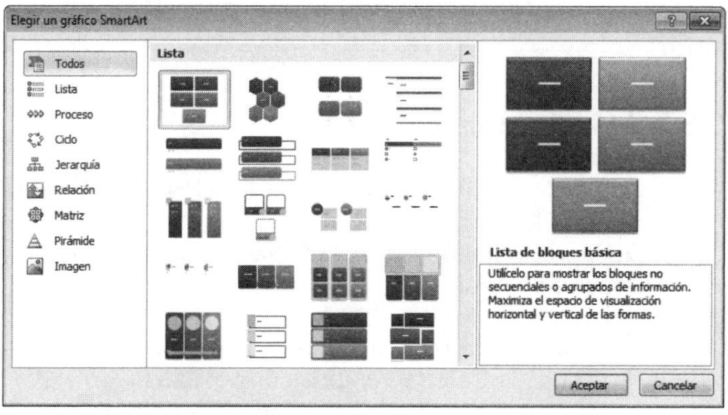

Figura 5.14. Cuadro Elegir un gráfico SmartArt.

Agregar una imagen

Para agregar una imagen desde un archivo, haga clic en el lugar en el que desee insertarla. En la ficha Insertar, en el grupo Imágenes, haga clic en Imagen. Busque la carpeta que contenga la imagen, y a continuación, haga clic en el archivo y luego en **Abrir**.

Para insertar una imagen desde su escáner o cámara, use el software del escáner o la cámara para transferir la imagen a su equipo. Guarde la imagen y, a continuación, insértela de acuerdo con las instrucciones anteriores.

Para poder agregar una imagen prediseñada, haga clic en la diapositiva donde desea agregarla. En el grupo Imágenes de la ficha Insertar, haga clic en Imágenes prediseñadas. En el panel de tareas de la Galería de imágenes, en el cuadro de texto Buscar, escriba una palabra o frase que describa la imagen prediseñada que desea usar o escriba todo o parte del nombre de archivo de la imagen prediseñada. Para limitar la búsqueda, en la lista Los resultados deben ser, seleccione las casillas de verificación junto a Ilustraciones, Fotografías, Vídeos y Audio para buscar esos tipos de medios. Haga clic sobre la opción Ir.

En la lista de resultados, haga clic en la imagen prediseñada para insertarla.

> ***Nota:*** *Para insertar imágenes prediseñadas en las páginas de notas de la presentación, cambie a la vista* Página de notas *y, a continuación, siga los pasos mencionados anteriormente.*

5.8.2. Insertar una captura

1. Haga clic en la diapositiva a la que desea agregar la captura de pantalla.
2. En el grupo Imágenes de la ficha Insertar, haga clic en Captura de pantalla ( ).
3. Siga uno de estos procedimientos:
   - Para agregar toda la ventana, haga clic en la miniatura de la Galería Ventanas disponibles.
   - Para agregar parte de la ventana, haga clic en Recorte de pantalla y cuando el puntero se convierta en una cruz, mantenga presionado el botón primario del ratón para seleccionar el área de la pantalla que desea capturar.
4. Si tiene varias ventanas abiertas, haga clic en la ventana que desee recortar antes de hacer clic en Recorte de pantalla. Al hacer clic en Recorte de pantalla, se minimiza la aplicación en la que está trabajando y sólo estará disponible para el recorte la ventana situada detrás de él.
5. Después de agregar la captura de pantalla, puede usar las herramientas de la ficha Herramientas de imagen para editar y mejorar la captura de pantalla.

5.8.3. Modificar una imagen

Cuando se inserta una imagen, ésta puede ser modificada, tanto su tamaño como su aspecto.

Para cambiar el tamaño de una imagen, seleccione la imagen que haya insertado en el documento. Para poder aumentar o disminuir el tamaño en una o más direcciones, arrastre un controlador de tamaño hacia el centro o alejándolo de él mientras realiza uno de los siguientes procedimientos:

- Para mantener el centro de un objeto en el mismo lugar, mantenga presionada la tecla **Control** mientras arrastra el controlador de tamaño.
- Para mantener las proporciones del objeto, mantenga presionada la tecla **Mayús** mientras arrastra el controlador de tamaño.
- Para mantener las proporciones del objeto y mantener el centro en el mismo lugar, mantenga presionadas las teclas **Control-Mayús** mientras arrastra el controlador de tamaño.

Puede mejorar el aspecto de las imágenes utilizando los diferentes comandos de Herramientas de imagen, en la ficha Formato (véase la figura 5.15), que aparece cuando está seleccionada una imagen. Puede aplicar estilos a una imagen y, como novedad de PowerPoint 2010, puede aplicar afectos artísticos y eliminar el fondo que no desee. Podrá modificar otros aspectos como el brillo, el color, e incluso recortar una imagen.

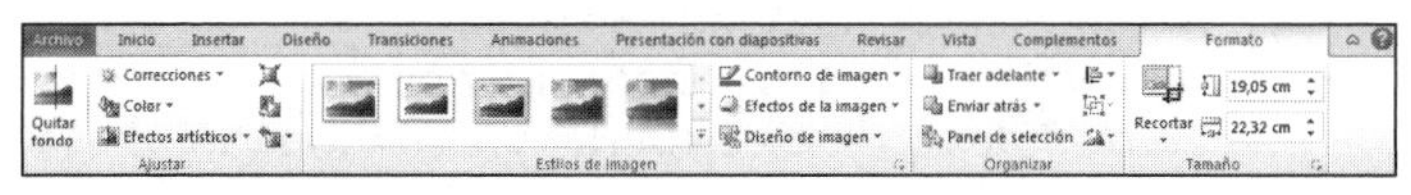

Figura 5.15. Herramientas de imagen.

5.8.4. Dibujar líneas y formas

1. En la ficha Inicio, en el grupo Ilustraciones, haga clic sobre Formas.
2. Haga clic en la forma que desee, haga clic en cualquier lugar de la diapositiva y, a continuación, arrastre para colocar la forma.

   Para crear un círculo o un cuadrado perfecto (o restringir las dimensiones de otras formas), mantenga presionada la tecla **Mayús** mientras arrastra.

5.9. Agregar audio y vídeos a una diapositiva

5.9.1. Agregar un vídeo

Con Microsoft PowerPoint 2010, ahora puede insertar un vídeo desde un archivo directamente en la presentación o establecer un vínculo a un archivo de vídeo en un sitio Web. Además, al igual que en las versiones anteriores de PowerPoint, también puede insertar un vídeo o un archivo `.gif` animado desde la biblioteca de imágenes prediseñadas.

- PowerPoint admite archivos QuickTime (`.mov`, `.mp4`) y Adobe Flash (`.swf`) cuando se han instalado los reproductores QuickTime y Adobe Flash.
- Existen algunas restricciones al usar Flash en PowerPoint 2010, incluida la incapacidad de usar efectos especiales (como sombras, reflejos, efectos de iluminado, bordes suaves, biseles y giro 3D), las capacidades de desvanecimiento y recorte y la capacidad de comprimir estos archivos para que sea fácil compartirlos y distribuirlos.
- PowerPoint 2010 no es compatible con versiones de QuickTime o Flash de 64 bits.

Insertar vídeo desde archivo

1. En la vista Normal, haga clic en la diapositiva en la que desea insertar un vídeo.
2. En la ficha Insertar en el grupo Multimedia, haga clic en la flecha situada debajo de Vídeo (véase la figura 5.16) y, a continuación, en Vídeo de archivo.
3. En el cuadro de diálogo Insertar vídeo, busque y haga clic en el vídeo que desee insertar y, a continuación, haga clic en Insertar.

Figura 5.16. Insertar un vídeo

Insertar un GIF animado desde la biblioteca de imágenes prediseñadas

1. En la vista Normal, haga clic en la diapositiva en la que desee insertar un archivo GIF animado.

2. En la ficha Insertar en el grupo Multimedia, haga clic en la flecha situada debajo de Vídeo y, a continuación, en Vídeo de imágenes prediseñadas.
3. En el panel de tareas Imágenes prediseñadas, en el cuadro Buscar, especifique la palabra clave que describe la selección de archivos GIF animados para los que desee ver una vista previa.
4. En el cuadro Buscar en, active las casillas que se aplican al ámbito de su búsqueda.
5. En el cuadro Los resultados deben ser, asegúrese de activar sólo la casilla Películas.
6. Haga clic en Ir.

Establecer un vínculo a un archivo de vídeo en un sitio Web

1. En la ficha Diapositivas en la vista Normal, haga clic en la diapositiva a la que desea agregar un vídeo.
2. En el explorador, vaya al sitio Web que contiene el vídeo al cual desea establecer el vínculo.
3. En el sitio Web, busque el vídeo y luego busque una copia del código Insertar.

> ***Nota:*** *La mayoría de los sitios Web que contienen vídeos, incluyen un código para insertar, las ubicaciones de los códigos para insertar varían según el sitio. Algunos vídeos no tienen un código para insertar y por lo tanto, no se puede establecer un vínculo a ellos. Como su propio nombre indica, se llaman 'códigos para insertar', es decir, se establece un vínculo con el vídeo, realmente no lo está insertando en su presentación.*

4. Nuevamente en PowerPoint, en la ficha Insertar en grupo Multimedia, haga clic en la flecha debajo de Vídeo.
5. Haga clic en Vídeo desde sitio web.
6. En el cuadro de diálogo Vídeo desde sitio web (véase la figura 5.17), pegue el código para insertar y luego haga clic en Insertar.

5.9.2. Editar un vídeo

Recortar un vídeo

Después de ver los clips de vídeo, es posible que note que se le movió la cámara al principio y al final de cada clip, o quizá desee quitar una parte que no es adecuada para el mensaje del vídeo.

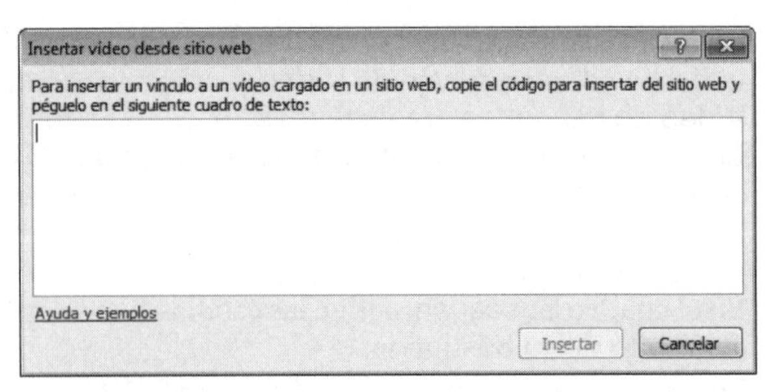

Figura 5.17. Cuadro de Vídeo desde sitio web

Afortunadamente, puede corregir estos problemas con la característica Recortar vídeo para recortar el comienzo y el final de su clip de vídeo.

1. En la vista Normal, dentro del marco de vídeo, presione Reproducir.
2. Seleccione el vídeo en la diapositiva.
3. En Herramientas de vídeo, en el grupo Editar de la ficha Reproducción, haga clic en Recortar vídeo ( ).
4. En el cuadro de diálogo Recortar vídeo, siga uno o ambos procedimientos:
   - Para recortar el principio del clip, haga clic en el punto de inicio (véase la figura 5.18) con una marca verde, en el extremo izquierdo. Cuando vea la flecha de dos puntas, arrástrela a la posición inicial que desee para el vídeo.
   - Para recortar el final del clip, haga clic en el punto final (véase la figura 5.18) con una marca roja, en el extremo derecho. Cuando vea la flecha de dos puntas, arrástrela a la posición final que desee para el vídeo.

Modificar el aspecto de un vídeo

Puede mejorar el aspecto de los vídeos utilizando los diferentes comandos de Herramientas de vídeo, en la ficha Formato (véase la figura 5.19), que aparece cuando está seleccionada un vídeo. Puede aplicar diferentes estilos y efectos de los que nos ofrece la galería de PowerPoint 2010. Podrá modificar otros aspectos como el brillo, el color, e incluso recortar un vídeo. Si desea realizar una vista previa del vídeo insertado en la presentación, haga clic en Reproducir ( ).

Figura 5.18. Recortar vídeo.

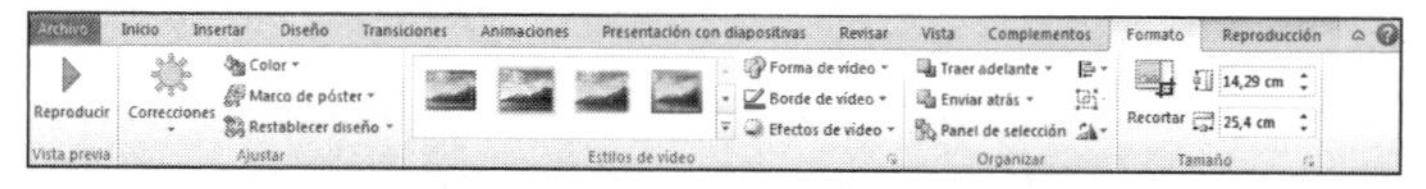

Figura 5.19. Herramientas de vídeo.

5.9.3. Agregar un clip de audio

Puede agregar audio, como música, narración, fragmentos de sonido, etc. a sus presentaciones para dar mayor énfasis.

1. Haga clic en la diapositiva a la que desea agregar un clip de audio.
2. En la ficha Insertar, en el grupo Multimedia, haga clic en Audio (🔊).
3. Siga uno de estos procedimientos:
   - Haga clic en Audio de archivo, busque la carpeta que contiene el archivo y haga doble clic en el que desee agregar.
   - Haga clic en Audio de imágenes prediseñadas, busque el clip de audio que desea en el panel de tareas Imágenes prediseñadas y, a continuación, haga clic en él para agregarlo a la diapositiva.

5.9.4. Editar clip de audio

Puede recortar el audio al comienzo y al final de cada clip. Es posible que una narración trate un tema no pertinente al mensaje del clip de audio o que desee acortar el audio para que se adapte al tiempo de las diapositivas.

1. Seleccione el clip de audio y presione Reproducir.
2. Seleccione el vídeo en la diapositiva.
3. En Herramientas de audio, en la ficha Reproducción del grupo Editar, haga clic en Recortar audio.
4. En el cuadro de diálogo Recortar audio, siga uno o más de los siguientes procedimientos:
   - Para recortar el principio del clip, haga clic en el punto de inicio (véase la figura 5.20) con una marca verde, en el extremo izquierdo. Cuando vea la flecha de dos puntas, arrástrela a la posición inicial que desee para el clip de audio.
   - Para recortar el final del clip, haga clic en el punto final (véase la figura 5.20) con una marca roja, en el extremo derecho. Cuando vea la flecha de dos puntas, arrástrela a la posición final que desee para el clip de audio.

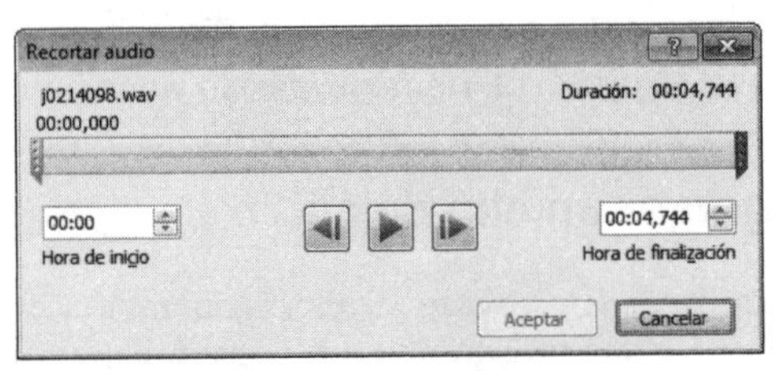

Figura 5.20. Recortar audio.

5.9.5. Convertir una presentación en un vídeo

En PowerPoint 2010, ahora es posible guardar una presentación como un vídeo para facilitar su distribución y visualización entre los destinatarios.

1. Después de haber creado la presentación, haga clic en la ficha Archivo y, a continuación, haga clic en Guardar y enviar.
2. En Guardar y enviar, haga clic en Crear vídeo (véase la figura 5.21).

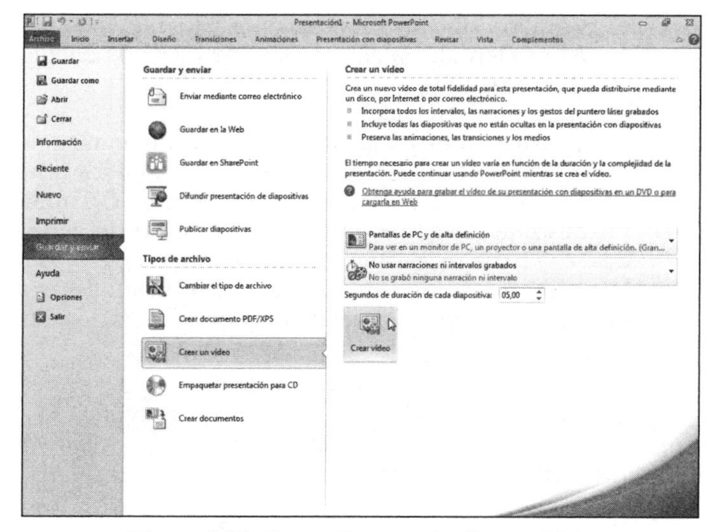

Figura 5.21. Convertir presentación en vídeo

3. Para mostrar todas las opciones de calidad de vídeo y tamaño, en Crear vídeo haga clic en la flecha hacia abajo Pantallas de PC y de alta definición.
4. Realice una de las acciones siguientes:
   - Para crear un vídeo de calidad muy alta pero con un tamaño de archivo grande, haga clic en Pantallas de PC y de alta definición.
   - Para crear un vídeo con un tamaño de archivo moderado y calidad media, haga clic en Internet y DVD.
   - Para crear un vídeo con el tamaño de archivo más pequeño y baja calidad, haga clic en Dispositivos portátiles.
5. Haga clic en la flecha hacia abajo No usar narraciones e intervalos grabados y a continuación siga uno de estos procedimientos:
   - Si no grabó ni sincronizó una narración de voz y los movimientos del puntero láser, haga clic en No usar narraciones ni intervalos grabados.

> ***Nota:*** *El tiempo predeterminado empleado en cada diapositiva se establece en 5 segundos. Para modificarlo, a la derecha de* Segundos de duración de cada diapositiva, *haga clic en las flechas arriba o abajo para aumentar o disminuir la cantidad de segundos.*

- Si grabó y sincronizó la narración y los movimientos del puntero, haga clic en Usar narraciones e intervalos grabados.

6. Haga clic en Crear vídeo.
7. En el cuadro Nombre de archivo, escriba un nombre de archivo para el vídeo, busque la carpeta que contiene dicho archivo y, a continuación, haga clic en **Guardar**. Puede controlar el progreso de la creación del vídeo desde la barra de estado en la parte inferior de la pantalla. El proceso de creación del vídeo puede llegar a tardar varias horas dependiendo de la duración del vídeo y de la complejidad de la presentación.

> ***Truco:*** *En el caso de vídeos más extensos, puede configurarlos para que se creen durante la noche. De esta manera, estarán listos a la mañana siguiente.*

5.10. Animaciones y Transiciones

5.10.1. Agregar animación

La animación es un excelente modo de enfatizar puntos importantes, controlar el flujo de la información y aumentar el interés del espectador por la presentación.

Se pueden agregar efectos de animación a texto, imágenes, gráficos u objetos.

PowerPoint 2010 incluye cuatro tipos diferentes de efectos de animación:

- **Efectos de entrada:** Por ejemplo, se puede hacer que un objeto aparezca gradualmente, que entre volando desde un lado de la diapositiva o que aparezca con un efecto de rebote.
- **Efectos de salida:** Estos efectos implican hacer que un objeto salga volando de la diapositiva, desaparezca de la vista o salga de la diapositiva siguiendo una trayectoria en espiral.
- **Efectos de énfasis:** Algunos ejemplos de estos efectos son hacer que un objeto reduzca o aumente su tamaño, cambie de color o que gire sobre sí mismo.
- **Trayectorias de la animación:** Estos efectos se pueden usar para que un objeto se desplace hacia arriba, abajo,

a la izquierda o la derecha o siguiendo un recorrido con forma de estrella o de círculo (entre otros efectos).

Para agregar una animación:

1. Seleccione el elemento correspondiente al que desea agregar una animación.
2. En la ficha Animaciones, en el grupo Animación, haga clic en Más y luego seleccione la animación que desee (véase la figura 5.22).

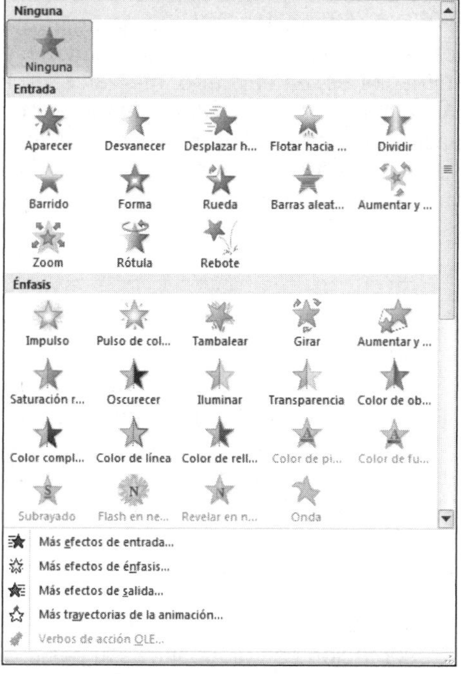

Figura 5.22. Galería de animaciones.

Para configurar las opciones de efectos de una animación:

1. En la ficha Animaciones, en el grupo Animación, haga clic en la flecha a la derecha de Opciones de efectos y luego haga clic en la opción deseada.
2. En la ficha Animaciones puede especificar el intervalo de inicio, la duración o el intervalo de retraso de una animación.

- Para configurar el intervalo de inicio de una animación, en el grupo Intervalos, haga clic en la flecha a la derecha del menú Inicio y seleccione el intervalo deseado.
- Para configurar la duración de reproducción de la animación, en el grupo Intervalos, escriba la cantidad de segundos deseada en el cuadro Duración.
- Para configurar un retraso antes del comienzo de la animación, en el grupo Intervalos, escriba la cantidad de segundos deseada en el cuadro Retraso.
- Para reordenar las animaciones de la lista, en el panel de tareas Animación, seleccione la animación cuya posición desea cambiar. Seguidamente, en la ficha Animaciones, en el grupo Intervalos, en Reordenar animación, seleccione Mover antes para que la animación ocurra antes que otra animación en la lista o seleccione Mover después para que la animación ocurra después de otra animación de la lista (véase la figura 5.23).

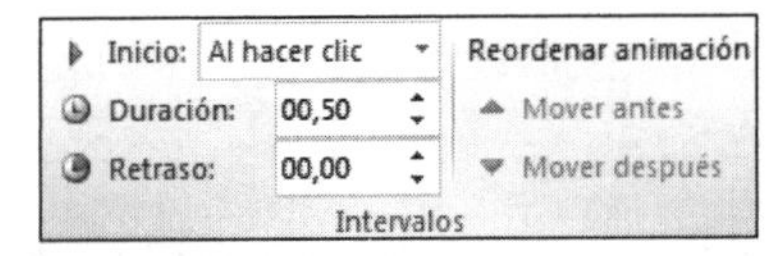

Figura 5.23. Intervalos de una animación.

Para eliminar una animación, en la galería del grupo Animación de la ficha Animaciones, haga clic en Ninguna.

5.10.2. Agregar transición

Las transiciones son efectos de movimiento que se producen en la vista Presentación con diapositivas al pasar de una diapositiva a la siguiente durante la presentación.

Para agregar una transición:

1. En el panel que contiene las fichas Esquema y Diapositivas, haga clic en la ficha Diapositivas.
2. Seleccione la miniatura de la diapositiva a la cual desea aplicarle una transición.
3. En la ficha Transiciones, en el grupo Transición a esta diapositiva, haga clic en un efecto de transición. Para ver más efectos de transición, haga clic en el botón **Más** (véase la figura 5.24).

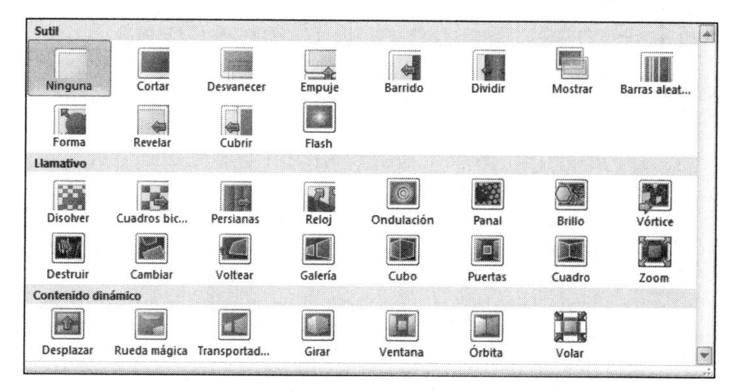

Figura 5.24. Galería de transiciones.

> ***Nota:*** *Para aplicar la misma transición de diapositiva a todas las diapositivas de la presentación, siga los pasos anteriores del 2 al 4 y, en la ficha* Transiciones, *en el grupo* Intervalos, *haga clic en* Aplicar a todas.

Para establecer la duración de la transición entre la diapositiva anterior y la actual, haga lo siguiente:

1. En la ficha Transiciones en el grupo Intervalos, escriba o seleccione la velocidad que desea en el cuadro Duración (véase la figura 5.25).
2. Para especificar cuánto tiempo debe transcurrir antes de que la diapositiva actual avance a la siguiente, siga uno de los siguientes procedimientos:
   - Para avanzar la diapositiva al hacer clic con el ratón, en la ficha Transiciones en el grupo Intervalos, seleccione la casilla Al hacer clic con el ratón.
   - Para avanzar la diapositiva después de un tiempo determinado, en la ficha Transiciones en el grupo Intervalos, escriba la cantidad de segundos que desea en el cuadro Después de.

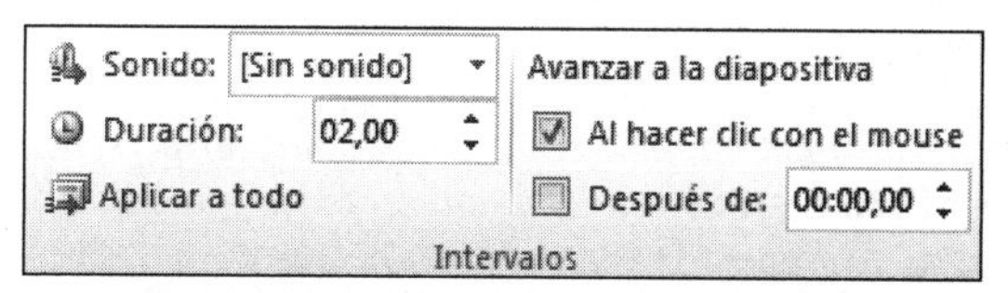

Figura 5.25. Intervalos de una transición.

5.11. Presentación con diapositivas

5.11.1. Crear una presentación personalizada

1. En el grupo Iniciar presentación con diapositivas de la ficha Presentación con diapositivas, haga clic en Presentación personalizada ( ).
2. En el cuadro de diálogo Presentaciones personalizadas, haga clic en **Nueva**.
3. En el cuadro de diálogo Definir presentación personalizada (véase la figura 5.26), haga clic en las diapositivas que desea incluir en la presentación personalizada en el cuadro de la derecha y, a continuación, haga clic sobre el botón **Agregar**.

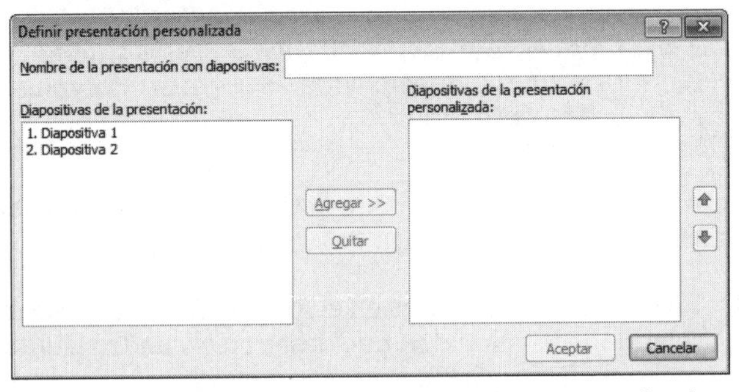

Figura 5.26. Cuadro Definir presentación personalizada.

4. Si desea cambiar el orden en que aparecen las diapositivas, seleccione una en el cuadro Diapositivas de la presentación personalizada y, a continuación, haga clic en una de las flechas para subir o bajarla en la lista.
5. Escriba un nombre en el cuadro Nombre de la presentación con diapositivas y, a continuación, haga clic sobre el botón **Aceptar**.
6. Repita los pasos 1 a 3 para poder crear más presentaciones personalizadas con las diapositivas de la presentación.

Nota: *Para obtener una vista previa de una presentación personalizada, seleccione el nombre de la presentación en el cuadro de diálogo* Presentaciones personalizadas *y, a continuación, haga clic en* **Mostrar**.

5.11.2. Configuración de la presentación

El intervalo es el tiempo que permanecerá en pantalla cada diapositiva. Puede dar a todas las diapositivas el mismo tiempo o ajustarlo según le suponga más o menos tiempo exponer el contenido de cada diapositiva.

1. En la ficha Presentación con diapositivas, en el grupo Configurar, haga clic en Ensayar intervalos.
2. Aparecerá la barra de herramientas Ensayo y en el cuadro Tiempo de exposición comenzará a registrarse el intervalo de presentación. Mientras registra los intervalos de la presentación, siga uno o varios de estos procedimientos en la barra de herramientas Ensayo:
   - Para pasar de diapositiva, haga clic en **Siguiente**.
   - Para detener temporalmente el registro del tiempo, haga clic en **Pausa**.
   - Para reiniciar el registro del tiempo después de una pausa, haga clic en **Pausa**.
   - Para establecer un intervalo exacto de tiempo durante el que se mostrará una diapositiva, escriba el intervalo en el cuadro Tiempo de exposición.
   - Para reiniciar el registro del tiempo de la diapositiva actual, haga clic en **Repetir**.

   Después de establecer el tiempo de la última diapositiva, aparecerá un cuadro de mensaje que muestra el tiempo total de la presentación y le solicita que siga uno de estos procedimientos:
   - Para mantener los intervalos de diapositivas registrados, haga clic en **Sí**.
   - Para descartar los intervalos de diapositivas registrados, haga clic en **No**.
   - Aparecerá la vista Clasificador de diapositivas, que muestra el tiempo de diapositiva de la presentación.

Para una configuración más avanzada, haga clic en Configuración de la presentación con diapositivas en el grupo Configurar de la ficha Presentación con diapositiva. En el cuadro de diálogo que aparece (véase la figura 5.27) seleccione las opciones que desee.

5.11.3. Ejecutar una presentación

Para iniciar una presentación, puede iniciarla de dos formas, desde la primera diapositiva o desde la diapositiva que esté seleccionado en ese momento. Para iniciar la presentación desde el principio, haga clic en Desde el principio, en el grupo Iniciar presentación con diapositivas de la ficha Presentación con diapositivas o pulse **F5**. Para iniciar la presentación desde la diapositiva que está seleccionada, haga clic en Desde la diapositiva actual o pulse **Mayús-F5**.

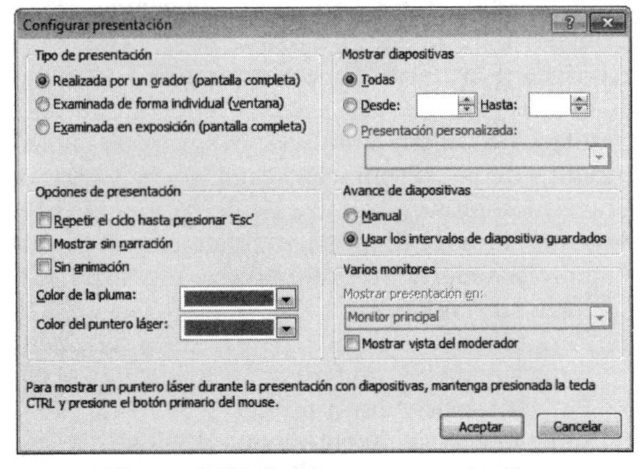

Figura 5.27. Configurar presentación.

Durante la presentación podrá avanzar hacia delante o hacia atrás haciendo clic en las respectivas flechas que aparecen en la esquina inferior izquierda. Para saltar a una diapositiva en concreto o finalizar la presentación de inmediato, haga clic con el botón derecho del ratón y seleccione la acción que desee. También podrá escribir notas utilizando la función Pluma haciendo clic con el botón derecho del ratón y seleccionando Opciones de puntero y pluma. Para dejar de utilizar la pluma, vuelva a hacer clic con el botón derecho y seleccione Opciones de puntero y flecha (véase la figura 5.28).

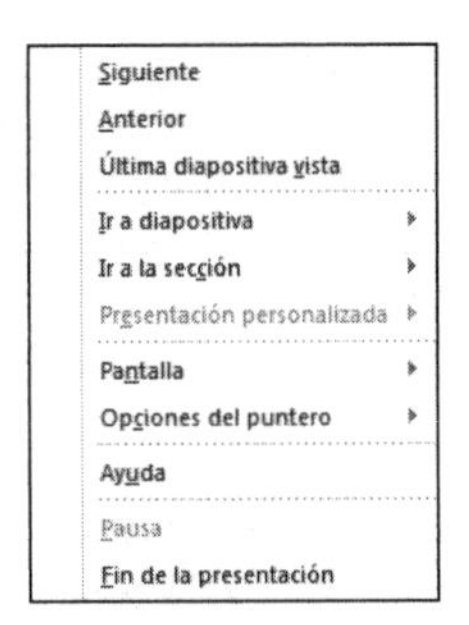

Figura 5.28. Opciones durante la presentación.

5.11.4. Usar el ratón como puntero láser

En PowerPoint 2010, podrá convertir el ratón en un puntero láser para destacar cualquier lugar de una diapositiva para una fácil localización.

Para mostrar un puntero láser durante la presentación con diapositivas, mantenga presionada la tecla **Control** y presione el botón izquierdo del ratón.

5.12. Imprimir una presentación

5.12.1. Configurar una impresora

Para que pueda imprimir documentos, es necesario configurar la impresora.

1. Haga clic en la ficha Archivo y, haga clic en Imprimir.
2. Haga clic en la flecha del apartado Impresora y se desplegará una lista donde podrá seleccionar la impresora deseada. Si no aparece la impresora que desea utilizar, haga clic en Agregar impresora.
3. Siga las instrucciones del asistente.

5.12.2. Imprimir una presentación o un número concreto de diapositivas

Puede obtener una vista previa e imprimir presentaciones en un solo lugar, apareciendo automáticamente las propiedades de la impresora predeterminada y de la página en la primera sección, y la vista preliminar de su presentación en la segunda sección.

Para visualizar las páginas a imprimir antes de ser impresas, utilizamos la vista preliminar.

1. Haga clic en la ficha Archivo y, a continuación, haga clic en Imprimir.
2. En la parte derecha de la ventana aparecerá el documento o los documentos a imprimir. Utilice los botones de **Página siguiente** o **Página anterior** para cambiar a una página distinta.
3. Para modificar el texto en la vista preliminar, aumenta el documento utilizando el control deslizante de zoom, situado en la esquina inferior derecha.

4. Cuando la forma del puntero del ratón cambie de una lupa a un cursor, realice los cambios que desee en el documento.

Para imprimir un número de copias de un documento o seleccionar sólo algunas diapositivas para que sean impresas, se necesita una configuración previa (véase la figura 5.29).

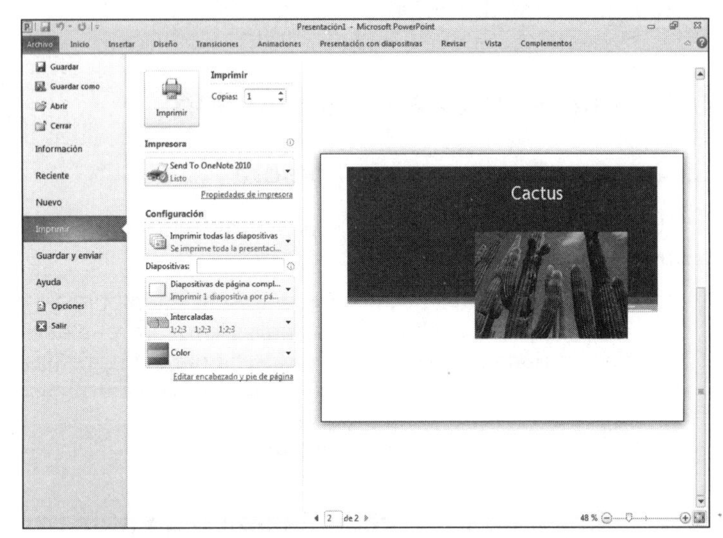

Figura 5.29. Configuración de página para imprimir.

1. Si desea imprimir una copia de la presentación completa, haga clic en el botón **Imprimir**. En el cuadro copias, podrá seleccionar el número de copias que desee imprimir.
2. Si desea imprimir sólo una parte de la presentación, en el cuadro Intervalo de página, especifique la parte del documento que quiere imprimir: Imprimir todas las diapositivas, Imprimir selección, Imprimir diapositiva actual o Rango personalizado, especificando el número de las páginas que desea imprimir en el cuadro Páginas.
3. Seleccione la opción Intercaladas si ha elegido dos o más copias del documento y prefiere que imprima una copia completa del documento antes de que imprima la primera página de la siguiente copia. Si desea imprimir todas las copias de la primera página y, a continuación, todas las copias de las siguientes páginas, seleccione la opción Sin Intercalar.

4. Configure el color en el que desea imprimir las diapositivas. Puede imprimirlas en Color, Escala de grises o en Blancos y negros puros.
5. Una vez seleccionadas las opciones de impresión, haga clic en el botón **Imprimir**.

5.12.3. Imprimir páginas de notas

Puede imprimir páginas de notas con una miniatura de diapositiva para repartir a la audiencia o para ayudarse a preparar la presentación.

1. En la ficha Archivo, haga clic en Imprimir y, a continuación, en la Configuración, haga clic en la flecha a la derecha de Diapositivas de página completa.
2. Seleccione Páginas de notas.
3. Configure el resto de opciones como desee y haga clic en el botón **Imprimir**.

5.12.4. Imprimir una presentación en la vista Esquema

Para imprimir una presentación en la vista Esquema:

1. En la ficha Archivo, haga clic en Imprimir y, a continuación, en Configuración, haga clic en la flecha a la derecha de Diapositivas de página completa.
2. Seleccione Esquema.
3. Configure el resto de opciones como desee y haga clic en el botón **Imprimir**.

5.12.5. Cancelar la impresión

Si está desactivado el modo de impresión en segundo plano, haga clic en **Cancelar** o haga clic en la tecla **Esc**. Si está activado el modo de impresión en segundo plano, haga clic en el icono de impresora situado en la barra de estado (en el margen inferior de la ventana de PowerPoint).

6 Outlook

6.1. Introducción

Microsoft Outlook 2010 incluye multitud de características nuevas para ayudarle a permanecer en contacto con otras personas y administrar mejor su tiempo e información. No es sólo un simple cliente de correo electrónico, sino que además, le permitirá organizar sus contactos, citas pendientes, reuniones, notas personales, etc.

Junto a las mejoras y avances proporcionados en la versión anterior, esta nueva versión de Microsoft Outlook ha dado un paso más, renovando el diseño y mejorando su rendimiento notablemente, haciendo que su trabajo sea mucho más rápido y sencillo.

Gracias a Outlook 2010 podrá:

- Administrar varias cuentas de correo electrónico desde un único lugar.
- Administrar fácilmente grandes volúmenes de correo electrónico.
- Personalizar tareas comunes en comandos que se ejecutan con un solo clic.
- Programar citas de una manera eficaz y conveniente.
- Buscar y revisar grandes volúmenes de datos.
- Crear mensajes de correo electrónico que llamen la atención.
- Mantenerse conectado con las redes sociales y empresariales.
- Recibir correos de voz y también faxes en la bandeja de entrada.
- Llevar a cabo conversaciones en tiempo real desde Microsoft Outlook.

6.2. La ventana de Outlook

Esta ventana es la primera que aparecerá cuando se inicie la aplicación (véase la figura 6.1). Para ello, haga clic en el botón **Inicio**, seleccione Todos los programas, haga clic en la carpeta Microsoft Office y, a continuación, haga clic en Microsoft Outlook.

> ***Advertencia:*** *La primera vez que abra Outlook, se activará un asistente que le guiará durante todo el proceso de configuración de la aplicación. El asistente le solicitará información necesaria para configurar su cuenta de correo electrónico.*

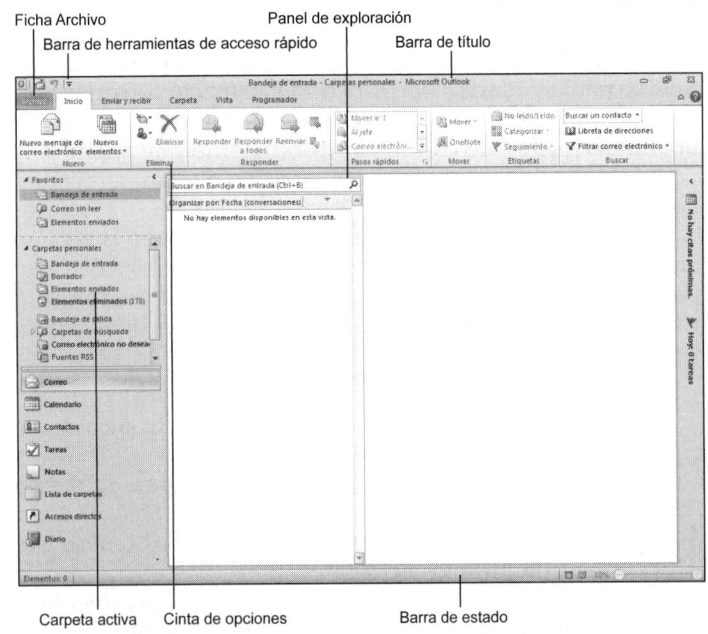

Figura 6.1. Ventana inicial de Outlook.

1. **Barra de herramientas de acceso rápido:** Es una barra de herramientas que se puede personalizar y contiene un conjunto de comandos independientes de la ficha en la cinta de opciones que se muestra. Se le puede agregar o quitar botones que representan comandos. Ésta se encuentra en la esquina superior izquierda de la ventana.

2. **Barra de título:** Aparece el nombre de la carpeta de Outlook que está activada en la ventana. En la parte derecha de la barra de título, hay tres botones para minimizar, restaurar o cerrar la aplicación.
3. **Ficha Archivo:** Esta ficha reemplaza al Botón de Microsoft Office incluido en la versión anterior. Al hacer clic en la ficha Archivo, verá los comandos básicos, como abrir o imprimir un archivo.
4. **Cinta de opciones:** Compuesta por las fichas Inicio, Enviar y recibir, Carpeta, Vista y Programador. Mantiene a la vista todas sus funciones para una rápida accesibilidad a sus distintas opciones.
5. **Panel de exploración:** Aparece replegado en el lateral izquierdo de la pantalla. Está formado por iconos de acceso directo que permiten abrir las carpetas y visualizar su contenido. A través de esta barra puede acceder fácilmente al correo, calendario, contactos, tareas, notas, listas de carpetas, diario y otros accesos directos. El número de carpetas que se muestran dependerá de las que haya seleccionado en la configuración de Outlook.
6. **Carpeta activa:** Muestra el nombre de la carpeta que está abierta y su contenido. Cuando realice la configuración de la aplicación, puede determinar qué carpeta desea que aparezca activa cuando ésta se inicie.
7. **Barra de estado:** Muestra información sobre el documento que tenemos en activo. Esta barra es personalizable.

6.2.1. La cinta de opciones

La cinta de opciones aparece por primera vez en todo Microsoft Outlook, reemplazando una gran cantidad de menús. Los comandos aparecen agrupados dentro de la cinta, para que sea más fácil su uso y localización. En la anterior versión, la cinta de opciones sólo estaba disponible en los elementos de Outlook abiertos, por ejemplo, en un mensaje de correo electrónico o en el calendario. Ahora podremos encontrarla en toda la aplicación, incluida en la ventana principal. Utilice las fichas de la parte superior para seleccionar grupos de comandos.

- **Ficha Inicio:** Encontrará comandos para crear y trabajar con los diferentes elementos de Outlook, como mensajes de correo electrónico, tareas o notas.

- **Ficha Enviar y recibir:** Utilice esta ficha para el envío de elementos y la búsqueda de nuevos elementos en el servidor.
- **Ficha Carpeta:** Podrá crear nuevas carpetas y trabajar con ellas.
- **Ficha Vista:** Si desea cambiar y personalizar la vista de las distintas carpetas, utilice los comandos que ofrece esta ficha.

6.3. Configurar una cuenta de correo electrónico

Outlook es compatible con Microsoft Exchange, POP e IMAP. El proveedor de acceso a Internet (ISP) y el administrador de correo electrónico, pueden proporcionarle la información necesaria para configurar manualmente una cuenta de correo electrónico de Outlook.

Las cuentas de correo electrónico se incluyen en perfiles. Un perfil consta de cuentas, archivos de datos y configuraciones que contienen información acerca de dónde se guardan los mensajes de correo electrónico. Al usar Outlook por primera vez, se crea automáticamente un nuevo perfil.

Si es la primera vez que utiliza Microsoft Outlook o va a instalar Outlook 2010 en otro equipo, se iniciará automáticamente la característica de configuración automática de la cuenta, para facilitar la configuración de las cuentas de correo electrónico. En esta configuración tan sólo tendrá que introducir su nombre, dirección de correo electrónico y contraseña (véase la figura 6.2).

Si la cuenta de correo electrónico no se puede configurar automáticamente, deberá especificar la información adicional requerida de forma manual, para ello siga los siguientes pasos:

1. Inicie Microsoft Outlook.
2. Cuando el sistema le indique que configure una cuenta de correo electrónico, haga clic en **Sí** y, a continuación, en **Siguiente**.
3. Escriba el nombre, la dirección de correo electrónico y la contraseña.
4. Haga clic en **Siguiente**, a continuación, se mostrará un indicador de progreso a medida que se configura la cuenta. El proceso de configuración puede tardar varios minutos.

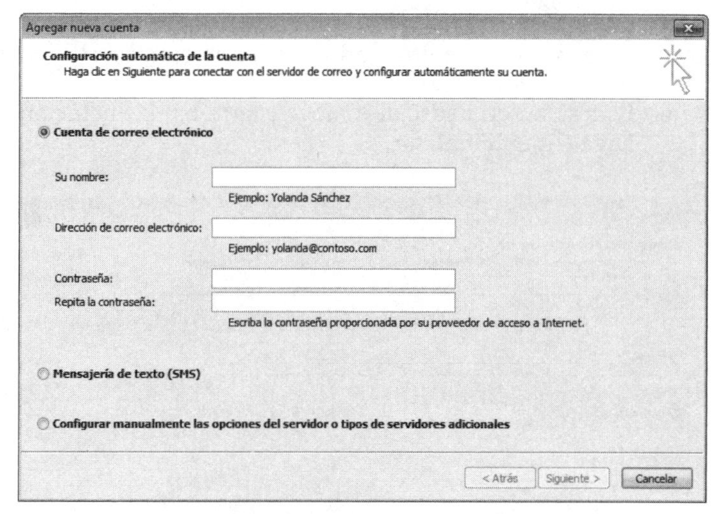

Figura 6.2. Introducción de datos para crear la primera cuenta de correo electrónico.

5. Para salir del cuadro de diálogo y terminar la operación haga clic en **Finalizar**.

> ***Nota:*** *Si el equipo está conectado a un dominio de red de una organización que usa Microsoft Exchange, la información de correo se insertará automáticamente. No se muestra el cuadro de contraseña, ya que se usa la contraseña de red.*

6.3.1. Agregar cuentas de correo

Para agregar una cuenta de correo adicional siga el siguiente procedimiento:

1. Haga clic en la ficha Archivo.
2. Haga clic en Información, y seguidamente en Configuración de la cuenta (véase la figura 6.3).
3. Haga clic en **Agregar cuenta**.
4. Escriba los datos solicitados, es decir, nombre, dirección de correo electrónico y contraseña.
5. Haga clic en **Siguiente**, a continuación, se mostrará un indicador de progreso a medida que se configura la cuenta. El proceso de configuración puede tardar varios minutos.

Después de agregar la cuenta correctamente, puede agregar más cuentas adicionales haciendo clic en **Agregar otra cuenta**.

6. Para salir del cuadro de diálogo y terminar la operación haga clic en **Finalizar**.

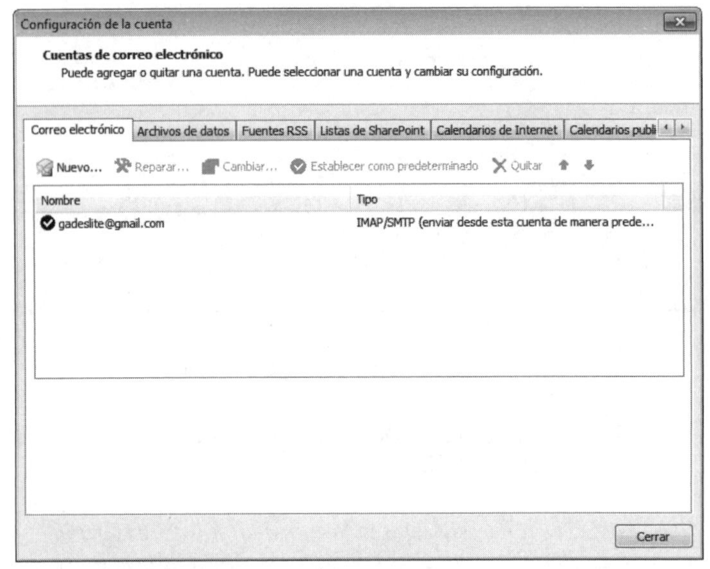

Figura 6.3. Cuentas de correo de Microsoft Outlook.

6.3.2. Eliminar cuentas de correo

Para eliminar una cuenta de correo electrónico existente siga el siguiente procedimiento:

1. Haga clic en la ficha Archivo.
2. Haga clic en Información y, a continuación en Configuración de la cuenta.
3. Haga clic en Configuración de cuenta.
4. Seleccione la cuenta de correo electrónico que desee quitar y, a continuación, haga clic en **Quitar**.
5. Para confirmar esta acción, haga clic en **Sí**.

Para quitar una cuenta de correo electrónico de otro perfil, salga de Outlook, reinicie la aplicación con el otro perfil, y siga los pasos anteriores.

O bien, puede quitar las cuentas de otros perfiles mediante el siguiente procedimiento:

1. Salga de Outlook.
2. En el Panel de control de Windows, haga clic sobre la opción Correo.
3. Haga clic en Cuentas de correo electrónico.
4. Elija la cuenta deseada y haga clic en Quitar.
5. Para confirmar esta acción, haga clic en **Sí**.

> ***Nota:*** *Al quitar una cuenta de correo electrónico POP3 o IMAP no se eliminan los elementos enviados y recibidos con dicha cuenta. Si ha usado una cuenta POP3, puede seguir usando el archivo de datos de Outlook (*`.pst`*) para trabajar con los elementos.*

6.4. Tareas básicas para manejar archivos

6.4.1. Abrir un archivo

Cuando se ejecuta Outlook por primera vez, se crean automáticamente los archivos de datos necesarios. Sin embargo, en ciertas ocasiones, creará archivos de datos adicionales. Por ejemplo, los elementos archivados se guardan en otro archivo de datos de Outlook (`.pst`) y la información se guarda en el servidor que ejecuta Exchange.

En la ficha Archivo, haga clic en Abrir y podrá elegir entre cuatro opciones:

- Abrir Calendario.
- Abrir archivos de datos de Outlook.
- Importar.
- Carpeta de otro usuario.

Puede agregar archivos de datos de Outlook (`.pst`) para poder trabajar con los elementos que contiene:

1. Haga clic en la ficha Archivo.
2. Haga clic en Información y, a continuación, haga clic en Configuración de la cuenta.
3. En la ficha Archivos de datos, haga clic en **Agregar**.
4. Localice el archivo de datos de Outlook que desea abrir y, a continuación, haga clic en **Aceptar**.

Nota: *Los archivos de datos de Outlook (*`.pst`*) creados mediante Microsoft Outlook 2010 se guardan en el equipo, en la carpeta* `Documentos/Archivos de Outlook`*. Si utiliza Windows XP, estos archivos se crean en la carpeta* `Mis Documentos/Archivos de Outlook`.

Truco: *Para obtener información sobre las carpetas ocultas en Windows, busque en la Ayuda y soporte técnico de Windows.*

6.4.2. Guardar un archivo

Puede optar por guardar por ejemplo un mensaje o archivos adjuntos, para ello siga el siguiente procedimiento:

1. Seleccione los elementos que desee guardar.
2. En la ficha Archivo, haga clic sobre Guardar como y, a continuación, escoja una ubicación para el archivo (véase la figura 6.4).
3. En el caso de que un mensaje contenga datos adjuntos, podrá hacer clic sobre la opción Guardar datos adjuntos dentro de la ficha Archivo.
4. Para finalizar la operación haga clic sobre **Guardar**.

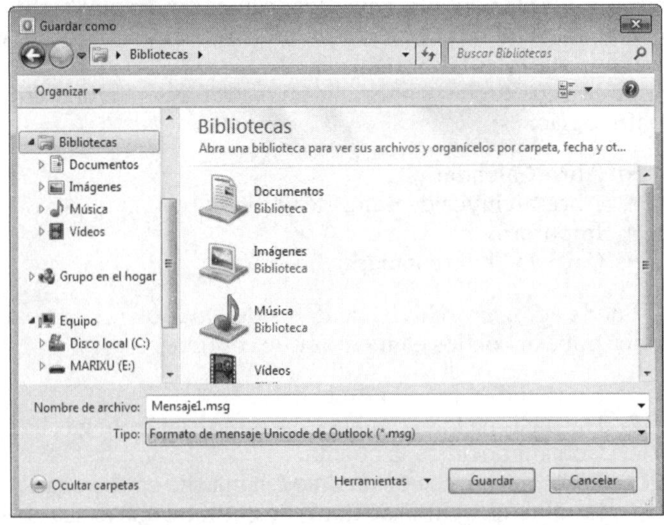

Figura 6.4. Cuadro de diálogo Guardar como.

6.5. Trabajar con correo electrónico.

Los comandos de correo que se utilizan con mayor frecuencia se encuentran en la ficha Inicio. Estos incluyen Nuevo mensaje de correo, Responder, Reenviar y Eliminar. Haga clic en cualquier mensaje para previsualizarlo o haga doble clic sobre él para abrirlo. Si un mensaje tiene datos adjuntos, haga clic en los datos adjuntos para obtener una vista previa en la misma ventana que previsualizó el mensaje, o haga doble clic para abrir el archivo adjunto en su programa asociado.

6.5.1. Tareas básicas

Crear un nuevo mensaje de correo electrónico

Siga los siguientes pasos para crear un mensaje de correo electrónico:

1. En el grupo Nuevo de la ficha Inicio, haga clic en Nuevo correo electrónico.
2. En el cuadro Asunto, escriba el asunto del mensaje, es decir, una breve descripción general del mensaje.
3. Escriba los nombres y direcciones de correo electrónico de los destinatarios en los cuadros Para, CC o CCO (los destinatarios de los cuadros CC (con copia) y CCO (con copia oculta) también reciben el mensaje; no obstante, los nombres de los destinatarios del cuadro CCO no son visibles a los otros destinatarios). Separe con punto y coma cuando exista más de un destinatario.
4. Para finalizar el proceso, haga clic en **Enviar** (véase la figura 6.5).

> ***Nota:** Para seleccionar los nombres de los destinatarios en la Libreta de direcciones, haga clic en* **Para**, **CC**, *o* **CCO** *y, seguidamente, en los nombres que desee añadir.*

> ***Truco:** Para crear un mensaje de correo electrónico desde cualquier carpeta de Outlook, sin tener que seguir el procedimiento anterior, presione* **Control-Mayús-M**.

Opciones de un mensaje

- Para cambiar el nivel de importancia del mensaje, haga clic en el botón [! Importancia alta] si la importancia es alta o en el botón [↓ Importancia baja], si no es importante.

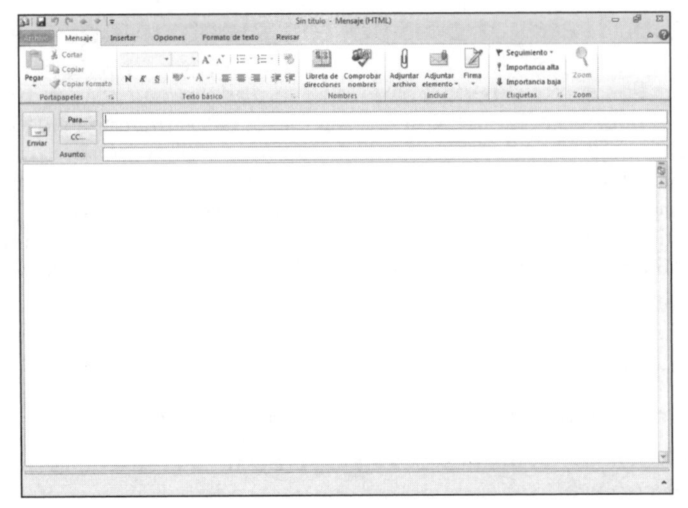

Figura 6.5. Nuevo mensaje de correo electrónico.

Establecer fecha de caducidad

Cuando caduca un mensaje, el encabezado del mensaje aparece tachado en las carpetas de Outlook, pero todavía puede abrir dicho mensaje.

- En la ficha Opciones, en el grupo Más opciones, haga clic en la flecha del Iniciador del cuadro de diálogo Opciones de mensaje, y en Opciones de entrega, active la casilla de verificación Caduca después del y, a continuación, seleccione una fecha y hora. Véase la figura 6.6.

Si desea que la entrega se retrase hasta cierta fecha:

1. Haga clic en la ficha Opciones, en el grupo Más Opciones, haga clic en Retrasar entrega. Aparecerá el cuadro de diálogo Propiedades con la casilla de verificación No entregar antes del seleccionada.
2. Haga clic en la fecha y hora en las que desea realizar la entrega.

Nota: *Debe hacer clic en* Retrasar la entrega *en cada uno de los mensajes que desee retrasar.*

Adjuntar archivos a un mensaje

Si además de enviar texto en un mensaje, desea enviar otro tipo de archivo, como una imagen, un archivo de audio, etc. siga los siguientes pasos:

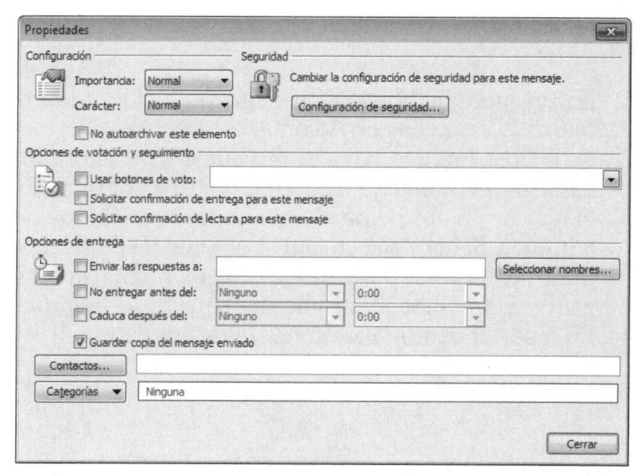

Figura 6.6. Cuadro de dialogo de Opciones de mensaje.

1. En un mensaje abierto, en el grupo Incluir de la ficha Mensaje, haga clic en Adjuntar archivo.
2. Busque el archivo que desee adjuntar y haga clic en él, a continuación, haga clic en **Insertar**.

Nota: *Si no ve el archivo que desea en la carpeta adecuada, asegúrese de que esté seleccionado* Todos los archivos (*.*) *en el cuadro* Tipo de archivo *y, que el explorador de Windows Explorer esté configurado para mostrar las extensiones de nombre de archivo.*

Truco: *Puede adjuntar archivos mediante la ficha* Insertar, *o bien arrastrar archivos desde las carpetas del equipo y colocarlos en un mensaje de correo electrónico abierto.*

Nota: *Si va a adjuntar un archivo muy grande, debe comprimirlo primero con un programa de compresión. Los archivos de Outlook que se guardan en los formatos Open XML predeterminados con las siguientes extensiones de archivo se comprimen automáticamente:* `.docx`, `.dotx`, `.xlsx`, `.xltx`, `.pptx`, `.potx` *y* `.ppsx`.

Adjuntar un elemento de Outlook a un mensaje

Puede adjuntar a un mensaje elementos de Outlook, como otros mensajes de correo electrónico, tareas, contactos o elementos de calendario. Para reenviar varios elementos o mensajes de forma cómoda y sencilla, siga el siguiente procedimiento:

1. En un mensaje abierto, en el grupo Incluir de la ficha Mensaje, haga clic en Adjuntar elemento ( ).
2. En la ficha Archivo, haga clic en Nuevo y, a continuación, haga clic en Mensaje de correo (véase la figura 6.7).
3. Haga clic en el tipo de elemento de Outlook que desee adjuntar. Si hace clic en Otro elemento de Outlook, examine las carpetas para buscar el elemento. En la lista del grupo Elementos, haga clic en el que desee adjuntar.
4. En Insertar como, seleccione Datos adjuntos.

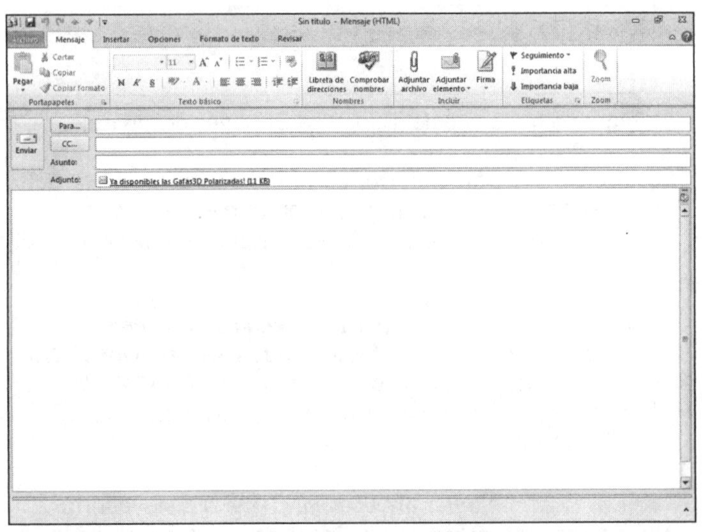

Figura 6.7. Mensaje de correo electrónico adjunto a otro mensaje.

Outlook utiliza siete carpetas diferentes para administrar el correo electrónico: `Bandeja de entrada`, `Borrador`, `Elementos enviados`, `Elementos eliminados`, `Bandeja de salida`, `Carpetas de búsqueda` y `Correo electrónico no deseado`.

- **Bandeja de entrada:** En esta bandeja se encuentran todos los mensajes recibidos. Aparecerá la dirección del remitente, el asunto del mensaje y, a continuación, el día y la hora en la que se ha recibido. Si el mensaje recibido lleva un archivo u otro elemento adjunto, aparecerá un icono con forma de clip. Puede hacer clic sobre el botón **Recibido**, para ordenar los mensajes por su fecha de entrada. Para leer el mensaje haga doble clic sobre él y si desea responderlo, haga clic en el botón **Responder**.

- **Borrador:** Cada tres minutos, Outlook guarda automáticamente todos los mensajes sin terminar en la carpeta `Borrador`. Puede cambiar el intervalo de tiempo o la ubicación.
- **Elementos enviados:** Almacena todos los mensajes enviados. Puede hacer doble clic sobre cualquiera de ellos para leerlo o bien, volverlo a enviar al mismo destinatario o a otros diferentes.
- **Elementos eliminados:** Es la papelera de Outlook. En esta carpeta estarán los mensajes que ha eliminado. Se puede vaciar para eliminar los mensajes de forma permanente.
- **Bandeja de salida:** Una vez que haya hecho clic en **Enviar** y esté conectado a la red, el mensaje quedará almacenado en esta bandeja hasta que es enviado. Puede seguir el transcurso del envío del mensaje, haciendo clic en Enviar y recibir. Esta opción es válida también para recibir mensajes.
- **Carpetas de búsqueda:** Esta carpeta contiene resultados de búsqueda actualizados de todos los elementos de correo electrónico que coincidan con determinados criterios de búsqueda. Por ejemplo, puede ver todos los mensajes de correo electrónico no leídos en una carpeta de búsqueda denominada `Correo sin leer`, o si desea reducir el tamaño del buzón, la carpeta de búsqueda `Correo grande` le muestra los correos de mayor tamaño, independientemente de la carpeta en la que estén almacenados. También puede crear sus propias carpetas de búsqueda. Para ello, realice su selección en una lista de plantillas predefinidas o cree una búsqueda con criterios personalizados y guárdela para un próximo uso.
- **Correo electrónico no deseado:** El nuevo filtro de este tipo de correo, ayuda a evitar gran parte del correo electrónico no deseado que recibe a diario. Utiliza tecnología de última generación desarrollada por Microsoft Research, a fin de evaluar si un mensaje se debería tratar como correo electrónico no deseado, basándose en diversos factores, como la hora a la que se envió y el contenido del mensaje. El filtro no individualiza ningún

remitente o un tipo de correo electrónico determinado. Se basa en el contenido del mensaje en general y utiliza un análisis avanzado de la estructura del mensaje para determinar la probabilidad de que se trate de un correo electrónico no deseado. Todos los mensajes detectados por el filtro, se mueven a la carpeta `Correo electrónico no deseado`, donde se pueden recuperar o revisar posteriormente. Puede agregar direcciones de correo electrónico a la lista de remitentes de confianza para garantizar que los mensajes de dichos remitentes nunca se traten como correo electrónico no deseado. Asimismo, puede bloquear mensajes de determinadas direcciones de correo electrónico o nombres de dominio si agrega el remitente a la lista de remitentes bloqueados.

6.5.2. Estilo y formato de texto

Cuando crea un mensaje en Outlook, el formato predeterminado es HTML. Este formato admite formato de texto, numeración, viñetas, alineación, líneas horizontales, imágenes (incluidos fondos), estilos HTML, diseños de fondo, firmas y vínculos a páginas Web. Dado que los programas de correo electrónico más populares utilizan HTML, es también el más conveniente para el correo de Internet. Si la mayoría de los mensajes que envía son a una organización que utiliza el Servidor de Microsoft Exchange, también se recomienda este formato.

Se puede aplicar estilo y formato a la zona de texto de un mensaje. Para ello, utilizaremos la ficha Formato de texto de la cinta de opciones, la cual está dividida en seis grupos claramente definidos (véase la figura 6.8).

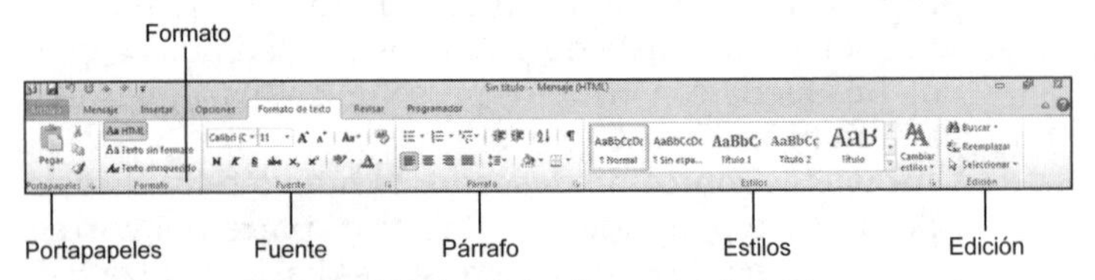

Figura 6.8. La ficha Formato de texto.

Para aplicar rápidamente el estilo, la fuente y el tamaño de la misma, seleccione el texto que desea cambiar. A continuación, en la ficha Formato de texto, haga clic en el cuadro

Estilos rápidos. Podrá obtener una vista previa del estilo con sólo poner el cursor del ratón en los diferentes modelos de la galería (véase la figura 6.9).

Figura 6.9. Galería de Formato de estilos rápidos.

Sin embargo, si desea realizar una presentación más precisa o sabe exactamente lo que quiere, escoja las opciones que quiera emplear mediante los botones correspondientes. Para ello, utilice el grupo Fuente de la ficha Formato de texto, le brindará diversas opciones de estilo, tipo, cuerpo, tamaño, color, etc. dependiendo del formato que desee cambiar. A continuación, seleccione la opción que desee aplicar al texto.

Para agrandar o encoger el texto, haga clic en (A A), si desea aplicar negrita, una vez seleccionado el texto, haga clic en este botón (N). Para poner el texto en cursiva, haga clic en (K), o si bien lo prefiere subrayado, haga clic en (S).

También podrá alinear el texto, para ello, selecciónelo y en la ficha Formato de texto, en el grupo Párrafo, haga clic en el botón apropiado: ( ) si desea alinear a la izquierda, en ( ) para alinear a la derecha, ( ) para centrar el texto o en ( ) si desea justificarlo.

Para aplicar una sangría, una vez seleccionado el texto, en el grupo Párrafo, haga clic en Aumentar sangría ( ) o en ( ) Reducir sangría.

Si desea crear una lista con viñetas o numerada, seleccione las líneas de texto a las que desee agregárselos. En el grupo Párrafo, haga clic en Viñetas ( ), Numeración ( ) o también en Lista multinivel ( ).

Puede acceder al cuadro de diálogo Fuente, véase la figura 6.10. Para ello, haga clic en el Iniciador del cuadro de diálogo situado en la parte inferior izquierda del grupo. Podrá comprobar cómo quedarán los diferentes formatos a medida que los va probando, observando el cuadro situado en la parte inferior.

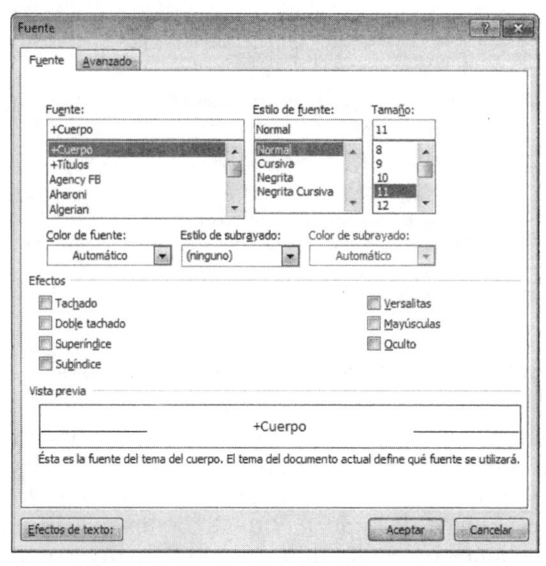

Figura 6.10. Cuadro de diálogo de Fuente.

6.5.3. Personalizar los mensajes de correo electrónico

Cambiar el nivel de confidencialidad para un mensaje

1. En la ventana de mensajes de correo electrónico, en la ficha Mensaje, haga clic en el iniciador del cuadro de diálogo Opciones de mensaje, situado en la esquina inferior derecha del grupo Etiquetas.
2. En Configuración, en la lista Carácter, seleccione Normal, Personal, Privado, o Confidencial.

Los destinatarios verán el texto siguiente en la barra de información del mensaje:

- Para Normal, no se asigna ningún tipo de confidencialidad al mensaje, de modo que ningún texto aparece en la barra de información.
- Para Privado, el destinatario verá "Trate este elemento como Privado" en la barra de información.

- Para Personal, el destinatario verá "Trate este elemento como Personal" en la barra de información.
- Para Confidencial, el destinatario verá "Trate este elemento como Confidencial" en la barra de información.

Nota: *Cada uno de estos valores de confidencialidad es sólo una advertencia. Los destinatarios pueden realizar cualquier acción que deseen en el mensaje, como reenviar un mensaje confidencial a otra persona. Si desea evitar que los destinatarios realicen cualquier acción en un mensaje, debe utilizar el servicio Information Rights Management (IRM) si está disponible en su organización.*

Realizar seguimiento mediante avisos

Si desea realizar un seguimiento de un mensaje que va a enviar, o desea recordar que debe buscar las respuestas a ese mensaje, establezca un aviso antes de enviarlo.

1. En el mensaje nuevo, en la ficha Mensaje, en el grupo Etiquetas, haga clic en Seguimiento y, a continuación, seleccione Agregar aviso.
2. Elija el tipo de aviso que desea utilizar seleccionando uno de la lista Marca.
3. Seleccione la fecha y la hora de las listas junto a la casilla de verificación Aviso. Después de seleccionar la fecha y la hora, el aviso también aparecerá en la barra de información.

Nota: *Si responde a un mensaje al que agregó un aviso para usted mismo, ese aviso también se enviará a los destinatarios. Si no desea que los destinatarios reciban el aviso, debe quitarlo del mensaje antes de enviarlo.*

Crear y agregar una firma de mensajes

Puede crear firmas personalizadas para los mensajes de correo electrónico que contengan texto, imágenes, una tarjeta de presentación, un logotipo o incluso una imagen de su firma manuscrita.

Su firma puede agregarse automáticamente a los mensajes salientes o solamente a los mensajes que elija.

Para crear una firma:

1. Abra un nuevo mensaje. En el grupo Incluir de la ficha Mensaje, haga clic en Firma y, en Firmas.

2. En la ficha Firma de correo electrónico, haga clic sobre el botón **Nueva**.
3. Escriba un nombre para la firma y haga clic después sobre el botón **Aceptar**.
4. En el cuadro Editar Firma, escriba el texto que desea incluir en la firma.
5. Para dar formato y estilo al texto, selecciónelo y, a continuación, utilice las opciones que desee.
6. Para agregar otros elementos adicionales, haga clic donde desee que aparezca y realice uno de los siguientes procedimientos:
   - Para agregar una tarjeta de presentación electrónica haga clic en Tarjeta de presentación y elija un contacto en la lista Archivado como. Después haga clic en **Aceptar**.
   - Para agregar un hipervínculo haga clic en Insertar hipervínculo, escriba la información o busque un hipervínculo, haga clic para seleccionarlo y, a continuación, haga clic en **Aceptar**.
   - Para agregar una imagen haga clic en Imagen, busque una imagen, haga clic para seleccionarla y, a continuación, haga clic en **Aceptar**.
7. Para terminar de crear la firma, haga clic en **Aceptar** (véase la figura 6.11).

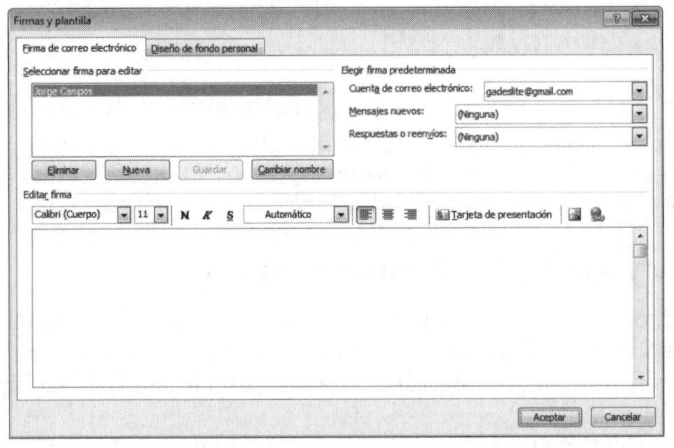

Figura 6.11. Cuadro Firmas y Plantillas.

Tiene la posibilidad de añadir una firma manualmente, para ello, haga clic en Firma, en el grupo Incluir de la ficha Mensaje y, a continuación, haga clic en la firma que desee agregar.

> **Nota:** *Si desea quitar una firma de un mensaje abierto, seleccione la firma en el cuerpo del mensaje y presione* **Supr**.

Insertar una imagen en un mensaje

En los mensajes de correo electrónico se pueden insertar o copiar imágenes, tanto imágenes que estén guardadas en su equipo, como imágenes prediseñadas procedentes de diferentes orígenes, como por ejemplo, de una página Web.

También puede cambiar la ubicación de las imágenes respecto al texto de un mensaje de correo electrónico.

Para insertar una imagen prediseñada:

1. En un mensaje abierto, en la ficha Insertar, en el grupo Ilustraciones, haga clic en Imágenes prediseñadas.
2. En el panel de tareas Imágenes prediseñadas, en el cuadro de texto Buscar, escriba una palabra o frase que describa la imagen que desea, o bien, escriba todo el nombre del archivo de la imagen o parte de él.
3. Haga clic en **Ir**.
4. En la lista de resultados, haga clic en la imagen prediseñada para insertarla.

> **Nota:** *En el panel de tareas* Imágenes prediseñadas, *también puede buscar fotografías, películas y sonidos. Si desea incluir cualquiera de esos tipos de medios, active las casillas de verificación correspondientes.*

Insertar una imagen desde una página Web:

- Arrastre la imagen que desea de la página Web a un mensaje abierto. Si arrastra una imagen vinculada a otra página, se insertará el mensaje como vínculo en lugar de como imagen.

Insertar una imagen vinculada desde una página Web:

1. Abra el mensaje.
2. En la página Web, haga clic con el botón derecho del ratón en la imagen que desee y después haga clic en Copiar.
3. En el mensaje, haga clic con el botón derecho del ratón en el lugar donde desee insertar la imagen y, a continuación, haga clic en Pegar.

Insertar una imagen desde un archivo:

1. En un mensaje abierto, en la ficha Insertar, en el grupo Ilustraciones, haga clic en Imagen.
2. Busque la imagen que desee insertar.

3. Haga clic en la imagen y, a continuación, haga clic en **Insertar**.

> **Nota:** *De forma predeterminada, Microsoft Outlook inserta las imágenes en un mensaje. Para reducir el tamaño de un archivo, puede vincular una imagen. En el cuadro de diálogo* Insertar imagen, *haga clic en la flecha situada junto a* Insertar *y, a continuación, haga clic en* Vincular a archivo.

6.5.4. Libreta de direcciones

Puede usar la Libreta de direcciones de Microsoft Outlook 2010 para buscar y seleccionar nombres, direcciones de correo electrónico y listas de distribución al dirigir mensajes de correo electrónico.

La Libreta de direcciones es una lista de direcciones creadas desde las carpetas de contactos. Si usa Outlook con una cuenta de Microsoft Exchange Server, su libreta de direcciones incluirá la Lista global de direcciones. Esta lista global contiene nombres y direcciones de correo electrónico de todas las personas que tienen una cuenta con Exchange Server, y es configurada automáticamente por éste.

Para ver otras libretas de direcciones que no sean las predeterminadas, en la ficha Inicio, en el grupo Buscar, haga clic en Libreta de direcciones. A continuación, en el cuadro Libreta de direcciones, haga clic en la lista de direcciones que desea ver.

Si desea agregar una libreta de direcciones, siga los siguientes pasos:

1. Haga clic en la ficha Archivo y, a continuación, sobre la opción Información.
2. Haga clic en Configuración de la cuenta y, a continuación, haga clic en Configuración de la cuenta.
3. En la ficha Libretas de direcciones, haga clic en **Nueva**.
4. Se le pedirá que seleccione uno o dos tipos de libreta de direcciones:
   - Agregar una libreta de direcciones usando servicio de directorio de Internet (LDAP).
     1. Haga clic en Servicio de directorio de Internet (LDAP) y, a continuación, en **Siguiente**.
     2. En el cuadro Nombre del servidor, escriba el nombre de servidor proporcionado por el proveedor de acceso a Internet o el administrador del sistema.

3. Si el servidor que ha especificado está protegido con contraseña, active la casilla El servidor necesita que inicie sesión y, a continuación, escriba su nombre de usuario y su contraseña.
4. Haga clic en Más configuraciones.
5. En Nombre para mostrar, escriba el nombre de la libreta de direcciones LDAP que desea mostrar en la lista Libreta de direcciones, en el cuadro de diálogo Libreta de direcciones.
6. En Detalles de conexión, escriba el número de puerto proporcionado por el proveedor de acceso a Internet o el administrador del sistema.
7. Haga clic en la ficha Buscar y cambie la configuración del servidor según sea necesario.
8. En Opciones de búsqueda, si el cuadro Base de búsqueda está vacío, escriba los nombres distintivos proporcionados por el administrador.
9. Haga clic en **Aceptar**, en **Siguiente** y, a continuación, en **Finalizar**.

- Agregar una libreta de direcciones adicional.
  1. Haga clic en Libretas de direcciones adicionales y después en **Siguiente**.
  2. Haga clic en la libreta de direcciones que desee agregar y, a continuación, en **Siguiente**.

Nota: *Para poder utilizar las libretas de direcciones que ha agregado, debe salir de Outlook y reiniciar la aplicación.*

Para eliminar una libreta de direcciones:

1. Haga clic en la ficha Archivo y, a continuación, sobre la opción Información.
2. Haga clic en Configuración de la cuenta y, a continuación, haga clic en Configuración de la cuenta.
3. En la ficha Libretas de direcciones, seleccione la libreta de direcciones que desea eliminar y haga clic en **Quitar**.

6.5.5. Mensajería instantánea

Microsoft Outlook 2010 se puede utilizar con varios servicios de mensajería instantánea. Puede saber si sus contactos están disponibles para charlar en tiempo real, para una conferencia de audio y vídeo, o bien para compartir archivos.

> ***Nota:*** *El estado de conexión estará disponible para aquellas personas cuyas direcciones de correo electrónico haya agregado a su lista de contactos de mensajería instantánea. Además, se muestra el estado de conexión de las personas que utilizan Microsoft Office Communicator, independientemente de si están o no en su lista de contactos de mensajería instantánea.*

Cómo saber el estado de sus contactos

Una representación visual de la disponibilidad de sus contactos, conocida como presencia o estado en línea, indica si una persona está disponible para mantener una conversación a tiempo real.

Estos indicadores aparecen para todas las personas en su lista de contactos de Microsoft Outlook que cuenten con una dirección de mensajería instantánea en el cuadro de texto.

- Aparecerá ( ) si el contacto está disponible.
- Aparecerá ( ) si el contacto está ocupado.
- Aparecerá ( ) si el contacto está ausente.

Cuando se abre un mensaje en Outlook, o bien, un mensaje aparece en el Panel de lectura, el estado de conexión de un contacto se muestra:

- Junto al nombre del remitente.
- Junto a cada uno de los nombres correspondiente en las líneas Para y CC.
- En los Contactos rápidos.

> ***Nota:*** *El estado de las personas que usan Office Communicator aparece independientemente de si éstas están o no en su lista de contactos.*

Enviar un mensaje instantáneo

Puede enviar un mensaje instantáneo a cualquier persona cuyo estado de conexión no sea Desconectado. Para ello:

1. Haga clic en el indicador de estado de conexión que se encuentra junto al nombre de la persona.
2. En la tarjeta de contacto, haga clic en el icono **Mensaje instantáneo**, representado por un globo de diálogo.
3. Escriba su mensaje en la sección inferior de la ventana y, a continuación, presione **Intro** para enviarlo.

> *Truco: Si tiene un mensaje de correo electrónico abierto, puede responder con un mensaje instantáneo al remitente, o bien al remitente y a todos los destinatarios del mensaje. En la ficha* Mensaje, *en el grupo* Acciones, *haga clic en* Más acciones, *haga clic en* Responder con mensaje instantáneo *o en* Responder a todos con mensaje instantáneo.

Activar y desactivar el estado de conexión en Microsoft Outlook

Puede controlar cómo se muestra su estado de conexión a las otras personas. Por ejemplo, si no se encuentra durante un periodo de tiempo delante de su ordenador, puede cambiar su estado de conexión a Ausente.

1. En la ficha Archivo, haga clic en Opciones.
2. Seleccione Contactos y en Estado de conexión y fotografías, active o desactive la casilla de verificación Mostrar estado de conexión junto al nombre.
3. Haga clic en **Aceptar**.

Además, Microsoft Office Communicator puede conectarse al sistema telefónico de una organización, permitiéndole recibir alertas en pantalla de las llamadas entrantes y desviar llamadas a otro teléfono. Cuando está hablando por teléfono, su estado de conexión puede cambiar automáticamente para advertir a los demás de que no se encuentra disponible.

> *Nota: Las opciones de los estados de conexión disponibles varían en cada servicio.*

Servicios de mensajería instantánea compatibles con Microsoft Outlook

Outlook se puede utilizar con varios servicios de mensajería instantánea, incluidos Microsoft Windows Live Messenger y Microsoft Office Communicator. Con estos servicios, puede comunicarse en tiempo real con sus contactos, como lo haría en una conversación en persona. También se incluyen características de colaboración adicionales.

- **Windows Live Messenger:** Charle en línea vía texto, voz o vídeo en tiempo real con sus amigos, familia o compañeros. La asistencia remota le permite conectarse con un amigo o con un profesional de soporte técnico para que puedan ver el escritorio de su equipo a través de Internet y mostrarle cómo resolver su problema.

- **Microsoft Office Communicator:** Es un cliente de comunicaciones integrado que permite a los profesionales de la información comunicarse en tiempo real. Como cliente recomendado para Microsoft Office Communications Server 2007, Communicator se integra con las aplicaciones de Microsoft Office 2010 y con la estructura telefónica de la compañía. Puede comunicarse también con personas que usen otros servicios de mensajería instantánea, como por ejemplo Yahoo.

6.5.6. Categorías de color

Esta nueva versión de Outlook proporciona colores que se pueden asociar con una palabra clave o una frase, para ayudar a ordenar, agrupar o realizar el seguimiento de elementos como mensajes, tareas, contactos o citas. Esto recibe el nombre de categoría de color. De manera predeterminada, las categorías tienen nombres genéricos como Categoría roja o Categoría azul, pero puede personalizar las categorías de colores mediante nombres que sean significativos. La primera vez que asigna una categoría de color a un elemento, se le solicita que cambie el nombre de dicha categoría.

1. En la ficha Inicio, en el grupo Etiquetas, haga clic en Categorizar y, a continuación, haga clic en Todas las categorías.
2. En la lista Nombre, haga clic en el nombre de una categoría de color y luego haga clic en **Cambiar nombre**.
3. Escriba un nuevo nombre para la categoría de color.

> **Nota:** *Para asignar automáticamente la categoría de color a la cual le está cambiando el nombre a los elementos que están seleccionados en la ventana activa de Outlook, active la casilla junto a la categoría de color y haga clic en* **Aceptar**.

6.6. Calendario

El Calendario es el componente de programación y planificación de agenda de Outlook, y está totalmente integrado con las funciones de correo electrónico, contactos, etc. Permite consultar a la vez un día, una semana o un mes. Con el Calendario, puede crear citas y eventos, organizar reuniones, consultar calendarios de grupo, ver calendarios unos al lado de otros, entre otras funciones.

Del mismo modo que escribe en una agenda en papel, puede hacer clic en una sección del Calendario de Outlook, véase la figura 6.12, y empezar a escribir. Los nuevos colores de degradado permiten ver fácilmente la fecha y la hora actual. La hora actual sólo aparece coloreada en las vistas **Día** y **Semana laboral**.

Puede seleccionar un sonido o un mensaje que le recuerde sus citas, reuniones o eventos y colorear los elementos para identificarlos rápidamente.

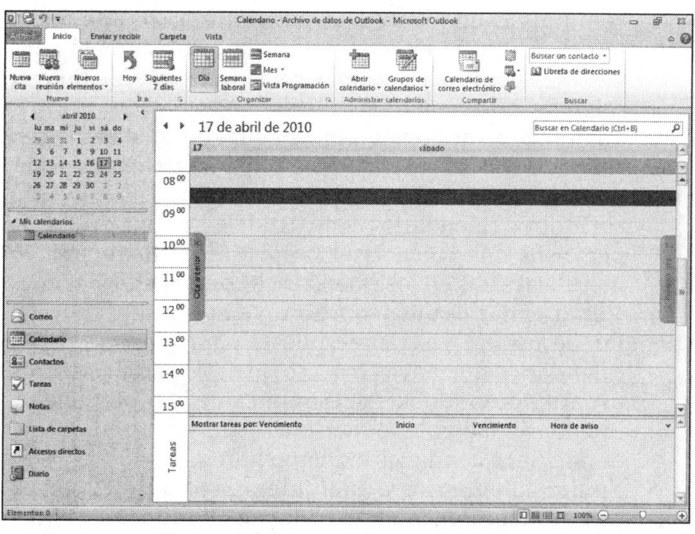

Figura 6.12. Ventana del Calendario.

Seleccione una hora en el Calendario, cree una convocatoria de reunión y seleccione las personas que va a invitar. Outlook le ayudará a encontrar la primera hora en la que todos estén libres. Cuando envíe la convocatoria de reunión por correo electrónico, los invitados la recibirán en la carpeta `Bandeja de entrada`. Cuando abran la convocatoria, pueden aceptarla, aceptarla provisionalmente o rechazarla haciendo clic en un único botón. Si la convocatoria entra en conflicto con algún elemento del calendario de los invitados, Outlook mostrará una notificación. Si usted, como persona que organiza la reunión, lo permite, los invitados pueden proponer una hora de reunión alternativa. Como organizador, puede hacer un seguimiento de quién acepta o rechaza la convocatoria, o quién propone otra hora para la reunión, al abrir la convocatoria.

- **Consultar los calendarios de grupo:** Puede crear calendarios que incluyan las programaciones de un grupo de personas o recursos a la vez. Puede, por ejemplo, consultar las programaciones de todas las personas de un departamento o todos los recursos, como las salas de reuniones de su edificio. Esto ayuda a programar las reuniones con mayor rapidez.
- **Ver calendarios unos al lado de otros:** Puede mostrar varios calendarios que haya creado o que comparta con otros usuarios de Outlook, unos al lado de otros. Por ejemplo, puede crear un calendario diferente para sus citas personales, y ver el calendario laboral junto al calendario personal.
  También puede copiar o mover citas entre los calendarios que se muestran. Utilice el panel de exploración para compartir rápidamente su propio calendario y abrir otros calendarios compartidos. En función de los permisos que conceda el propietario, puede crear o modificar citas en los calendarios compartidos.
- **Ver calendarios unos sobre otros en vista superpuesta:** Puede usar la vista superpuesta para mostrar varios calendarios que haya creado o que comparta con otros usuarios de Outlook. Por ejemplo, puede superponer el calendario laboral y el personal para ver rápidamente dónde tiene conflictos o tiempo libre.
- **Enviar calendarios a cualquiera mediante el correo electrónico:** Puede enviar un calendario a través del correo electrónico, manteniendo el control sobre la cantidad de información que se comparte. La información del calendario aparece en el cuerpo del mensaje en forma de datos adjuntos, pudiendo el destinatario abrirlo en Outlook.
- **Publicar calendarios en Microsoft Office Online:** Puede publicar calendarios en el sitio Web Office Online y controlar quién puede verlos.
- **Suscribirse a Calendarios de Internet:** Las suscripciones a Calendarios de Internet son similares a los Calendarios de Internet, excepto que el calendario descargado, se sincroniza periódicamente con éste y se actualiza.

- **Administrar el calendario de otro usuario:** Con la función de Acceso delegado, una persona puede utilizar su copia de Outlook para administrar fácilmente el calendario de otra persona. Por ejemplo, un auxiliar administrativo puede administrar el calendario de un director. Cuando el director designa al auxiliar administrativo como delegado, este último puede crear, mover o eliminar citas y organizar reuniones en nombre del director.

6.6.1. Citas

Las citas son actividades programadas en el Calendario que no implican invitar a otras personas. Es posible programar citas periódicas, y verlas por día, semana o mes.

Puede programar una cita en su propio calendario y otros usuarios pueden concederle permiso para programar o realizar cambios en sus calendarios. Las citas también pueden establecerse como privadas.

Para crear una cita:

1. En Calendario, en el grupo Nuevo de la ficha Inicio, haga clic en Nueva cita. También puede hacer clic en el botón derecho del ratón en un bloque de tiempo del calendario y hacer clic en Nueva cita, o hacer doble clic en cualquier área en blanco en la cuadrícula del calendario.
2. En el cuadro Asunto, escriba una descripción.
3. En el cuadro Ubicación, escriba una ubicación.
4. Escriba las horas de inicio a fin.
5. Para mostrar a los demás la disponibilidad que tiene durante este tiempo, en la ficha Cita, en el grupo Opciones, haga clic en Mostrar como y, a continuación, haga clic en Libre, Provisional, Ocupado, o Fuera de la oficina.
6. Para hacer que la cita sea periódica, en la ficha Cita, en el grupo Opciones, haga clic en Periodicidad. Haga clic en la frecuencia con la que debe repetirse la cita y, seguidamente, seleccione las opciones que desee para la frecuencia. Haga clic en **Aceptar**.
7. De forma predeterminada, un aviso aparece 15 minutos antes del comienzo de la cita. Para cambiar el tiempo de aviso, en la ficha Cita, en el grupo Opciones, haga clic en la flecha del cuadro Aviso y seleccione la nueva hora. Para desactivar el aviso, haga clic en Ninguno.
8. En la ficha Cita, en el grupo Acciones, haga clic en Guardar y cerrar (véase la figura 6.13).

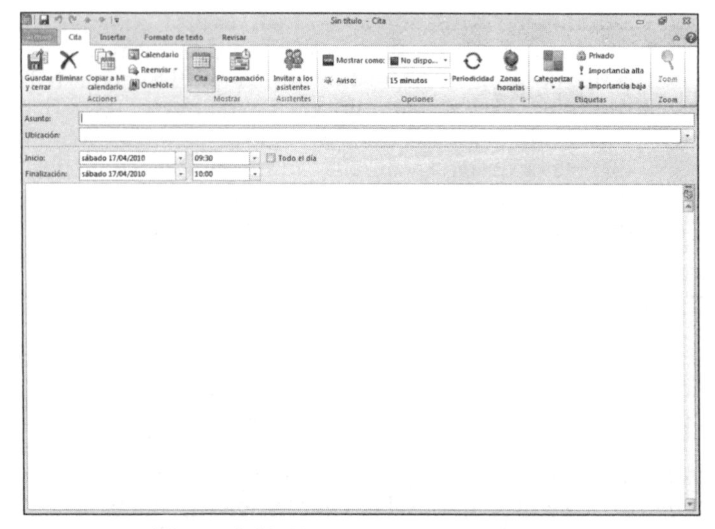

Figura 6.13. Ventana de una nueva cita.

Truco: *Puede escribir palabras y frases específicas en los cuadros* Comienzo *y* Finalización, *en lugar de fechas. Por ejemplo, puede escribir* **Hoy**, **Mañana**, **Año Nuevo**, **Dentro de dos semanas**, **Tres días antes de Año Nuevo**, *etc.*

Nota: *Agregar una periodicidad a una cita cambia el texto de la ficha* Cita *a* Cita periódica.

Para cambiar una cita deberá hacer lo siguiente:

1. Abra la cita que desea cambiar.
2. Siga uno de estos procedimientos:
   - Cambiar las opciones para una cita que no forme parte de una serie:
     1. Cambie las opciones que desee, como el asunto, la ubicación o la hora.
   - Cambiar las opciones para todas las citas de una misma serie:
     1. Haga clic en Abrir la serie y cambie cualquier opción que desee cambiar.
     2. Para cambiar las opciones de periodicidad, en la ficha Cita periódica, en el grupo Opciones, haga clic en Periodicidad, cambie las opciones y luego haga clic en **Aceptar**.

ya existente en el programa en una

cidad desea establecer.
grupo Opciones, haga clic en

cuencia que desee y, a continuación,
pciones de frecuencia.
Cita Periódica en el grupo Acciones, haga
uardar y cerrar.

Reuniones

Una reunión es una cita a la que se invita a otras personas o para la cual se reservan recursos. Puede crear y enviar convocatorias de reunión y reservar recursos para reuniones frente a frente o en línea. Cuando se crea una reunión, se identifica a las personas a las que se va a invitar y los recursos que se van a reservar y se elige una hora de reunión. Las respuestas de la convocatoria de reunión aparecen en la carpeta `Bandeja de entrada`. Además, es posible agregar usuarios a una reunión existente o volver a programar una reunión.

Puede programar una reunión que incluya a otras personas y puede incluir recursos como salas de conferencia. Las respuestas a las convocatorias de reunión aparecen en `Bandeja de entrada`.

1. En Calendario, en la ficha Inicio, en el grupo Nuevo, haga clic en Nueva reunión.
2. En el cuadro Asunto, escriba una descripción.
3. En el cuadro de texto Ubicación, escriba una descripción para la reunión o ubicación. Si usa una cuenta de Microsoft Exchange, haga clic en Salas para elegir entre las salas disponibles.
4. En las listas Hora de inicio y Hora de finalización, haga clic en las horas de inicio y finalización de la reunión. Si activa la casilla Todo el día, el evento se muestra como un evento de 24 horas, que dura desde la medianoche de un día hasta la medianoche del siguiente día.

> ***Nota:** Si desea programar reuniones basándose en una zona horaria diferente, en la ficha* Reunión, *en el grupo* Opciones, *haga clic en* Zonas horarias.

5. En el cuerpo de la convocatoria de re[illegible] cualquier información que desee comp[illegible] destinatarios del mensaje. También pue[illegible] archivos.
6. En la ficha Reunión, en el grupo Mostrar, [illegible] en Asistente para programación, el cual le a[illegible] encontrar la mejor hora para la reunión.
7. Haga clic en Agregar otros y, a continuación, ha[illegible] en De la libreta de direcciones.
8. En el cuadro de diálogo Seleccionar los asisten[illegible] los recursos, en el cuadro Buscar, escriba el nom[illegible] de la persona o el recurso que desea invitar o usar [illegible] la reunión. Si busca con la opción Más columnas, hag[illegible] clic en **Ir**.
9. Haga clic en el nombre de la lista de resultados y luego en Necesario, Opcional o Recursos, y a continuación, haga clic en **Aceptar**.
   Los asistentes con los valores Necesario y Opcional aparecen en el cuadro Para de la ficha Reunión, mientras que Recursos aparecen en el cuadro Ubicación.
   La cuadrícula de disponibilidad muestra la disponibilidad de los asistentes. Una línea vertical verde representa el inicio de la reunión. Una línea vertical roja representa el final de la reunión.
10. Para poder establecer una reunión periódica, en la ficha Reunión, en el grupo Opciones, haga clic en Periodicidad. Seleccione las opciones para la frecuencia que desee y, a continuación, haga clic en **Aceptar** (véase la figura 6.14).

6.6.3. Eventos

Un evento es una actividad que dura 24 horas o más. Puede ser, por ejemplo, una feria comercial, las olimpiadas, un día no laborable o un seminario. Generalmente, un evento se produce una sola vez y dura uno o varios días, pero un evento anual, como un cumpleaños o un aniversario, tiene lugar todos los años en una fecha específica. Los eventos y los eventos anuales no ocupan bloques de tiempo en el Calendario, sino que aparecen en títulos. Una cita de todo el día muestra la hora como ocupada cuando la ven otros usuarios, mientras que un evento o un evento anual muestra la hora como disponible.

La forma más rápida para crear un evento es haciendo clic con el botón derecho del ratón en cualquier franja horaria del calendario y pulsando sobre Nuevo evento todo el día. Le aparecerá una ventana en la que especificar el motivo y ubicación del evento, véase la figura 6.15.

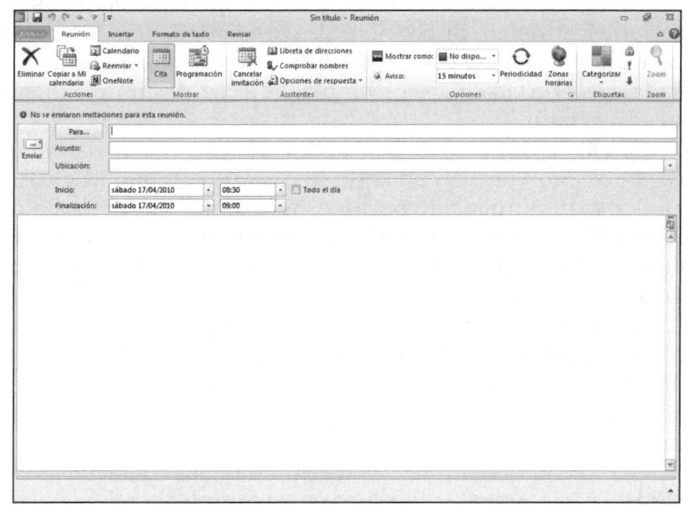

Figura 6.14. Ventana de nueva reunión.

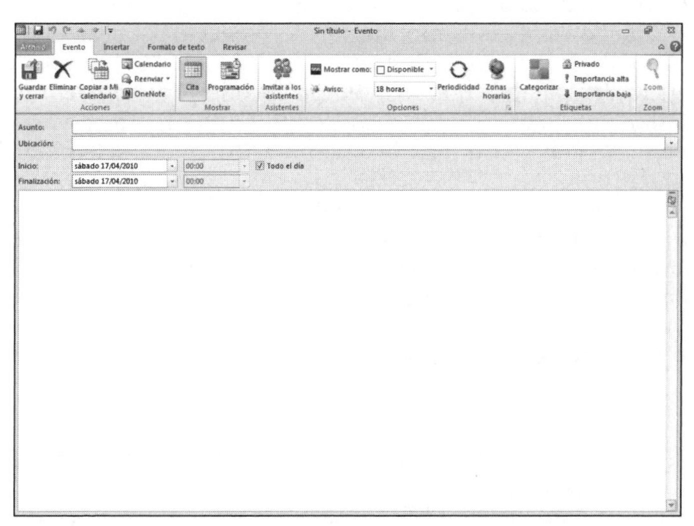

Figura 6.15. Ventana nuevo evento.

6.7. Contactos

La carpeta Contactos es la libreta de direcciones de correo electrónico y el lugar donde se archiva la información de las personas y organizaciones con las que desea comunicarse. Utilice la carpeta Contactos para guardar las direcciones de correo electrónico, direcciones de correspondencia, números de teléfono, imágenes y cualquier otra información relacionada con el contacto, por ejemplo, la fecha de cumpleaños o su aniversario.

Desde un contacto de la lista de contactos puede hacer clic en un botón o en un comando de menú para que Microsoft Outlook dirija una convocatoria de reunión, un mensaje de correo electrónico o una solicitud de tarea a dicho contacto. Si tiene un módem, Outlook también puede marcar el número de teléfono del contacto. Outlook puede medir el tiempo de la llamada y mantener un registro en la carpeta Diario, junto con las notas que tome durante la conversación. Puede vincular un elemento de Outlook o un documento de Microsoft Office a un contacto para realizar un seguimiento de las actividades relacionadas con él.

Al escribir el nombre o la dirección de un contacto, se separa en partes y coloca cada una en un campo diferente. Puede ordenar, agrupar o filtrar los contactos por cualquier parte del nombre o de la dirección que desee.

Puede archivar la información del contacto por el apellido, el nombre, el nombre de la organización, el sobrenombre o cualquier palabra que le ayude a encontrar el contacto rápidamente, por ejemplo, Proveedor. Outlook ofrece varios nombres con los que archivar el contacto o puede seleccionar uno propio.

Puede escribir tres direcciones por contacto. Indique una dirección como dirección de correspondencia y utilícela para etiquetas de correo y sobres, o para crear cartas para combinación de correspondencia.

6.7.1. Crear un contacto

Para crear un nuevo contacto haga lo siguiente:

1. En Contactos, en Inicio, en el grupo Nuevo, haga clic en Nuevo contacto.
2. Escriba un nombre y cualquier otra información que desee incluir para el contacto.

3. Siga uno de estos pasos:
   - Para terminar de especificar los contactos en la ficha Contacto, en el grupo Acciones, haga clic en Guardar y cerrar.
   - Para guardar este contacto e iniciar otro haga clic en Guardar y nuevo.
   - Para guardar y especificar otro contacto de la misma compañía o dirección haga clic en la flecha abajo situada junto a Guardar y nuevo y, a continuación, haga clic en Contacto de la misma compañía (véase la figura 6.16).

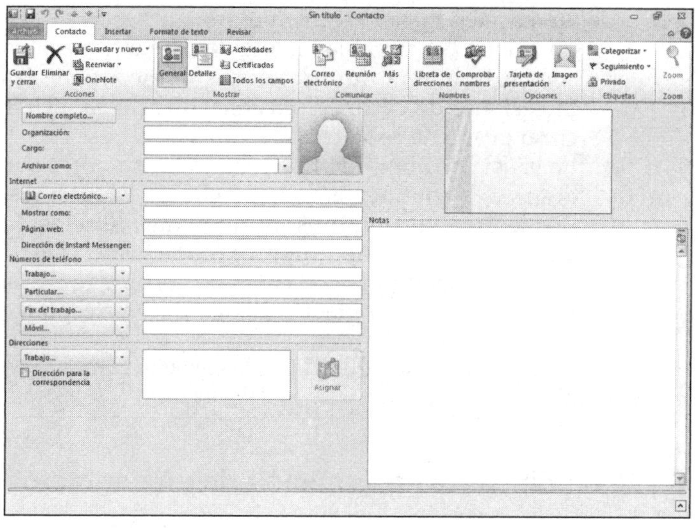

Figura 6.16. Cuadro de creación de contactos.

6.7.2. Crear un grupo de contactos

Un grupo de contactos, conocido como una lista de distribución en versiones anteriores de Outlook, es una agrupación de direcciones de correo electrónico recopiladas bajo un nombre. Un mensaje enviado a un grupo de contactos se dirige a todos los destinatarios que aparecen en el grupo. Puede incluir grupos de contactos en todos los mensajes, solicitudes de tarea, convocatorias de reunión e incluso en otros grupos de contactos. Puede crear un grupo de contactos con nuevos nombres o con nombres de la libreta de direcciones. Para ello:

1. En Contactos, en el grupo Nuevo de la ficha Inicio, haga clic en Nuevo grupo de contactos.
2. En el cuadro Nombre, escriba un nombre para el grupo de contactos.
3. En la ficha Grupo de contactos, en el grupo Integrantes, haga clic en Agregar integrantes y, a continuación, haga clic en De los contactos de Outlook, De la libreta de direcciones o Nuevo contacto de correo electrónico.
4. Si va a agregar un nuevo contacto de correo electrónico, escriba la información de la persona en el cuadro de diálogo Agregar nuevo integrante. Si la va a agregar a un integrante de contactos de Outlook o de una libreta de direcciones, haga lo siguiente:
   - En la lista desplegable Libreta de direcciones, haga clic en la libreta de direcciones que contiene las direcciones de correo electrónico que desea incluir en su grupo de contactos.
   - En la lista de nombres, haga clic en los nombres que desee y, a continuación, haga clic en Integrantes. Puede agregar nombres de diferentes libretas de direcciones al mismo grupo de contactos.
5. Repita esta acción para todas las personas que desee agregar al grupo de contactos y haga clic en **Aceptar**.

El grupo de contactos se guarda en la carpeta Contactos con el nombre especificado.

6.7.3. Modificar la información de un contacto

Puede modificar la información de un contacto directamente en la ventana de Outlook con la carpeta Contactos activa, haciendo clic en el campo del contacto que desea corregir y, luego, escribiendo los datos nuevos. Haga un clic, para desactivar el campo que ha seleccionado.

También puede hacer doble clic en el nombre del contacto y le aparecerá el cuadro Contacto donde podrá rectificar el contenido. Haga clic en **Guardar y cerrar**.

6.7.4. Establecer un aviso a un contacto

1. Para agregar un aviso en un contacto, realice una de las siguientes acciones:

- En un contacto abierto, en la ficha Contactos, en el grupo Etiquetas, haga clic en Seguimiento y, a continuación, haga clic en el tipo de aviso que desee.
- En la lista de contactos, haga clic en el contacto y, a continuación, en la ficha Inicio, en el grupo Etiquetas, haga clic en Seguimiento y, a continuación, haga clic en el aviso que desee.

2. Para establecer una hora y una fecha específicas para un aviso, haga clic en Fecha personalizada.
3. Active la casilla Aviso y, a continuación, elija la fecha y la hora en que desea que se le envíe el aviso.

> ***Nota:*** *También puede hacer clic con el botón derecho del ratón en un mensaje o un contacto en cualquier vista para ver el menú y las opciones de seguimiento.*

6.7.5. Crear una reunión a partir de un contacto

1. En la carpeta `Contactos`, haga clic en el contacto y, a continuación, en el grupo Comunicar, haga clic en Reunión.
2. En el cuadro Asunto, escriba una descripción.
3. En el cuadro Ubicación, escriba la ubicación.
4. Escriba las horas de comienzo y finalización.
5. Seleccione las opciones que desee.
6. Haga clic en **Enviar**.

6.7.6. Vistas de contactos

La última ficha de la cinta de opciones de Microsoft Outlook es la ficha Vista, donde puede configurar la manera en que se muestran los contactos. Cada una de las vistas disponibles son configurables y, también, puede crear una personalizada. Los tipos de vista que hay disponibles son:

1. Tarjeta de presentación.
2. Tarjeta.
3. Teléfono.
4. Lista.

Cada una de ellas muestra los contactos de manera más o menos detallada, en alguna verá el contacto más detallado, pero renunciando a ver una gran cantidad de contactos como por ejemplo le ofrece la vista Lista.

6.8. Tareas

Una tarea es un recado personal o relacionado con el trabajo, al cual desea realizar un seguimiento hasta que se ejecuta. Una tarea puede tener lugar una sola vez o varias (tarea periódica). Una tarea periódica puede repetirse a intervalos regulares o bien puede repetirse según la fecha en la que se marque la tarea como completada. Por ejemplo, es posible que desee enviar un informe de estado a su jefe el último viernes de cada mes o cortarse el pelo transcurrido un mes desde su último corte.

Muchas personas usan una lista de tareas pendientes, ya sea en papel, en una hoja de cálculo o en una combinación de papel y medios electrónicos. En Outlook puede combinar diversas listas en una, obtener avisos y realizar un seguimiento del progreso de las tareas.

6.8.1. Crear una tarea

Puede crear una tarea siguiendo los siguientes pasos:

1. En el grupo Nuevo de la ficha Inicio, haga clic en Nuevos elementos y en Tarea.
2. En el cuadro Asunto, escriba un nombre para la tarea. Puede agregar más detalles en el cuerpo de la tarea.
3. En la ficha Tarea, en el grupo Acciones, haga clic en Guardar y cerrar (véase la figura 6.17).

También puede crear una tarea a partir de cualquier elemento de Outlook, como un mensaje de correo electrónico, un contacto, un elemento de calendario o una nota. Para ello siga uno de estos procedimientos:

- Arrastrar un mensaje de correo electrónico a la barra Tareas pendientes.
    1. Arrastre el elemento a la sección de lista de tareas de la barra Tarea pendientes.
    2. Cuando vea una línea roja con flechas a cada extremo ubicada en la posición en la que desea colocar la tarea, suelte el botón del ratón.
- Arrastrar un elemento a **Tareas**.

  Cuando se arrastra un elemento a **Tareas** en el panel de navegación, se pueden usar todas las características de un elemento de tarea, y el contenido del mensaje, excepto los datos adjuntos, se copia en el cuerpo de la tarea.

Incluso aunque se borre posteriormente el elemento original, la tarea correspondiente, incluido el contenido copiado del elemento, sigue estando disponible.

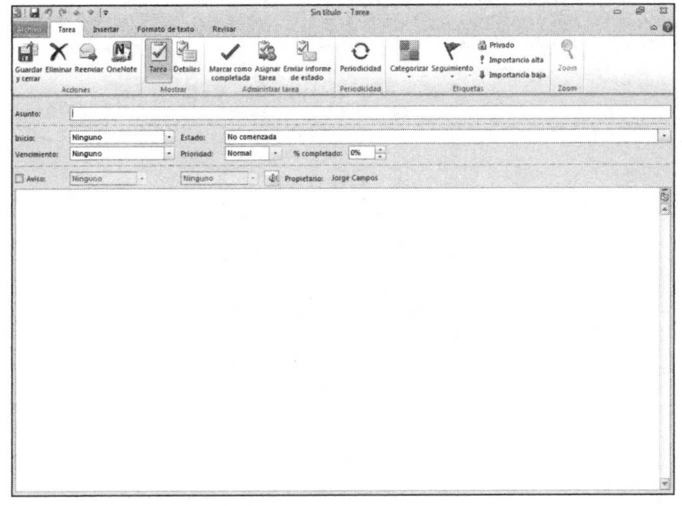

Figura 6.17. Ventana Nueva tarea.

- Arrastre el elemento a la ficha **Tareas** del panel de navegación.

> ***Truco:*** *Para agregar el elemento como datos adjuntos a la tarea en lugar de pegar el texto en el cuerpo de la tarea, haga clic con el botón derecho del ratón en el elemento y arrástrelo hasta la lista de tareas y, a continuación, haga clic en* Copiar aquí como tarea con datos adjuntos.

Puede crear una tarea en la barra de Tareas pendientes. La barra de Tareas pendientes aparece de forma predeterminada en todas las vistas de Outlook. Para crear una tarea, siga uno de los siguientes procedimientos:

- En la barra Tareas pendientes, haga clic en el cuadro Escriba una nueva tarea y escriba la descripción de la tarea. Presione **Intro** para finalizar. La tarea aparece en la lista de tareas pendientes con la fecha de hoy.
- En la barra Tareas pendientes, haga doble clic en el cuadro Escriba una nueva tarea para abrir una tarea en una nueva ventana. Esto le permite agregar más detalles (véase la figura 6.18).

Truco: *Para activar o desactivar la barra* Tareas pendientes, *en el grupo* Diseño *de la ficha* Ver, *haga clic en la barra* Tareas pendientes *y luego, haga clic en* Normal, Minimizado *o* Desactivado. *Esto cambia la barra* Tareas pendientes *en la vista actual, pero no en todas las vistas.*

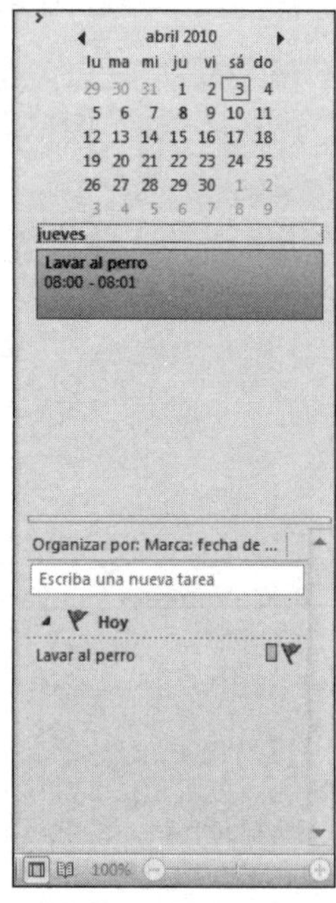

Figura 6.18. Barra Tareas pendientes.

6.8.2. Cambiar una tarea

Para realizar cambios en una tarea:

1. En la lista de tareas, haga clic en el nombre de la tarea que desea cambiar.
2. Escriba un nuevo nombre o lo que desee cambiar y, a continuación, pulse la tecla **Intro**.

Advertencia: *Si se trata de una tarea periódica, las repeticiones ya completadas conservarán el nombre antiguo.*

6.8.3. Agregar o quitar avisos para una tarea

Para agregar un aviso a una tarea:

1. Abra la tarea a la que desea agregarle un aviso.
2. En el grupo Etiquetas, haga clic en Seguimiento y, a continuación, en Agregar aviso.
3. Establezca el día y la hora a la que desea que se produzca el aviso.
4. Puede elegir un sonido para que sea reproducido a la hora del aviso.
5. Haga clic en **Aceptar**.
6. Para guardar los cambios haga clic en el grupo Acciones en Guardar y Cerrar.

> **Nota:** *Si establece un aviso pero no indica la hora de aviso, se utilizará la hora de aviso predeterminada.*

6.8.4. Ordenación de tareas

En Microsoft Outlook 2010, puede especificar cómo se ordenan las tareas, si aparecen las tareas completadas o elegir colores para representar tareas completadas o vencidas.

Para ordenar todas las tareas de la lista de tareas:

1. En Tareas, en la ficha Ver del grupo Vista actual, haga clic en Configuración de la vista y, a continuación, haga clic en Ordenar.
2. En la lista Ordenar elementos por, haga clic en el nombre del campo.

> **Nota:** *Si el campo que desea seleccionar no se encuentra en la lista* Ordenar elementos por, *haga clic en un conjunto de campos diferente en la lista* Seleccionar campos disponibles en.

3. Para especificar el orden, haga clic en Ascendente o en Descendente.
4. Para ordenar por un campo adicional, haga clic en un nombre de campo de la lista Luego por.

> ***Truco:*** *Si está en un tipo de vista de tabla, como la vista* Lista *o* Teléfono, *puede hacer clic en un encabezado de la columna para ordenar por dicha columna.*

Para mover tareas individuales hacia arriba o hacia abajo en las listas de tareas:

1. En Tareas, en la ficha Ver del grupo Vista actual, haga clic en Configuración de la vista y, a continuación, en Ordenar.
2. Haga clic en Borrar todo y, a continuación, en **Aceptar**.
3. Haga clic en Agrupar por, en Borrar todo y, a continuación, haga clic dos veces en **Aceptar**.
4. Arrastre una tarea hacia arriba o hacia abajo en la lista de tareas. Cuando arrastre la tarea, una línea roja con flechas indica dónde se colocará la tarea cuando libere el botón del ratón.

Para mover tareas individuales hacia arriba o hacia abajo en la lista de tareas de la barra Tareas pendientes:

1. Seleccione un elemento de la lista de tareas de la barra Tareas pendientes.
2. Haga clic y arrastre el elemento a la posición que desee. Mientras arrastra la tarea, una línea roja con flechas indica dónde se colocará la tarea cuando suelte el botón del ratón.

Para mover tareas individuales hacia arriba o hacia abajo en la lista de tareas diarias:

1. En el calendario, en la vista Día o Semana, seleccione un elemento en la lista de tareas diarias.
2. Haga clic y arrastre el elemento a la posición que desee.

Si desea ordenar las tareas en orden de prioridad, debe especificar primero el nivel de prioridad para cada tarea. De manera predeterminada, las tareas tienen un nivel de prioridad normal.

1. Abra la tarea cuyo nivel de prioridad desee cambiar.
2. En el cuadro de texto Prioridad, haga clic en un nivel de prioridad.

6.8.5. Administrar tareas

Dentro del grupo Administrar tareas tiene dos comandos, Marcar como completada y Quitar de la lista.

- El comando Marcar como completada hará que la tarea desaparezca de la lista de tareas pendientes y pase a estar en la lista de tareas tachada (véase la figura 6.19).

- El comando Quitar de la lista hará que la tarea previamente seleccionada desaparezca de la lista de forma permanente.

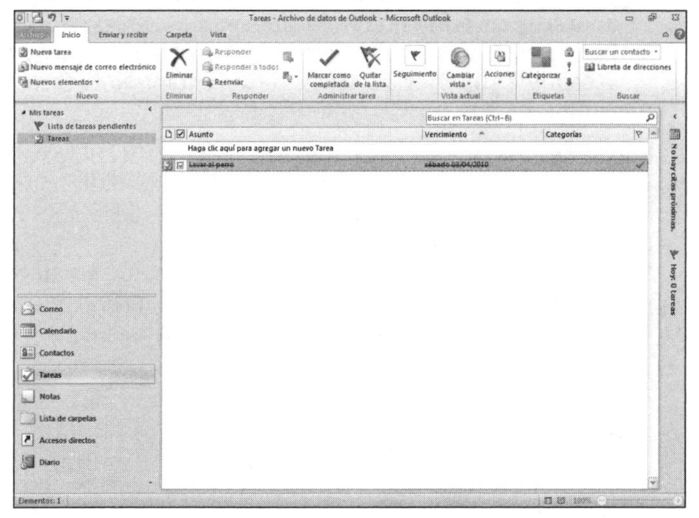

Figura 6.19. Lista de tareas con una tarea completada.

6.9. Notas

Las notas son una forma cómoda de hacer un seguimiento de los numerosos elementos de información que recibe cada día. Las notas pueden contener cualquier tipo de información basada en texto y pueden guardarse en Microsoft Outlook 2010, en el escritorio o en otras carpetas del equipo. Son el equivalente electrónico de las notas de papel adhesivas. Utilícelas para anotar preguntas, ideas, recordatorios y cualquier cosa que escribiría normalmente en una nota de papel. Puede dejar notas abiertas en la pantalla mientras trabaja. Esto es especialmente útil cuando se utilizan notas para almacenar bits de información que es posible que necesite más adelante, como instrucciones o texto que desee volver a utilizar en otros elementos o documentos.

6.9.1. Crear una nota

Se puede crear una nota desde cualquiera de las carpetas disponibles en Microsoft Outlook 2010. Para ello, siga este procedimiento:

1. En la ficha Inicio, en el grupo Nuevo, haga clic en Nuevos elementos, seleccione Más elementos y, a continuación, haga clic en Nota.
2. Escriba el texto de la nota. Los cambios que realice en la nota se guardarán automáticamente.
3. Para cerrar la nota, haga clic en el icono de nota (icono) en la esquina superior izquierda de la ventana Nota (véase la figura 6.20).

Puede dejar la nota abierta mientras trabaja y arrastrarla a cualquier parte de la pantalla para facilitar su visualización. Para copiar una nota en el escritorio, arrástrela desde la carpeta `Notas` a la ubicación deseada.

Para leer o cambiar una nota, en la carpeta `Notas`, haga doble clic en la nota para abrirla. Puede personalizar notas para que sea más fácil encontrarlas y organizarlas.

Figura 6.20. Crear una nota.

> ***Truco:*** *Para vincular notas con otros elementos relacionados de Outlook, como los mensajes de correo electrónico, los contactos o los elementos de calendario, asígneles categorías de color.*

6.9.2. Modificar una nota

Para modificar una nota que ha creado previamente, basta con hacer doble clic sobre la nota, de esta manera se abrirá con el contenido actual, añada o elimine lo que desee y posteriormente cierre la nota, ésta se guardará automáticamente.

6.9.3. Configuración de notas

Puede cambiar el color, la fuente y el tamaño predeterminado para todas las notas nuevas que se creen. Para ello siga los siguientes pasos:

1. Haga clic en Archivo y, posteriormente, en Opciones.
2. En el cuadro Opciones de Outlook, haga clic sobre la opción Notas y diario.

3. En el cuadro de opciones que aparece modifique las opciones que desee.
4. Para finalizar y guardar los cambios haga clic en **Aceptar** (véase la figura 6.21).

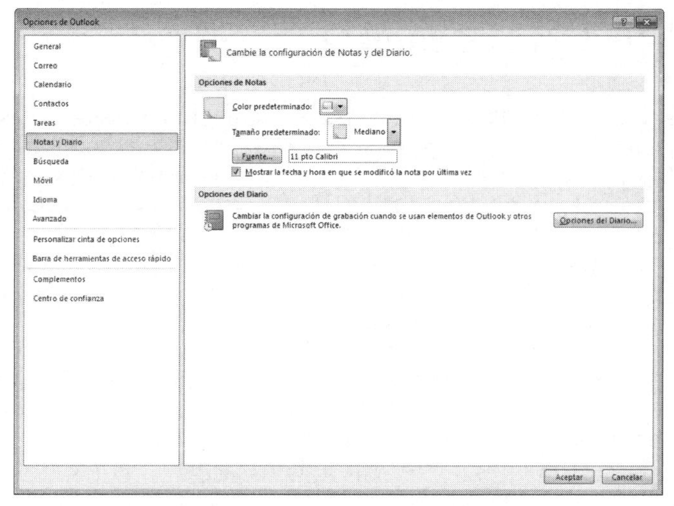

Figura 6.21. Opciones de Notas y diario.

6.9.4. Administrar notas

La manera más eficaz de administrar notas en Outlook 2010 es mediante las categorías de color. Puede asignar una categoría de color a una nota que no esté abierta. En Notas, use la vista Lista o Icono.

1. Haga clic en la nota a la que desea asignar una categoría de color.
2. En la ficha Inicio, en el grupo Etiquetas, haga clic en Clasificar y siga uno de estos procedimientos:
   - Haga clic en una categoría de color.
   - Haga clic en Todas las categorías para abrir el cuadro de diálogo Categorías de color y, a continuación, active la casilla de verificación situada junto a la categoría de color que desea asignar.

Nota: *Para poder asignar una categoría o color en la vista* Lista de notas, *puede hacer clic con el botón derecho del ratón en la columna* Categorías *de la nota a la que desea* *asignar una categoría de color. Al hacer clic en la columna* Categorías, *se quita el último color que hemos asignado a la nota.*

6.10. Lista de carpetas

Lista de carpetas es una vista en la que todas las carpetas, incluidas las de `Bandeja de entrada`, permanecen visibles en el panel de navegación cuando se cambia a otras vistas, tales como Calendario o Contactos. Haga clic en **Lista de carpetas** ( ) en la parte inferior del panel de navegación.

Si hace clic en uno de los botones del panel de navegación, como **Correo**, **Calendario** o **Contactos**, el panel de navegación vuelve al modo de vista del panel.

Si desea mantener la lista de carpetas como la vista principal, no use los botones situados en la parte inferior del panel para obtener acceso a otras vistas. Haga clic en la carpeta, icono o nombre apropiados en la lista de carpetas misma.

Si está usando la vista Lista de carpetas en el momento en que sale de Outlook, la lista de carpetas se abrirá cuando vuelva a iniciar Outlook.

6.11. Diario

El Diario registra automáticamente las acciones que elija relacionadas con los contactos seleccionados y coloca las acciones en una vista de escala de tiempo.

Puede utilizar esta vista de tiempo como predeterminada para el Diario. Los elementos incluyen mensajes de correo electrónico, citas, contactos, tareas, entradas del diario, notas, elementos publicados y documentos de Microsoft Office Outlook, como el correo electrónico, u otros documentos de Office, como los archivos de Microsoft Office Word o Microsoft Office Excel, puede mantener un registro de todas las interacciones que desee recordar, incluso de algo que no esté en su PC, como una conversación telefónica o una carta manuscrita que se haya enviado o recibido.

Utilice el Diario para registrar la fecha y la hora de sus interacciones con los contactos o llevar la cuenta de las horas dedicadas a una cuenta particular. Si desea crear una lista de todos los elementos relacionados con un contacto, utilice el seguimiento de actividades para vincular los elementos al contacto.

¿Recuerda el día que trabajó con un archivo, pero no recuerda dónde está? Utilice el Diario para buscar información en función del momento en el que se realizaron las acciones. Por ejemplo, puede buscar rápidamente un documento de Excel con el que trabajó el lunes pasado si establece que los documentos de Microsoft Excel se registren automáticamente en el Diario (véase la figura 6.22).

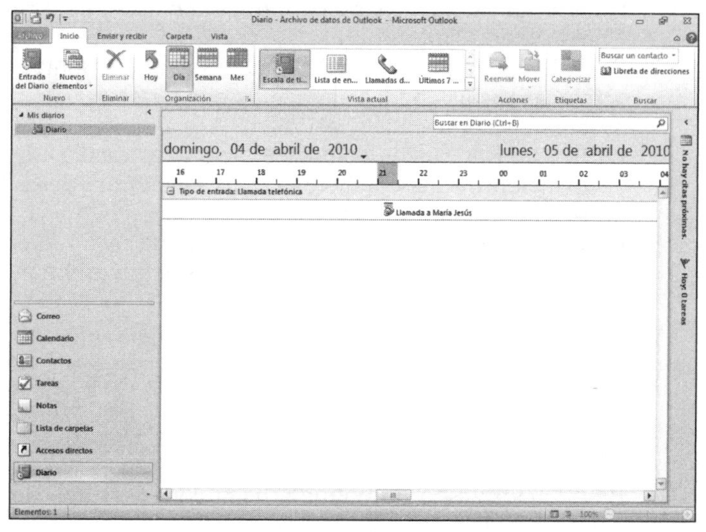

Figura 6.22. Ventana de Diario.

Las entradas del Diario se registran en función de dónde se produce la acción. Por ejemplo, un documento de Word se registra en la escala de tiempo en el momento que se crea o cuando se modifica por última vez. Puede organizar las entradas del Diario en la escala de tiempo por grupos lógicos (por ejemplo, mensajes de correo electrónico, reuniones y llamadas de teléfono) para buscar rápidamente la información, como todas las reuniones a las que asistió la semana pasada o el mes anterior.

Puede abrir una entrada del diario y revisar los detalles acerca de la actividad, o utilizarla como acceso directo para ir directamente al elemento de Outlook o al archivo al que hace referencia la entrada del Diario.

> ***Truco:** Para obtener acceso rápido al Diario, puede agregar la vista* Diario *al panel de navegación. En la parte inferior de dicho panel, haga clic en* Configurar botones *( ), seguidamente, haga clic en* Agregar o quitar botones *y después en* Diario.

6.11.1. Guardar elementos o archivos en el Diario

Para registrar elementos y archivos automáticamente:

1. Haga clic en la ficha Archivo y, a continuación, haga clic en Opciones.
2. En la ficha Notas y Diario de Outlook, haga clic sobre Opciones del Diario.
3. En la lista Grabar automáticamente estos elementos, active las casillas de los elementos que desea registrar automáticamente en el Diario.
4. En la lista Para estos contactos, active las casillas de verificación de los contactos cuyos elementos desea registrar automáticamente.
5. En el cuadro Grabar también archivos de, active las casillas de las aplicaciones que desea registrar automáticamente como archivos en el Diario.

Para registrar un elemento de Outlook manualmente:

1. Desde cualquier módulo de Outlook, en la ficha Inicio, en el grupo Nuevo, haga clic en Nuevos elementos, seleccione Otros y haga clic en Entrada del Diario.
2. En el cuadro Asunto, escriba una descripción.
3. En el cuadro Tipo de entrada, haga clic en el tipo de entrada del Diario que va a registrar.
4. Seleccione otras opciones que desee.

Para registrar un archivo fuera de Outlook manualmente:

1. Localice el archivo que desea guardar. Puede utilizar Outlook, el Explorador de Windows o el escritorio.
2. Arrastre los elementos al Diario.
3. Seleccione finalmente las opciones que desee de la entrada del Diario.

6.11.2. Registrar la fecha y hora de trabajo con un contacto

1. Abra el contacto.
2. En la ficha Contacto, en el grupo Comunicar, haga clic en Más y, a continuación, haga clic en Entrada del Diario.

3. La fecha y hora actuales aparecen en el encabezado del elemento del Diario. Para cambiar la fecha o la hora, haga clic en la flecha adjunta a cada cuadro y luego haga clic en la opción que desee.
4. Para documentar la hora de inicio y de finalización exactas, en la ficha Entrada del Diario, en el grupo Temporizador, haga clic en Iniciar temporizador. El elemento del Diario registra la fecha y el tiempo que ha trabajado con el contacto. Haga clic en Pausar temporizador para detener el reloj.
5. Haga clic en Guardar y cerrar en la ficha Acciones para registrar la información en el Diario.

6.11.3. Cambiar las horas de inicio y finalización de las entradas del Diario

Para cambiar las horas de inicio y finalización automáticamente para todas las tareas haga lo siguiente:

1. En el Diario, en la vista Escala de tiempo, haga clic en Configuración de la vista y luego en Columnas, en la ficha Ver, en el grupo Vista actual.
2. En el cuadro Seleccionar campos disponibles en, haga clic en el conjunto de campos que desee. Normalmente son Campos usados frecuentemente o Todos los campos del Diario.
3. En el cuadro Campos de fecha y hora disponibles, haga clic en el campo que contiene la hora que desea usar como la hora de inicio del elemento y, a continuación, haga clic en Inicio.
4. En el cuadro Campos de fecha y hora disponibles, haga clic en el campo que contiene la hora que desea utilizar como la hora de finalización del elemento y, a continuación, haga clic en Fin.

Truco: *La vista* Escala de tiempo *muestra cuándo se creó, guardó, envió, recibió, abrió o modificó cada elemento o documento. El cambio de los campos de hora que se utilizan para mostrar elementos en la escala de tiempo puede cambiar a su vez la ubicación y la duración de los elementos en la escala de tiempo.*

Para cambiar la hora de inicio y la hora de finalización de las entradas del diario:

1. Abra la entrada del Diario.
2. Escriba una nueva fecha y hora de inicio. Para cambiar la hora de finalización, cambie el número en el cuadro Duración.

> **Nota:** *Cambiar los tiempos asociados con una entrada del Diario no cambia la hora de inicio del elemento, documento o contacto al que hace referencia.*

6.11.4. Desactivar o vaciar el Diario

Para desactivar el Diario, debe anular la selección de varias casillas en el cuadro de diálogo Opciones del Diario. No hay ninguna opción que individualmente pueda desactivar el Diario.

1. Haga clic en la ficha Archivo y, a continuación, haga clic en Opciones.
2. En Notas y Diario, haga clic en Opciones del Diario.
3. En la lista Grabar automáticamente estos elementos, desactive todas las casillas.
4. En Grabar también archivos de, desactive todas las casillas.

> **Nota:** *No es necesario desactivar las casillas de verificación de* Para estos contactos.

También puede optar por vaciar el Diario y para ello es necesario vaciar las entradas.

1. En el Diario, en la ficha Inicio, en el grupo Vista actual, haga clic en Lista de entradas. Aparecerá una vista de tabla de todas las entradas del Diario.
2. Siga uno de estos procedimientos:
   - Para elegir una única entrada haga clic en la entrada que desee.
   - Para elegir varias entradas mantenga presionada la tecla **Control** y, a continuación, haga clic en las entradas que desee. Si desea elegir un conjunto de entradas adyacentes, haga clic en la primera entrada, mantenga presionada la tecla **Mayús** y, a continuación, haga clic en la última entrada.

- Para elegir todas las entradas de una carpeta haga clic en cualquier entrada y, a continuación, presione **Control-A**.

3. En la ficha Inicio, haga clic sobre la opción Eliminar o presione la tecla **Supr**.

6.12. Organización y búsqueda de elementos Outlook

Existen varios métodos de búsqueda siendo el más utilizado la Búsqueda instantánea. La Búsqueda instantánea sirve para encontrar rápidamente elementos en Microsoft Outlook 2010. El panel Búsqueda instantánea está siempre disponible en todas las carpetas de Outlook, como `Correo`, `Calendario`, `Tareas` y `Contactos`. Para buscar un elemento en Outlook haga lo siguiente:

1. En el panel de navegación, haga clic en la carpeta que desea buscar.
2. En el cuadro Búsqueda instantánea, escriba su texto de búsqueda:
    - Los elementos que contienen el texto que escribió aparecen en el panel Resultados de búsqueda instantánea con el texto de búsqueda resaltado.
    - Para limitar la búsqueda, escriba más caracteres.
3. Para ampliar su búsqueda para incluir todas las carpetas, al final de los resultados de búsqueda, haga clic en **Intente buscar de nuevo.**

> **Nota:** *Para volver al punto de inserción del cuadro* Búsqueda instantánea, *presione las teclas* **Control-E**.
> *Cuando haya terminado con la búsqueda, puede desactivarla. Para ello, haga clic en* **Cerrar búsqueda.**
> *Los datos adjuntos se incluyen en la búsqueda pero los resultados de la misma en datos adjuntos no aparecen resaltados.*

Puede limitar la búsqueda agregando criterios. Cuando hace clic en o escribe en el cuadro Búsqueda instantánea, se crea la ficha Herramientas de búsqueda. En el grupo Restringir, encontrará varias opciones de criterios que lo ayudarán a realizar una búsqueda más específica.

> ***Nota:*** *Los campos de búsqueda que se agregan son específicos de la ubicación de Outlook en la que se encuentra, como* `Correo`, `Calendario`, `Contactos`, `Tareas`, `Notas`, `Lista de carpetas` *o* `Diario`. *Los campos de búsqueda también son específicos del perfil del correo electrónico de Outlook que está usando actualmente. Los campos de búsqueda persisten incluso después de salir y volver a iniciar Outlook. La consulta de búsqueda no persiste.*

Es interesante saber que las diez búsquedas más recientes se guardan y se pueden volver a usar.

Haga clic en el cuadro Búsqueda instantánea y en la ficha Herramientas de búsqueda en el grupo Opciones, haga clic en Búsquedas recientes y luego haga clic en la palabra o frase de búsqueda que desea volver a usar (véase la figura 6.23).

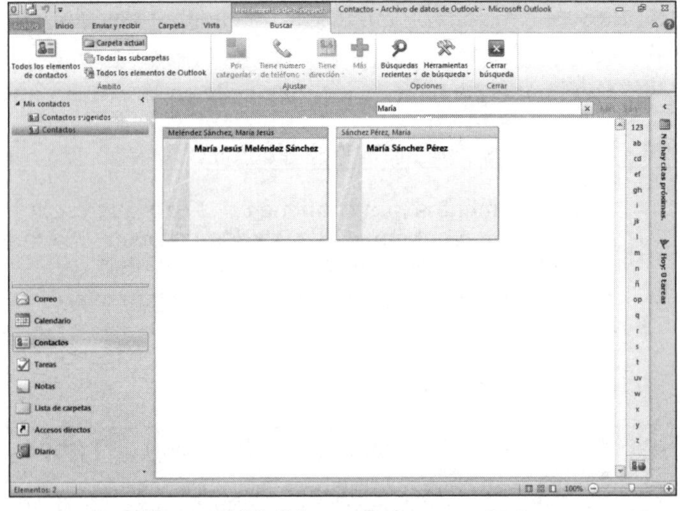

Figura 6.23. Búsqueda de un contacto.

Puede ordenar la manera en que aparecen listados los correos recibidos o cualquier otro elemento de Outlook 2010. Por ejemplo, para ordenar correos en Outlook:

1. Diríjase a la ficha Vista y, en el grupo Organización, haga clic en el comando Organizar por.
2. Elija la opción que más se ajuste a su necesidad y haga clic sobre ella. Los mensajes de correo electrónico aparecerán ordenados según el criterio aplicado.

6.12.1. Filtro de correo electrónico no deseado

Microsoft Outlook 2010 incluye un filtro de correo electrónico no deseado diseñado para reducir la cantidad de mensajes no deseados en su bandeja de entrada. El correo electrónico no deseado, también conocido como *spam*, es enviado por el filtro fuera de la `Bandeja de entrada` a una carpeta de `Correo electrónico no deseado`, donde se puede administrar de manera más eficaz.

El filtro de correo electrónico no deseado evalúa cada mensaje entrante para determinar si es un posible correo no deseado en función de varios factores. Éstos pueden incluir la hora de envío del mensaje y su contenido. De forma predeterminada, el filtro de correo electrónico no deseado está activado y el nivel de protección está establecido en bajo. Este nivel sólo capta el correo no deseado más obvio. Para hacer que el filtro sea más agresivo, cambie el nivel de protección que proporciona.

> **Nota:** *El filtro de correo electrónico no deseado de Outlook no impide que el correo electrónico no deseado sea entregado sino que desvía los mensajes sospechados de ser spam a la carpeta* `Correo electrónico no deseado` *en lugar de enviarlos a* `Bandeja de entrada`. *Algunas soluciones de terceros que están disponibles pueden ser más agresivas para este fin.*

Puede controlar muchos de los valores de configuración del filtro de correo electrónico no deseado con el cuadro de diálogo Opciones de correo electrónico no deseado. En la ficha Inicio, en el grupo Eliminar, haga clic en la flecha abajo junto a `Correo no deseado` y, a continuación, haga clic en Opciones de correo electrónico no deseado.

Los mensajes que captura el filtro de correo electrónico no deseado se mueven a una carpeta especial de `Correo electrónico no deseado`. Se recomienda revisar periódicamente los mensajes de `Correo electrónico no deseado` para comprobar que no haya mensajes apropiados que hayan sido tratados como correo no deseado por error. Si encuentra mensajes apropiados, puede arrastrarlos hasta la `Bandeja de entrada` o a cualquier otra carpeta.

Aunque el filtro de correo electrónico no deseado controla los mensajes entrantes automáticamente, las listas del filtro de correo electrónico no deseado le proporcionan más control sobre lo que se considera correo no deseado. Puede agregar nombres, direcciones de correo electrónico y dominios a estas listas de manera que el filtro permita mensajes procedentes de orígenes de confianza o bloquee los mensajes que lleguen de direcciones de correo electrónico y dominios específicos que no conoce o en los que no confía.

- Lista de remitentes seguros las direcciones de correo electrónico y los nombres de dominio de dicha lista nunca se tratan como correo electrónico no deseado con independencia del contenido del mensaje. Puede agregar los contactos y otros remitentes a esta lista. Si usa una cuenta de Exchange, todos los nombres y direcciones de la lista global de direcciones se considerarán automáticamente como de confianza.
- Lista de destinatarios seguros si pertenece a una lista de correo o una lista de distribución, puede agregar el remitente de la lista a la lista de destinatarios seguros. Los mensajes que se envíen a estas direcciones de correo electrónico o nombres de dominio nunca serán tratados como correo no deseado independientemente del contenido del mensaje.
- Lista de remitentes bloqueados puede bloquear fácilmente los mensajes de determinados remitentes si agrega sus direcciones de correo electrónico o nombres de dominio a la lista de remitentes bloqueados. Si agrega un nombre o una dirección de correo electrónico a esta lista, Outlook mueve todos los mensajes entrantes de ese origen a la carpeta `Correo electrónico no deseado`. Los mensajes de personas o nombres de dominio que aparecen en esta lista siempre se tratarán como correo electrónico no deseado independientemente del contenido del mensaje.
- Lista de dominios de nivel superior bloqueados para bloquear los mensajes de correo electrónico no deseado que procedan de otro país o región, puede agregar códigos de país o región a la lista de dominios de nivel superior bloqueados. Por ejemplo, si se seleccionan en la lista las casillas CA [Canadá], US [Estados Unidos] y MX [México], se bloquearían los mensajes de correo electrónico que terminen por `.ca`, `.us` y `.mx`.
- Lista de codificaciones bloqueadas para bloquear los mensajes de correo electrónico no deseados que aparecen en otro conjunto de caracteres o alfabeto, puede agregar codificaciones a la lista de codificaciones bloqueadas.

6.13. Trabajar sin conexión

Office Outlook 2010, dispone de la flexibilidad de hacer que funcione con conexión o sin conexión con el servidor de correo electrónico, ya sea automáticamente o cuando se establezca así de forma manual.

Algunas de las tareas de Outlook se pueden realizar sin conexión a Internet, como por ejemplo, escribir mensajes, leer correo electrónico, trabajar con el calendario, agregar tareas, notas etc.

También hay ocasiones en el que el servidor está desconectado para realizar operaciones de mantenimiento o, bien, está viajando y no puede conectarse con su servidor. En cualquier caso, puede cambiar entre trabajar sin conexión y con conexión.

Si utiliza cuentas POP3, IMAP o HTTP, como MSN Hotmail, en la ficha Enviar y recibir, haga clic en el comando Trabajar sin conexión del grupo Preferencias.

Si su cuenta está conectada con Microsoft Exchange, sus mensajes se guardarán en el buzón del servidor. Cuando tenga conexión con el servidor y trabaje con conexión, podrá usar toda la funcionalidad de Outlook, tal como abrir elementos, moverlos entre carpetas y eliminarlos. Sin embargo, cuando trabaje sin conexión perderá el acceso a todos los elementos del servidor. Es aquí cuando resultan útiles las carpetas sin conexión, que se guardan en un Archivo de carpetas sin conexión (`.ost`) en el equipo.

El archivo `.ost` es una réplica o copia del buzón de Exchange. Cuando tenga conexión, este archivo se sincronizará automáticamente con el servidor de modo que ambas copias sean iguales y los cambios que se hagan en una se reflejen en la otra. Puede configurar Outlook para que se inicie automáticamente sin conexión si no se puede establecer una conexión con Exchange. También puede alternar manualmente entre los estados con y sin conexión, y elegir qué carpetas de Exchange se mantienen actualizadas localmente en su equipo.

Si tiene una cuenta de Microsoft Exchange, debe reiniciar Outlook para cambiar entre trabajar conectado y sin conexión. La forma más rápida de trabajar sin conexión es utilizar la configuración predeterminada de Outlook. Si desea personalizar la configuración, incluido dónde guardar el Archivo de carpetas sin conexión (`.ost`), utilice las instrucciones de Configuración personalizada.

6.14. Imprimir documentos

Se pueden imprimir elementos individuales, como mensajes de correo electrónico, contactos, elementos de calendario o vistas más grandes, como calendarios, libretas de direcciones o listas de contenido de carpetas de correo.

6.14.1. Configurar una impresora

Para que pueda imprimir documentos, es necesario configurar la impresora.

1. Haga clic en la ficha Archivo y, luego, haga clic en Imprimir.
2. Haga clic en la flecha del apartado Impresora y se desplegará una lista donde podrá seleccionar la impresora deseada. Si no aparece la que desea utilizar, haga clic en Agregar impresora.
3. Siga las instrucciones del asistente.

> ***Nota:** Este procedimiento sólo será necesario realizarlo una vez.*

6.14.2. Imprimir elementos en Outlook

El procedimiento para imprimir es el mismo en `Correo`, `Calendario` o cualquier otra carpeta en Microsoft Outlook 2010. Todas las configuraciones y funciones de impresión se encuentran en Imprimir, en la ficha Archivo. Se proporciona una vista preliminar que le ayuda a elegir las configuraciones y opciones que desea.

1. Haga clic en un elemento o una carpeta de Outlook que desee imprimir.
2. Haga clic en la ficha Archivo.
3. En Imprimir, realice una de las siguientes acciones:
   - En Configuración de impresión, haga clic en **Imprimir**.
   - Seleccione los estilos y las opciones que desea.
   - En Imprimir, haga clic en el estilo que desea. Se muestra una vista previa en el panel de vista previa a menos que vaya a imprimir varios elementos. En este caso, se le pedirá que haga clic en Vista previa en el panel de vista previa.

- Para cambiar la fuente, el título u otra configuración del estilo que desee, haga clic en Definir estilos de impresión. Si está satisfecho con la apariencia de la vista previa, en Configuración de impresión, haga clic en **Imprimir**.
- Si desea especificar páginas individuales o conjuntos de páginas para imprimir, haga clic en Opciones de impresión. Especifique las opciones que desee y haga clic en **Imprimir.**

4. Para volver a la vista anterior, haga clic en Archivo.

> ***Nota:** Al hacer clic en* **Imprimir**, *se envía el documento a la impresora, de manera que debe asegurarse de haber realizado todos los cambios que desea antes de hacer clic en* **Imprimir**.

6.15. Proteger el correo electrónico

6.15.1. Archivos adjuntos

El principal inconveniente de los correos electrónicos es la posible presencia de códigos maliciosos que puedan trastornar el normal funcionamiento de nuestros equipos. Lo más habitual es que éstos, generalmente llamados virus, vengan contenidos en archivos adjuntos.

Los archivos adjuntos de los mensajes de correo electrónico que reciba pueden contener virus del tipo gusano, como los virus *ILOVEYOU* o Melissa. Al abrir los datos adjuntos, el virus se activa y envía copias del mensaje de correo electrónico y del adjunto a las personas incluidas en la Libreta de direcciones, "propagándose" por las redes de correo electrónico de una organización o a través de Internet. Además de propagarse rápidamente, los virus de tipo gusano pueden contener códigos que pueden causar daños irreparables en los datos almacenados en el equipo.

Para evitar la propagación de virus del tipo gusano, Outlook compara el tipo de archivo de todos los datos adjuntos incluidos en un mensaje, que reciba o envíe, con los tipos de archivos de la lista de tipos de datos adjuntos de seguridad del correo electrónico. Si uno de los datos adjuntos es un tipo de archivo que puede contener código ejecutable sin que se muestre ninguna advertencia, se trata de una de las dos formas, dependiendo del nivel del tipo de archivo. Si utiliza el servidor de Microsoft Exchange, el administrador podrá agregar y quitar tipos de archivos para los dos niveles de seguridad del correo electrónico. Si se agrega un tipo de archivo a los dos niveles, se tratará como si fuese un tipo de archivo de nivel 1.

Outlook bloquea los tipos de archivo de nivel 1, como `.bat`, `.exe`, `.vbs` y `.js`, y el usuario no puede ver o no tiene acceso a los datos adjuntos. La `Bandeja de entrada` mostrará el icono del clip en la columna **Datos adjuntos** para que sepa que el mensaje tiene datos adjuntos y se mostrará una lista con los archivos adjuntos bloqueados en la barra de información en la parte superior del mensaje.

Además, cuando envíe datos adjuntos que tengan una extensión de tipo de archivo de nivel 1, se mostrará un mensaje en el que se le advierte que los destinatarios de Outlook no podrán obtener acceso a este tipo de datos adjuntos. Para obtener una lista completa de los tipos de archivo del nivel 1 que Outlook bloquea de manera predeterminada, consulte la lista de tipos de archivos adjuntos bloqueados.

Si el archivo es de nivel 2, podrá ver el icono de los datos adjuntos y cuando le haga doble clic, le pedirá que guarde los datos adjuntos en el equipo. Una vez que ha guardado los datos adjuntos, puede decidir si desea leer, ejecutar o no utilizar el archivo.

> ***Advertencia:*** *Antes de abrir los archivos adjuntos, es aconsejable examinarlos con una aplicación antivirus. La mayoría de las aplicaciones antivirus pueden configurarse para detectar automáticamente la presencia de virus en los mensajes.*

> ***Nota:*** *Una manera más segura de compartir los archivos es exponerlos en un recurso compartido seguro de una red. Puede enviar un mensaje de correo electrónico que incluya un vínculo al recurso compartido al que previamente le haya concedido acceso al destinatario.*

6.15.2. Mensajes HTML

Cabe la posibilidad de recibir mensajes HTML, los cuales son propensos a contener enlaces de descargas o complementos para hacerlos más llamativos. A fin de proteger contra los virus que pueden contener los mensajes HTML que reciba, no se ejecutan secuencias de comandos y se desactivan los controles de Microsoft ActiveX, independientemente de la configuración de la zona de seguridad. De forma predeterminada, la zona de seguridad de Microsoft Outlook está establecida como Sitio restringido. La zona restringida es significativamente más segura y restrictiva que la zona de Internet. La mayoría de las secuencias de comandos y de las descargas y complementos Active X están deshabilitados de manera predeterminada. Las *cookies* y las descargas de archivos también están deshabilitadas de manera predeterminada.

Además, puede configurar Outlook para leer los mensajes HTML sólo como texto sin formato. Esto evita la ejecución de secuencias de comandos y, por tanto, puede ser más seguro.

6.15.3. Contraseñas

Otro tema a tener en cuenta a la hora de proteger nuestra cuenta de correo electrónico es la contraseña. Las contraseñas tienen una serie de usos; por ejemplo, se puede:

- Solicitar una contraseña para abrir un archivo, para impedir que usuarios no autorizados abran documentos.
- Solicitar una contraseña para modificar un archivo, para permitir a otras personas abrir el documento pero sólo permitir a los usuarios autorizados que realicen cambios. Si alguien cambia el documento sin la contraseña para modificar, sólo puede guardar el documento dándole un nombre de archivo diferente.

> ***Nota:*** *Solicitar una contraseña para modificar un archivo no cifra el contenido del mismo.*

> ***Advertencia:*** *Cuando cree una "contraseña de apertura" para un documento, escríbala y guárdela en un lugar seguro. Si la pierde la, no podrá abrir ni tener acceso al archivo protegido con contraseña.*

Las contraseñas distinguen mayúsculas de minúsculas, de modo que si cambia alguna mayúscula o minúscula al asignar la contraseña, los usuarios deberán escribirla del mismo modo.

Una contraseña puede contener cualquier combinación de letras, números, espacios y símbolos, y puede tener hasta 15 caracteres. Si selecciona opciones avanzadas de cifrado, puede crear una contraseña más larga todavía.

Utilice contraseñas fuertes que combinen letras en mayúsculas y minúsculas, números y símbolos. Las contraseñas débiles son aquellas que no mezclan dichos elementos. Un ejemplo de contraseña fuerte sería 87TufRt56-, y de débil, Jorge87. Utilice una contraseña fuerte que pueda recordar para no tener que anotarla en ningún sitio.

6.15.4. Firmas digitales en mensajes

Mediante la firma digital de un mensaje de correo electrónico, se aplica una marca digital única al mensaje. La firma digital incluye el certificado y la clave pública, que proceden del identificador digital. Un mensaje firmado digitalmente demuestra al destinatario que el usuario, y no un impostor, ha firmado el contenido del mensaje y que el contenido no se ha modificado durante el tránsito. Por aumentar la privacidad, también puede cifrar los mensajes de correo electrónico.

> **Nota:** *Firmar digitalmente un mensaje no es lo mismo que incluir una firma gráfica o de texto en mensajes salientes. Cualquier usuario puede copiar una firma de mensaje de correo electrónico, que es básicamente un saludo de cierre personalizado.*

Para obtener una firma digital:

1. Haga clic sobre la ficha Archivo y, a continuación, haga clic en Opciones.
2. Seleccione Centro de confianza, y en Centro de confianza de Microsoft Outlook, haga clic en **Configuración del Centro de confianza**.
3. En Seguridad de correo electrónico, en Id. digitales (Certificados), haga clic en **Obtener un id. digital**.

Puede elegir tener más de un id. digital: uno para la firma digital, que puede tener importancia legal en muchas áreas, y otra para el cifrado.

1. Haga clic sobre la ficha Archivo y, a continuación, haga clic en Opciones.
2. Seleccione Centro de confianza, en Centro de confianza de Microsoft Outlook, haga clic en **Configuración del Centro de confianza**.
3. En Seguridad de correo electrónico, en Correo electrónico cifrado, haga clic en **Configuración**.

4. En Preferencias de configuración de seguridad, haga clic en **Nuevo**.
5. En el cuadro Nombre de configuración de seguridad, escriba un nombre.
6. En la lista Formato de cifrado, haga clic en S/MIME o en Seguridad de Exchange, según del tipo de certificado.
7. Junto al cuadro Certificado de firma, haga clic en Elegir y, a continuación, seleccione un certificado que sea válido para firmar digitalmente.
8. Active la casilla de verificación Enviar estos certificados con mensajes firmados, a menos que sólo vaya a enviar y recibir mensajes firmados dentro de su organización.

Nota: *Los id. digitales se configuran automáticamente para su uso. Si desea utilizar otro id. digital, especifíquelo siguiendo el resto de los pasos de este procedimiento.*

Para firmar digitalmente un mensaje:

1. En el mensaje, en el grupo Permiso de la ficha Opciones, haga clic en **Firmar mensaje**. Si no está visible el botón **Firmar mensaje**, es probable que no tenga un identificador digital configurado para los mensajes firmados digitalmente.
2. Redacte el mensaje y envíelo.

Para firmar digitalmente todos los mensajes:

1. Haga clic en la ficha Archivo y, a continuación, haga clic en Opciones.
2. En Centro de confianza, haga clic en **Configuración del Centro de confianza**.
3. Seleccione Seguridad del correo electrónico y en Correo cifrado, active la casilla Agregar firma digital a los mensajes salientes.
4. Si están disponibles, puede seleccionar una de las siguientes opciones:
    - Si desea que los destinatarios que no dispongan de la seguridad S/MIME puedan leer el mensaje, active la casilla Enviar mensaje firmado de texto no cifrado al enviar mensajes firmados. Esta casilla está activada de forma predeterminada.
    - Para comprobar que los destinatarios del mensaje firmado digitalmente lo hayan recibido sin alteraciones, active la casilla Solicitar confirmación S/

MIME para todos los mensajes S/MIME firmados. Puede solicitar recibir una notificación en la que se indique quién abrió el mensaje y cuándo lo hizo. Cuando envíe un mensaje con una solicitud de confirmación S/MIME, esta información de comprobación se devuelve en un mensaje que se envía a la carpeta `Bandeja de entrada`.

5. Para cambiar otras opciones, tales como elegir entre varios certificados el que se va a utilizar, haga clic en Configuración.
6. Haga clic en **Aceptar** dos veces.

6.15.5. Cifrar mensajes

El cifrado de un mensaje de correo electrónico en Microsoft Outlook 2010 protege la privacidad del mensaje al convertirlo de texto legible y sin formato en texto cifrado y codificado. Sólo pueden descifrar el mensaje para su lectura los destinatarios que tengan la clave privada que coincida con la clave pública que se usa para cifrarlo. Todo destinatario que no tenga la correspondiente clave privada verá texto truncado. Para cifrar los mensajes salientes de forma predeterminada:

1. Haga clic en la ficha Archivo, haga clic en Opciones.
2. En Centro de confianza, haga clic en **Configuración del Centro de confianza**.
3. En Seguridad de correo electrónico, en Correo electrónico cifrado, active la casilla Cifrar contenido y datos adjuntos para mensajes salientes.
4. Para cambiar otras opciones, como seleccionar un certificado específico, haga clic en **Configuración**.
5. Para volver a la vista anterior, haga clic en cualquier pestaña.

6.15.6. Enviar mensajes con solicitud de confirmación S/MIME

Una confirmación S/MIME es una característica de seguridad de correo electrónico que se usa para solicitar confirmación de la recepción sin alteraciones de un mensaje de correo electrónico. Además, incluye información sobre la persona que lo abrió y cuándo lo hizo. Esta información de comprobación se devuelve a la carpeta `Bandeja de entrada` en forma de mensaje.

Nota: Como las solicitudes de confirmación S/MIME tienen que incluir una firma digital, debe tener un identificador digital para solicitar una confirmación S/MIME.

Para enviar un solo mensaje con una solicitud de confirmación S/MIME:

1. En el mensaje abierto, en la ficha Opciones, en el grupo Más opciones, haga clic en el Iniciador de cuadro de diálogo Opciones de mensajes.
2. En Seguridad, haga clic en Configuración de seguridad.
3. Active la casilla de verificación Agregar firma digital a este mensaje.
4. Active la casilla de verificación Solicitar confirmación S/MIME para este mensaje.
5. Haga clic en **Aceptar** en los cuadros de diálogo Propiedades de seguridad y Propiedades.
6. Envíe el mensaje.

Si desea que todos los mensajes se envíen con solicitud de confirmación S/MIME realice los siguientes pasos:

1. Haga clic en Archivo y clic en Opciones.
2. Seleccione **Centro de confianza** y, a continuación, haga clic en **Configuración del Centro de confianza**.
3. En Seguridad del correo electrónico, en Correo electrónico cifrado, active la casilla de verificación Solicitar confirmación S/MIME para todos los mensajes S/MIME firmados.
4. Haga clic en **Aceptar** en los cuadros de diálogo Centro de confianza y Opciones de Outlook.

7
Access

7.1. Introducción

Microsoft Access 2010 es una herramienta de diseño e implementación de base de datos para aplicaciones que se puede usar para realizar un seguimiento de la información importante. Puede conservar los datos en el equipo o publicarlos en la Web, de forma que otros usuarios puedan usar la base de datos.

Access le permite desarrollar de forma fácil y rápida bases de datos relacionales que le ayudarán a administrar la información. Puede crear una base de datos que le ayude a realizar un seguimiento prácticamente de cualquier información, como un inventario, contactos profesionales o procesos de negocio. Incluye plantillas que puede utilizar directamente para realizar un seguimiento de diversos datos, lo que facilita la tarea incluso para un principiante.

Esta nueva versión dispone de mejoras en la interfaz y funciones interactivas que permiten un tratamiento sencillo de los datos. No es necesario tener conocimientos avanzados sobre bases de datos, pues gracias a los asistentes y aplicaciones predefinidas, será una tarea rápida y sencilla. Es posible recopilar la información en formularios por correo electrónico o bien importarla desde aplicaciones externas. La capacidad de compartir información con las listas de la tecnología Microsoft Windows SharePoint Services permite realizar auditorías y copias de seguridad periódicas desde la interfaz de usuario de Access 2010.

Algunas mejoras de Microsoft Access 2010 son:

- Herramientas de creación de objetos más eficaces.
- Operaciones de agrupación y ordenación simplificadas en los informes.

- Diseños de controles mejorados para facilitar la creación de formularios e informes optimizados.
- Nuevos tipos de datos y controles.
- Campos calculados y multivalor.
- Campos de datos adjuntos de archivos.
- Calendario para seleccionar fechas.
- Mejor presentación de datos.
- Herramientas mejoradas de ordenación y filtrado.
- Seguridad mejorada.
- Herramientas de corrección mejoradas.
- Mejores métodos de solución de problemas.

7.2. La ventana de Access

Para iniciar Microsoft Access, haga clic en el botón **Inicio**, seleccione Todos los programas, haga clic en la carpeta `Microsoft Office` y, a continuación, haga clic en Microsoft Access.

La ventana mostrada (véase la figura 7.1) es con la que trabajará en esta aplicación.

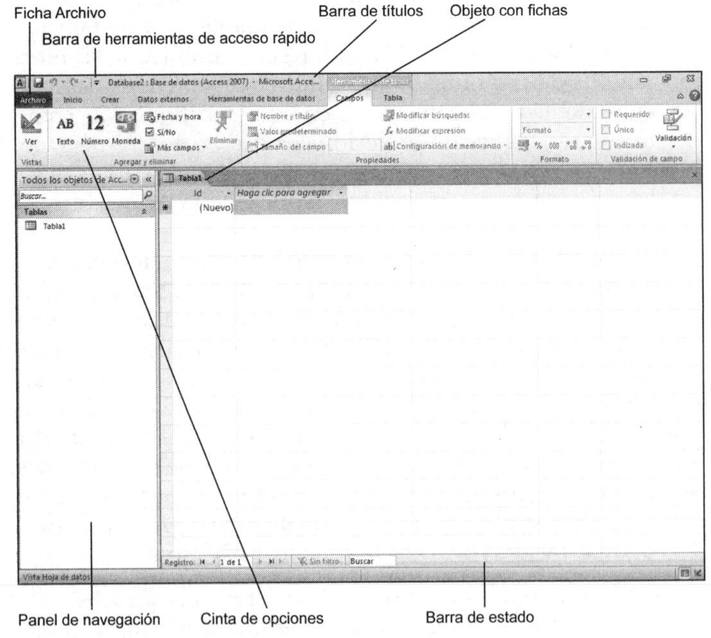

Figura 7.1. Ventana de Access.

1. **Barra de herramientas de acceso rápido:** Es una barra de herramientas que se puede personalizar y contiene un conjunto de comandos independientes de la ficha en la cinta de opciones que se muestra. Se le puede agregar o quitar botones que representan comandos. Ésta se encuentra en la esquina superior izquierda de la ventana.
2. **Barra de títulos:** Aparece el nombre que se ha asignado al documento una vez guardado en disco. Cuando aún no se le ha dado un nombre, aparecerá Base de datos 1 - Microsoft Access.
3. **Ficha Archivo:** Esta ficha reemplaza al Botón de Microsoft Office incluido en la versión anterior.
4. **Cinta de opciones:** Compuesta por las fichas Inicio, Crear, Datos externos y Herramientas de base de datos. Mantiene a la vista todas sus funciones para una rápida accesibilidad a sus distintas opciones.
5. **Panel de navegación:** Es el área situada a la izquierda de la ventana. Facilita el acceso a todos los objetos de la base de datos abierta actualmente. Utilícelo para organizar los objetos por tipo, fecha de creación, fecha de modificación, tabla relacionada o en grupos personalizados que haya creado.
6. **Objetos con fichas:** Los formularios, tablas, consultas, informes, páginas y macros se muestran como objetos con fichas. Es el área de trabajo de la base de datos.
7. **Minibarra de herramientas:** Es un elemento que aparece de manera transparente encima del texto seleccionado para que pueda aplicar fácilmente formato al mismo.
8. **Barra de estado:** Muestra información sobre el documento que tenemos en activo.

7.2.1. La cinta de opciones

Al igual que el resto de las aplicaciones de Microsoft Office, Access dispone de la cinta de opciones, la cual está compuesta por fichas y cada una de estas fichas, contiene grupos de comandos relacionados. Esta cinta reemplaza los menús y las barras de herramientas de las versiones anteriores. A continuación, se detallará el contenido de la cinta de opciones de Access 2010.

- La ficha Inicio consta de varios grupos o paneles de comandos y botones básicos para la creación de una base de datos. Los grupos son: Vistas, Portapapeles, Ordenar y filtrar, Registros, Buscar y Formato de texto.

- La ficha Crear está destinada principalmente a la estructura y funciones añadidas de una base de datos. Está dividida en seis grupos de tareas: Plantillas, Tablas, Consultas, Formularios, Informes y Macros y código.
- La ficha Datos externos sirve para exportar elementos y funciones de otras aplicaciones de Office y relacionarlas con las bases de datos que se vayan a crear. Está dividida en tres grandes grupos: Importar y vincular, Exportar y Recopilar Datos.
- La ficha Herramientas de Base de Datos son funciones complejas que afectan al núcleo estructural de la base de datos. Consta de los grupos Herramientas, Macro, Relaciones, Analizar, Mover datos y Complementos.

> **Nota:** *Algunas fichas de la cinta de opciones sólo aparecen en determinados momentos. Por ejemplo, la ficha* Herramientas de tabla *únicamente aparecerá cuando se esté trabajando con tablas.*

7.3. Tareas básicas para manejar archivos

7.3.1. Crear una base de datos

Puede crear una base de datos mediante una plantilla o, si ninguna de las plantillas se ajusta a sus necesidades, puede crear una base de datos desde cero.

Para crear una base de datos desde cero siga el siguiente procedimiento:

1. Inicie Microsoft Access.
2. En Archivo, haga clic en Nueva y seleccione Base de datos en blanco.
3. A la derecha, escriba un nombre para la base de datos en el cuadro Nombre de archivo.
   Para cambiar la ubicación en la que se crea el archivo, haga clic en (), junto al cuadro Nombre de archivo, busque y seleccione la nueva ubicación y, a continuación haga clic en **Aceptar**.
4. Haga clic en **Crear**.
   Access crea la base de datos y, a continuación, abre una tabla vacía.

5. Access coloca el cursor en la primera celda vacía de la columna Haga clic para agregar de la nueva tabla.
   Si no desea introducir ningún tipo de dato, haga clic en **Cerrar** (×).

Para poder crear una base de datos a partir de una plantilla existente:

1. Inicie Microsoft Access.
2. En Archivo, haga clic en Nueva y haga clic en Plantillas de ejemplo.
3. Escoja la plantilla que más se ajuste a sus necesidades entre las plantillas disponibles.
4. En el cuadro Nombre de archivo, escriba el nombre del archivo.
5. Opcionalmente, haga clic en el icono de carpeta situado junto al cuadro Nombre de archivo para buscar una ubicación donde desea crear la base de datos. Si no indica una ubicación específica, Access crea la base de datos en la ubicación predeterminada que se muestra bajo el cuadro Nombre de archivo.
6. Haga clic en **Crear**.

7.3.2. Abrir y cerrar una base de datos

Para abrir una base de datos existente:

1. En la ficha Archivo, haga clic en Abrir.
2. Haga clic en un acceso directo del cuadro de diálogo Abrir, o bien, en el cuadro Buscar en, haga clic en la unidad o carpeta que contenga la base de datos que desee.
3. En la lista de carpetas, haga doble clic en las carpetas hasta que se abra la carpeta que contiene la base de datos.
4. Cuando encuentre la base de datos, siga uno de estos procedimientos:
   - Para abrir la base de datos en modo predeterminado de apertura, haga doble clic en ella.
   - Si desea abrir la base de datos para el acceso compartido en un entorno multiusuario, de modo que usted y otros usuarios puedan leer y escribir al mismo tiempo en la base de datos, haga clic en **Abrir**.
   - Si desea abrir la base de datos para el acceso de sólo lectura, de modo que se pueda ver pero no modificar la base de datos, haga clic en la flecha situada junto al botón **Abrir** y, a continuación, haga clic en **Abrir como de sólo lectura**.

- Si desea abrir la base de datos para el acceso exclusivo, de modo que ningún otro usuario pueda abrirla mientras usted la tenga abierta, haga clic en la flecha situada junto al botón **Abrir** y, a continuación, haga clic en **Abrir en modo exclusivo**.
- Para abrir la base de datos como sólo lectura, haga clic en la flecha que aparece junto al botón **Abrir** y elija **Abrir en modo exclusivo de sólo lectura**. Los demás usuarios podrán abrir la base de datos, pero tendrán acceso de sólo lectura.

Para cerrar una base de datos:

1. Haga clic en la pestaña Archivo.
2. Haga clic en el botón **Cerrar base de datos**.
3. Guarde los cambios si es necesario.

7.3.3. Ver y editar propiedades de una base de datos

Para ver las propiedades de una base de datos abierta en Microsoft Access haga clic en Archivo y, a continuación en Información. En la parte superior derecha de la pantalla encontrará un recuadro con una vista previa de la base de datos, donde podrá hacer clic en **Ver y editar propiedades de base de datos** (véase la figura 7.2).

Figura 7.2. Propiedades de una base de datos.

Para editar las propiedades de una base de datos seguiremos los pasos:

1. Haga clic en la pestaña Archivo.
2. Haga clic en Información.
3. Haga clic en **Ver y editar propiedades de base de datos**.
4. En el cuadro de diálogo Propiedades del documento, haga clic en las pestañas para seleccionar las propiedades que actualizar.
5. Haga clic en **Aceptar**. Los cambios realizados se guardarán automáticamente.
6. Haga clic en la pestaña Archivo nuevamente para volver a su archivo.

> ***Nota:*** *Si el documento cuyas propiedades desea ver está guardado en una biblioteca de documentos o en un servidor de administración de documentos, es posible que haya disponibles vistas adicionales de las propiedades del documento.*

7.4. Elementos de una base de datos

7.4.1. Tablas

Al usar una base de datos, éstas se almacenan en tablas, que son listas que contienen datos de distintos tipos. Por ejemplo, puede crear una tabla Contactos para almacenar una lista de nombres, números de teléfono y correo electrónico.

Para diseñar una base de datos, debe planear todas sus tablas y decidir de qué modo se relacionarán entre sí. Antes de crear tablas, estudie detenidamente sus requisitos y determine todas las que necesita.

Una tabla es un objeto de base de datos que se usa para almacenar datos acerca de un asunto en particular, como por ejemplo, empleados o productos. Una tabla está compuesta por registros y campos.

Cada registro contiene datos concretos del asunto de la tabla, como un empleado en particular. Un registro se denomina normalmente fila o instancia.

Cada campo contiene datos acerca de un aspecto del asunto de la tabla, como el nombre o la dirección de correo electrónico. Un campo se denomina normalmente columna o atributo.

Un registro se compone de valores de campo como por ejemplo `ejemplo@sitio.com`. Un valor de campo se denomina normalmente hecho.

7.4.2. Consultas

Cuando desee revisar, agregar, cambiar o eliminar datos de una base de datos, deberá considerar la posibilidad de usar una consulta.

Al usar consultas podrá filtrar datos, realizar cálculos con ellos y resumirlos. También puede usar consultas para automatizar tareas de administración de datos y revisar los cambios realizados en los datos antes de confirmarlos.

> **Nota:** *Las funciones de consultas de funciones agregadas, como Suma o Cuenta, no están disponibles en las consultas Web.*

Una consulta es una solicitud de datos que cumplan una serie de características que previamente se especifican. Las consultas que se usan para recuperar datos de una tabla o realizar cálculos se denominan consultas de selección. Las consultas que agregan, cambian o eliminan datos se denominan consultas de acción.

Es posible también usar una consulta para proporcionar datos para un formulario o informe. En una base de datos debidamente diseñada, los datos que desea presentar mediante un formulario o informe se encuentran a menudo en varias tablas. Al usar una consulta, puede reunir los datos que desee usar antes de diseñar el formulario o informe.

7.4.3. Formularios

Un formulario es un objeto de base de datos que se puede usar para escribir, modificar o mostrar los datos de una tabla o consulta. Los formularios se pueden usar para controlar el acceso a los datos, como qué campos o filas de datos se van a mostrar. Por ejemplo, puede que algunos usuarios necesiten ver sólo algunos de los campos de una tabla que contiene numerosos campos. Si se proporciona a esos usuarios un formulario con únicamente esos campos, les será más fácil usar la base de datos. Asimismo, se pueden agregar botones y otras funciones a un formulario con el fin de automatizar las acciones frecuentes. Un formulario "enlazado" es aquel que está directamente conectado a un origen de datos, como una tabla o una consulta, y que puede ser usado para insertar, modificar o mostrar datos del origen de datos. También se pueden crear formularios "independientes" sin un vínculo directo al origen de datos, pero que también contienen botones de comando, etiquetas o cualquier otro control necesario para que sea funcional.

7.4.4. Informes

Un informe es un método sencillo y eficaz de presentar datos en formato impreso. Puede controlar el tamaño y aspecto de todos los elementos de un informe y mostrar la información de la manera que elija.

La mayoría de los informes están enlazados a una o más tablas y consultas de la base de datos. El origen de los registros de un informe, hace referencia a los campos de las tablas y consultas base que quiera. Por ejemplo, debe comenzar por pensar en el origen de los registros del informe. Aunque el informe sea un listado sencillo de registros o un resumen agrupado de las ventas realizadas por zona comercial, primero debe determinar qué campos contienen los datos que desea ver en el registro y en qué tablas o consultas residen. Después de elegir el origen de los registros, normalmente le parecerá más sencillo crear el informe utilizando un asistente para informes. El Asistente para informes es una característica de Access que le guía por una serie de preguntas y, a continuación, genera un informe tomando como base las respuestas proporcionadas.

7.5. Tablas

7.5.1. Crear una tabla en una base de datos

A la hora de crear una tabla, puede crear una base de datos nueva, insertar una tabla en una base de datos existente o importar o establecer un vínculo a una tabla de otro origen de datos, como por ejemplo un libro de Microsoft Excel.

Para crear una tabla en una nueva base de datos:

1. Haga clic en Archivo.
2. Haga clic en Nuevo.
3. Seleccione Base de datos en blanco.
4. Escriba un nombre para la base de datos en el cuadro de texto Nombre del archivo.
5. Haga clic en **Crear**.

Para crear una tabla en una base de datos existente:

1. En Archivo, haga clic en **Abrir**.
2. Busque y abra una base de datos que haya creado anteriormente.

3. En la ficha Crear del programa, en el grupo Tablas, haga clic en Tabla.
4. Se creará una tabla y se abre en la vista Hoja de datos.

7.5.2. Agregar y quitar campos

Cada dato para el que desee realizar un seguimiento se almacena en un campo.

Por ejemplo, en una tabla de contactos se crean campos para apellido, nombre, número de teléfono y dirección. En una tabla de productos se crean campos para nombre de producto, identificador de producto y precio.

Antes de crear los campos, intente dividir los datos en partes útiles de menor tamaño. Es más fácil combinar los datos más adelante que tener que separarlos. Por ejemplo, en lugar de un campo Nombre completo, considere la posibilidad de crear campos independientes para apellido y nombre. A continuación, puede buscar u ordenar por nombre, apellido o ambos fácilmente. Si tiene previsto crear un informe, ordenar, buscar o calcular en un elemento de datos, incluya ese elemento sólo en un campo.

Después de crear un campo, puede establecer las propiedades del mismo para poder controlar su apariencia y comportamiento.

Agregar un campo mediante la entrada de datos

Cuando crea una nueva tabla o abre una tabla existente en la vista Hoja de datos, puede agregar un campo a la tabla mediante la entrada de datos en la columna Agregar nuevo campo de la hoja de datos.

1. Cree o abra una tabla en la vista Hoja de datos.
2. En la columna Agregar nuevo campo, escriba el nombre del campo que desea crear.
   Use un nombre descriptivo para poder identificarlo más fácilmente.
3. Escriba los datos en el nuevo campo.

Crear un campo calculado

Los campos calculados se crean en la vista Diseño.

1. Abra la tabla en la que desea crear un campo calculado en la vista Diseño.

2. En la primera fila vacía de la cuadrícula de diseño de la tabla, escriba un nombre para el campo calculado en Nombre del campo.
3. En Tipo de datos, elija Calculado.
   Se abrirá el Generador de expresiones.
4. Escriba el cálculo que desea ejecutar en el Generador de expresiones. Por ejemplo, si la tabla tiene Campo1 y Campo2 y desea crear un campo calculado (Campo3) igual al valor del Campo1 dividido por el valor del Campo2, debe escribir **[Campo1]/[Campo2]** en el Generador de expresiones.
5. Cuando haya terminado de escribir el cálculo, haga clic en **Aceptar**.

> ***Truco:*** *Cambie a la vista* Hoja de datos *para comprobar si el campo calculado funciona correctamente.*

Establecer las propiedades de un campo

Después de crear un campo, puede establecer sus propiedades para controlar su apariencia y comportamiento. Mediante la configuración de propiedades de campo se puede:

- Controlar la apariencia de los datos de un campo.
- Evitar la entrada incorrecta de datos en un campo.
- Especificar valores predeterminados para un campo.
- Agilizar la búsqueda y la ordenación en un campo.

Puede establecer algunas de las propiedades de campo disponibles mientras trabaja en la vista Hoja de datos. No obstante, para tener acceso y definir la lista completa de propiedades de campo, debe usar la vista Diseño.

Establecer propiedades de campo en vista Diseño

En esta vista, puede establecer el tipo de datos de un campo en la cuadrícula de diseño de la tabla y puede establecer otras propiedades en el panel Propiedades del campo.

Para cambiar a vista Diseño:

1. En el panel de navegación, haga clic con el botón derecho del ratón en la tabla.
2. En el menú contextual, haga clic en la vista Diseño.

Una vez cambiada la vista, establezca las propiedades del campo, siguiendo los siguientes pasos:

1. En la cuadrícula de diseño de la tabla, seleccione el campo para el que desea establecer las propiedades. Access muestra las propiedades para este campo en el panel Propiedades del campo.
2. En el panel Propiedades del campo, especifique la configuración que desee para cada propiedad o presione **F6** y use las teclas de dirección para seleccionar una propiedad (véase la figura 7.3).
3. Para proporcionar más espacio para especificar o modificar una configuración de propiedad en el cuadro de propiedad, presione la combinación de teclas **Mayús-F2** para mostrar el cuadro Zoom.
4. Para guardar los cambios, presione **Control-G**.

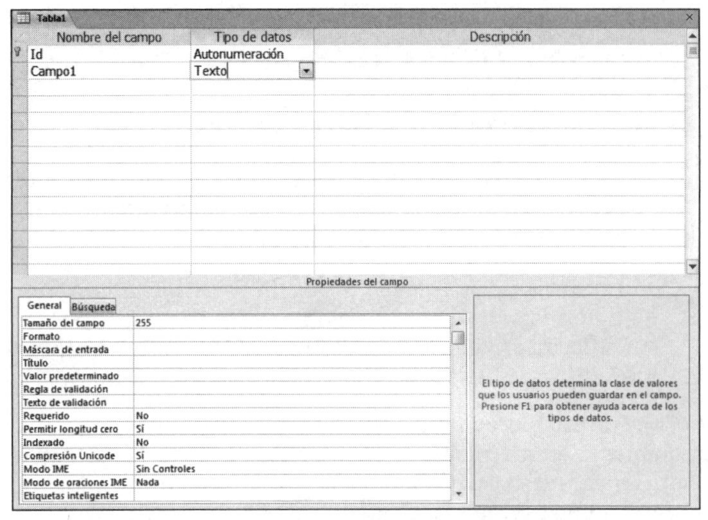

Figura 7.3. Propiedades de un campo en vista Diseño.

7.5.3. Tipos de datos de campo

Éstos son los tipos de datos de campo que se encuentran disponibles en Microsoft Access, su utilización y su tamaño de almacenamiento:

- **Texto:** Almacena caracteres alfanuméricos. Se utiliza para texto o combinaciones de texto y números, como direcciones, o para números que no requieren cálculo, como números de teléfono o identificadores de producto. La propiedad Tamaño del campo controla el número máximo de caracteres que se pueden escribir. Tamaño de almacenamiento: hasta 255 caracteres.

- **Memo:** Almacena caracteres alfanuméricos. Es útil para texto de gran longitud y números, como notas o descripciones y formatos extra. Almacena hasta 65.536 caracteres, o su equivalente, 2 Gigabytes.
- **Numérico:** Almacena valores numéricos enteros o fraccionarios. Puede utilizarse para los datos que se van a incluir en cálculos matemáticos. Almacena hasta 8 bytes, 16 cuando se usa para id, de réplica. La propiedad Tamaño del Campo define el tipo Numérico específico.
- **Fecha y Hora:** Almacena fechas y horas. Con valores para cada concepto. Almacena 8 bytes.
- **Moneda:** También llamado *Currency*. Se utiliza para valores de moneda y para evitar el redondeo durante los cálculos. Almacena 8 bytes.
- **Autonumérico:** Puede usarse para números secuenciales exclusivos (con incremento de una unidad) o números aleatorios que se insertan automáticamente cuando se agrega un registro. Almacena 4 bytes o 16 cuando se usa para id, de réplica.
- **Sí/No:** Valores booleanos. Se utiliza para datos que pueden ser uno de los valores posibles: Sí/No, Verdadero/Falso, Activado/Desactivado. Almacena 1 bit. (8 bits = 1 byte).
- **Objeto OLE:** Es útil para objetos OLE (como objetos diseñados para otras aplicaciones de Windows, hojas de cálculo de Microsoft Word, hojas de cálculo de Microsoft Excel, imágenes o sonidos) u otros valores binarios que se crearon en otros programas mediante el protocolo OLE. Almacena hasta 1 gigabyte.
  Datos adjuntos almacena fotografías, imágenes, archivos binarios, archivos de Office, es el tipo de objeto preferido para alojar datos pesados. Almacena hasta 2 Gb de datos adjuntos comprimidos.
- **Hipervínculo:** Un hipervínculo puede ser una ruta UNC (convención de nomenclatura universal) o una dirección URL (localizador uniforme de recursos) puede crear vínculos a la ubicación de un objeto, documento o página Web. Almacena hasta 64.000 caracteres.
- **Datos adjuntos:** Use un campo de datos adjuntos para adjuntar varios archivos, como imágenes, a un registro.

- **Asistente para búsquedas:** En realidad no es un tipo de datos, inicia el asistente para búsquedas y crear un campo que utilice un cuadro combinado para buscar un valor de otra tabla, consulta o lista de valores. Su capacidad de almacenamiento está relacionado con el tamaño del campo de texto utilizado para almacenar el valor.

7.5.4. Clave principal e índices

Una clave principal es un campo o un conjunto de campos de una tabla que proporciona un identificador único para cada registro. En una base de datos, la información se divide en tablas distintas en función del tema. A continuación, se usan relaciones de tablas y claves principales para indicar a Access cómo debe volver a reunir la información. Access usa campos de clave principal para asociar rápidamente los datos de varias tablas y combinar esos datos de forma significativa.

Puede incluir los campos de clave principal en otras tablas para hacer referencia a la tabla que es el origen de la clave principal. En esas tablas, los campos se denominan claves externas. Por ejemplo, un campo Id. de cliente de la tabla Clientes también podría aparecer en la tabla Pedidos. En la tabla Clientes, ésta es la clave principal. En la tabla Pedidos se denomina clave externa. Una clave externa es la clave principal de otra tabla (véase la figura 7.4).

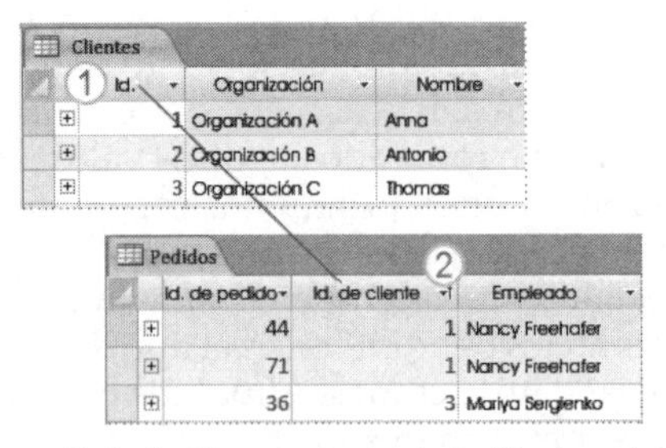

Figura 7.4. 1. Clave principal, 2. Clave externa.

Si va a mover los datos existentes a una base de datos, debe tener un campo que pueda usar como clave principal. A menudo, se suele usar un número de identificación único, como un número de identificador, un número de serie o un código, como clave principal para una tabla. Por ejemplo, es posible que tenga una tabla Clientes en la que cada cliente tenga un número de identificador único de cliente. El campo de identificador de cliente es la clave principal.

Para que una clave principal sea correcta debe cumplir los siguientes requisitos:

- Identificar inequívocamente cada fila.
- Nunca debe estar vacía ni ser nula, es decir, siempre debe contener un valor.
- Los valores que contiene no suelen cambiar.

Agregar una clave principal autonumérica

1. Abra la base de datos que desea modificar.
2. En el panel de navegación, haga clic con el botón derecho del ratón en la tabla a la que desee agregar la clave principal y, a continuación, en el menú contextual, haga clic en la vista Diseño.
3. Busque la primera fila vacía disponible en la cuadrícula de diseño de la tabla.
4. En la columna Nombre del campo, escriba un nombre, como **IdCliente**.
5. En la columna Tipo de datos, haga clic en la flecha desplegable y en Autonumeración.
6. En Propiedades del campo, en Nuevos valores, haga clic en Incrementalmente para usar valores numéricos incrementales para la clave principal, o haga clic en Aleatoriamente para utilizar números aleatorios.

Definir la clave principal

Si tiene una tabla en la que cada registro contiene un número de identificación exclusivo, como un número de serie o código, ese campo podría convertirse en una buena clave principal. Para ello siga el siguiente procedimiento:

1. Abra la base de datos que desea modificar.
2. En el panel de navegación, haga clic con el botón derecho del ratón en la tabla en la que desea establecer la clave principal y, en el menú contextual, haga clic en la vista Diseño.
3. Seleccione el campo o los campos que desea usar como clave principal.
   Para seleccionar un campo, haga clic en el selector de filas del campo que desee.
   Para seleccionar varios campos, presione la tecla **Control** y haga clic en el selector de filas de cada campo.

4. En el grupo Herramientas de la ficha Diseño, haga clic en Clave principal (véase la figura 7.5).

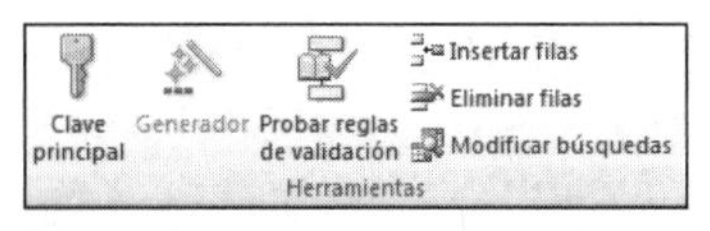

Figura 7.5. Botón clave principal.

Se agregará un indicador de clave a la izquierda del campo o campos que ha especificado como clave principal.

Quitar la clave principal

Cuando quite la clave principal, el campo o campos que hacían la función de clave principal ya no servirán como identificadores principales de un registro. Al quitar una clave principal no se elimina el campo o los campos de la tabla. Lo que se quita es la designación de clave principal de esos campos.

Al quitar la clave principal se quita también el índice que se creó para ella.

1. Abra la base de datos que desea modificar.
2. Antes de quitar una clave principal, debe asegurarse de que no interviene en ninguna relación de tabla. Si intenta quitar una clave principal que forma parte de una o más relaciones, Access le advertirá de que debe eliminar primero la relación.
3. En el panel de navegación, haga clic con el botón derecho del ratón en la tabla cuya clave principal desee eliminar y, a continuación, en el menú contextual, haga clic en la vista Diseño.
4. Haga clic en el selector de filas de la clave principal actual de la tabla.
   Si la clave principal consta de un solo campo, haga clic en el selector de filas de ese campo.
   Si la clave principal consta de varios campos, haga clic en el selector de filas de todos los campos de la clave principal.
5. En el grupo Herramientas de la ficha Diseño, haga clic en Clave principal (véase la figura 7.5.).

> ***Nota:** Cuando guarde una nueva tabla sin definir ninguna clave principal, Access le pedirá que cree una. Si elige **Sí**, se crea un campo Id. con el tipo de datos Autonumeración para*

proporcionar un valor único para cada registro. Si la tabla ya incluye un campo Autonumeración, Access usa dicho campo como clave principal.

7.5.5. Valores predeterminados

Se agrega un valor predeterminado a un campo de tabla o un control de formulario cuando se desea que Access especifique automáticamente un valor en un registro nuevo. Por ejemplo, se puede configurar que Access agregue siempre la fecha actual a los nuevos pedidos.

Se agrega el valor abriendo la tabla en la vista Diseño y, a continuación, escribiendo un valor en la propiedad Valor predeterminado del campo. Si se establece un valor predeterminado para un campo de tabla, Access aplica el valor a todos los controles basados en ese campo. Si no se enlaza un control a un campo de tabla o se vincula a datos ubicados en otras tablas, se establece un valor predeterminado para los controles de formulario (véase la figura 7.6).

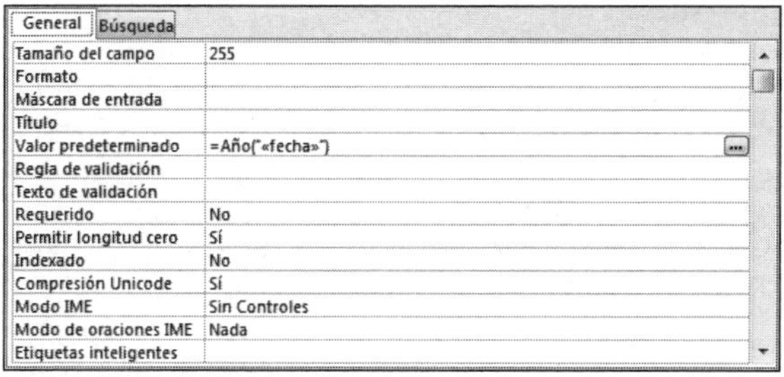

General | Búsqueda

Tamaño del campo	255
Formato	
Máscara de entrada	
Título	
Valor predeterminado	=Año("«fecha»")
Regla de validación	
Texto de validación	
Requerido	No
Permitir longitud cero	Sí
Indexado	No
Compresión Unicode	Sí
Modo IME	Sin Controles
Modo de oraciones IME	Nada
Etiquetas inteligentes	

Figura 7.6. Propiedades de un campo con valor predeterminado.

Se puede establecer un valor predeterminado para los campos de tabla de tipo Texto, Memo, Número, Fecha/Hora, Moneda, Sí/No e Hipervínculo. Si no se proporciona ningún valor, el campo será nulo (estará en blanco) hasta que se especifique un valor. Tras definirse un valor predeterminado, Access lo aplicará a todos los registros nuevos que se agreguen. Si se desea, se puede cambiar el valor predeterminado de un registro a otro valor, a menos que lo prohíba la regla de validación.

Establecer un valor predeterminado para un campo específico de tabla:

1. En el panel de navegación, haga clic con el botón derecho del ratón en la tabla que desee cambiar y, a continuación, haga clic en la vista Diseño.
2. Seleccione el campo que desee cambiar.
3. En la ficha General, escriba un valor en el cuadro de la propiedad Nuevos Valores.

> ***Nota:*** *El valor que se puede especificar depende del tipo de datos que se haya establecido para el campo. Por ejemplo, se puede escribir* **=Fecha()** *para insertar la fecha de hoy en un campo Fecha/Hora.*

4. Guarde los cambios.

> ***Advertencia:*** *El establecimiento de la propiedad* Valor predeterminado *para un campo no afecta a los datos que ya existían en la tabla con anterioridad.*

7.5.6. Relaciones e integridad referencial

Una relación constituye una forma de reunir datos de dos tablas diferentes. Consta de dos campos, uno en cada tabla. Cuando se usan las tablas en una consulta, la relación permite que Access determine qué registros de una tabla se relacionan con qué registros de otra. Por ejemplo, el usuario tiene un campo Id_Producto en una tabla Productos y en una tabla Detalles de pedido. Cada registro de la tabla Detalles de pedidos tienen un Id_Producto que corresponde a un registro de la tabla Productos con el mismo Id_Producto.

Una relación también puede impedir que se pierdan datos evitando que los datos que se han eliminado dejen de estar sincronizados.

Se puede crear una relación de tabla en la ventana Relaciones o arrastrando un campo hasta una hoja de datos desde el panel Lista de campos. Cuando se crea una relación entre tablas, los campos comunes no tienen que tener los mismos nombres, si bien sus nombres suelen coincidir. Sin embargo, los campos comunes tienen que tener el mismo tipo de datos. No obstante, si el campo de clave principal es un campo Autonumeración, el campo de clave externa también puede ser un campo de tipo Número si la propiedad Tamaño del campo de ambos campos tiene el mismo valor. Por ejemplo, puede hacer coincidir un campo Autonumeración y un campo de tipo Número si la propiedad Tamaño del campo de ambos campos es Entero largo. Cuando ambos campos comunes son campos de tipo Número, tienen que tener el mismo valor para la propiedad Tamaño del campo.

Existen tres tipos de relaciones de tabla:

- **Relación uno a varios:** Considere una base de datos de seguimiento de pedidos que incluya una tabla Clientes y una tabla Pedidos. Un cliente puede realizar cualquier número de pedidos. Por lo tanto, para cualquier cliente representado en la tabla Clientes puede haber representados muchos pedidos en la tabla Pedidos. Por consiguiente, la relación entre la tabla Clientes y la tabla Pedidos es una relación de uno a varios.
  Para representar una relación de uno a varios en el diseño de la base de datos, tome la clave principal del lado "uno" de la relación y agréguela como campo o campos adicionales a la tabla en el lado "varios" de la relación. En este caso, por ejemplo, agregaría un nuevo campo: (el campo Id. de la tabla Clientes) a la tabla Pedidos y le denominaría Id. de cliente. Access utilizaría entonces el número de identificador del cliente de la tabla Pedidos para localizar el cliente correcto de cada producto.
- **Una relación de varios a varios:** Considere la relación entre una tabla Productos y una tabla Pedidos. Un solo pedido puede incluir varios productos. Por otro lado, un único producto puede aparecer en muchos pedidos. Por tanto, para cada registro de la tabla Pedidos puede haber varios registros en la tabla Productos. Además, para cada registro de la tabla Productos puede haber varios registros en la tabla Pedidos. Este tipo de relación se denomina relación de varios a varios porque para un producto puede haber varios pedidos, y para un pedido puede haber varios productos. Tenga en cuenta que para detectar las relaciones de varios a varios existentes entre las tablas, es importante que considere ambas partes de la relación.
  Para representar una relación de varios a varios, debe crear una tercera tabla, a menudo denominada tabla de unión, que divide la relación de varios a varios en dos relaciones uno a varios. Debe insertar la clave principal de cada una de las dos tablas en la tercera. Como resultado, la tercera tabla registra cada ocurrencia, o instancia, de la relación. Por ejemplo, la tabla Pedidos y la tabla Productos tienen una relación varios a varios

que se define mediante la creación de dos relaciones uno a varios con la tabla Detalles de pedidos. Un pedido puede incluir muchos productos, y cada producto puede aparecer en muchos pedidos.

- **Una relación uno a uno:** En una relación uno a uno, cada registro de la primera tabla sólo puede tener un registro coincidente en la segunda tabla y viceversa. Este tipo de relación no es muy común porque, muy a menudo, la información relacionada de este modo se almacena en la misma tabla. Puede utilizar la relación uno a uno para poder dividir una tabla con muchos campos, para aislar parte de una tabla por razones de seguridad o para almacenar información que sólo se aplica a un subconjunto de la tabla principal. Cuando identifique esta relación, ambas tablas deben compartir un campo común.

Crear una relación de tabla mediante la ventana Relaciones

1. En la ficha Herramientas de base de datos, en el grupo Relaciones, haga clic en Relaciones (véase la figura 7.7).

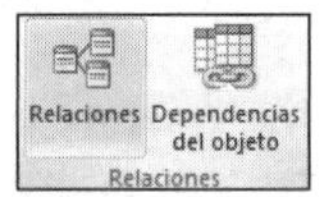

Figura 7.7. Grupo Relaciones.

2. Si aún no ha definido ninguna relación, aparecerá automáticamente el cuadro de diálogo Mostrar tabla. Si no aparece, en la ficha Diseño, en el grupo Relaciones, haga clic en Mostrar tabla (véase la figura 7.8).

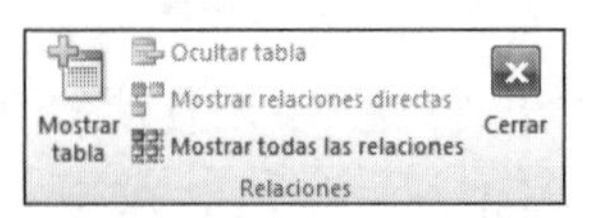

Figura 7.8. Mostrar tabla.

En el cuadro de diálogo Mostrar tabla se muestran todas las tablas y consultas de la base de datos. Para ver únicamente las tablas, haga clic en Tablas. Para ver únicamente las consultas, haga clic en Consultas. Para ver ambas, haga clic en Ambas (véase la figura 7.9).

Figura 7.9. Cuadro de diálogo Mostrar tabla.

3. Seleccione una o varias tablas o consultas y, a continuación, haga clic en **Agregar**. Cuando termine de agregar tablas y consultas a la ficha de documentos Relaciones, haga clic en **Cerrar**.
4. Arrastre un campo (normalmente el campo de clave principal) de una tabla al campo común (la clave externa) en la otra tabla. Para arrastrar varios campos, presione la tecla **Control**, haga clic en cada uno de ellos y, a continuación, arrástrelos.
   Aparecerá el cuadro de diálogo Modificar relaciones (véase la figura 7.10).

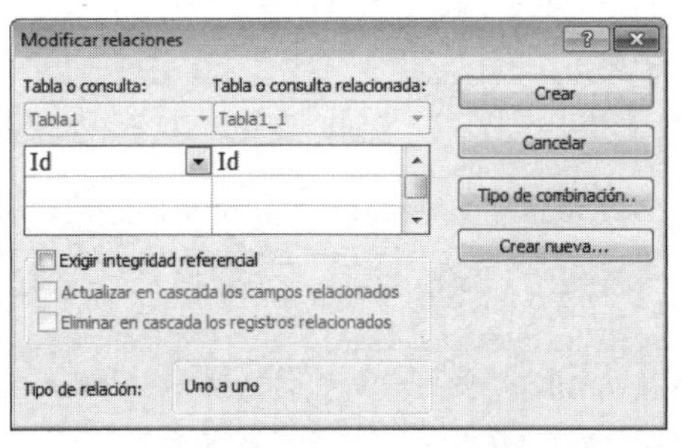

Figura 7.10. Cuadro de diálogo Modificar Relaciones.

5. Compruebe que los nombres de campo mostrados son los campos comunes de la relación. Si un nombre de campo es incorrecto, haga clic en él y seleccione el campo apropiado en la lista.
   Para exigir la integridad referencial para esta relación, active la casilla Exigir integridad referencial.

La integridad referencial tiene como finalidad evitar los registros huérfanos y mantener sincronizadas las referencias de modo que no haya registros que hagan referencia a otros registros que ya no existen. Para exigir la integridad referencial, es preciso habilitarla para una relación de tabla. Una vez habilitada, Access rechazará todas las operaciones que infrinjan la integridad referencial para esa relación de tabla. Esto significa que Access rechazará las actualizaciones que cambien el destino de una referencia así como las eliminaciones que quiten el destino de una referencia.

6. Haga clic en **Crear**. Access dibuja una línea de relación entre las dos tablas. Si activó la casilla Exigir integridad referencial, la línea aparece muchomás gruesa en los extremos. Además, sólo si activó la casilla Exigir integridad referencial, aparece el número 1 en la parte gruesa de un extremo de la línea de relación y aparece el símbolo de infinito (∞) en la parte gruesa del otro extremo de la línea, véase la figura 7.11.

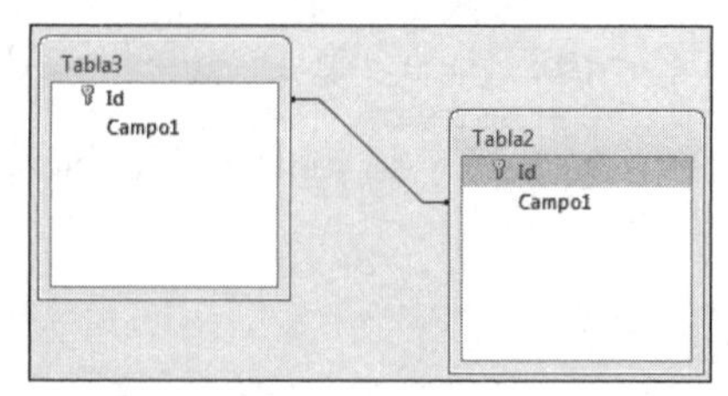

Figura 7.11. Relación entre dos tablas.

- *Para crear una relación uno a uno ambos campos comunes (generalmente los campos de clave principal y clave externa) deben tener un índice único. Esto significa que la propiedad* Indizado *de estos campos debe tener el valor* Sí (sin duplicados). *Si ambos campos tienen un índice único, Access crea una relación uno a uno.*
- *Para crear una relación uno a varios el campo ubicado en el lado uno de la relación (normalmente, el campo de clave principal) tiene que tener un índice único. Esto significa que la propiedad* Indizado *de este campo debe tener el valor* Sí (sin duplicados). *El campo ubicado en el lado varios de la relación no debe tener un índice único. Puede tener un índice, pero debe permitir los duplicados.*

Esto significa que la propiedad Indizado *de este campo debe tener el valor* No *o* Sí (con duplicados). *Cuando un campo tiene un índice único y el otro no, Access crea una relación uno a varios.*

Eliminar una relación de tabla

Cuando se quita una relación, también se quita la integridad referencial para esa relación si está habilitada. Como resultado, Access ya no evitará automáticamente la creación de registros huérfanos en el lado "varios" de una relación.

Para quitar una relación de tabla, es preciso eliminar la línea de relación en la ventana Relaciones. Coloque el cursor de modo que apunte a la línea de relación y, a continuación, haga clic en la línea. La línea de relación aparece con mayor grosor cuando está seleccionada. Con la línea de relación seleccionada, presione **Supr**.

1. En la ficha Herramientas de base de datos, en el grupo Relaciones, haga clic en Relaciones.
2. En el grupo Relaciones de la ficha Diseño, haga clic en Todas las relaciones.
3. Haga clic en la línea de relación correspondiente a la relación que desee eliminar. La línea de relación aparece con mayor grosor cuando está seleccionada.
4. Presione la tecla **Supr** o bien haga clic con el botón derecho del ratón y, a continuación haga clic en **Eliminar**.
5. Confirme que desea eliminar la relación seleccionada de la base de datos.

Nota: *Si alguna de las tablas empleadas en la relación de tabla están en uso, quizás por parte de otra persona u otro proceso, o bien, en un objeto de base de datos abierto como puede ser un formulario, no se podrá eliminar la relación. Es preciso cerrar todos los objetos abiertos que usen estas tablas para poder quitar la relación.*

7.6. Consultas

Una consulta es un conjunto de instrucciones que se pueden usar para trabajar con datos. Se ejecuta para que se lleven a cabo estas instrucciones. Además de devolver resultados que se pueden almacenar, agrupar o filtrar, una consulta también puede crear, copiar, eliminar o cambiar datos. Para realizar o ejecutar consultas en tablas de bases de datos estructuradas, son necesarios unos valores o criterios de consulta.

Un criterio de consulta es una regla para identificar los registros que se desea incluir en el resultado de una consulta. No todas las consultas deben incluir criterios, pero si no le interesa ver todos los registros que están almacenados en el origen de registros subyacente, deberá agregar criterios a una consulta cuando la diseñe. Un criterio es similar a una fórmula (es una cadena que puede consistir en referencias de campos). Los criterios de consulta también se conocen como expresiones en Microsoft Access. La tabla 7.1 recoge algunos ejemplos de criterios y se explica su funcionamiento.

Tabla 7.1. Ejemplos de criterios de consulta.

Criterios	*Descripción*
`>25 y <50`	Este criterio se aplica a campos Número, como Precio o UnidadesEnStock. El resultado incluye solamente aquellos registros en los que el campo Precio o UnidadesEnStock contiene un valor mayor que 25 y menor que 50.
`DifFecha("aaaa", [FechaNacimiento], Fecha()) >30`	Este criterio se aplica a campos Fecha/Hora, como Fecha Nacimiento. En el resultado de la consulta, sólo se incluyen los registros en los que el número de años entre la fecha de nacimiento de una persona y la fecha actual es mayor que 30.
`Es Nulo`	Este criterio se puede aplicar a cualquier tipo de campo para que se muestren los registros en los que el valor de campo sea nulo.

Los criterios pueden ser muy distintos unos de otros, dependiendo del tipo de datos del campo en el que se apliquen y de los requisitos en cada caso. Algunos criterios son sencillos y usan operadores básicos y constantes. Otros son complejos y usan funciones y operadores especiales, e incluyen referencias de campo.

7.6.1. Tipos de consultas

Existen varios tipos de consultas en Microsoft Access:

- **Consultas de selección:** Obtiene los datos de una o más tablas y muestra los resultados en una hoja de datos en la que podrá actualizar los registros. Este tipo de consulta es la más habitual.
- **Consultas de tabla de referencias cruzadas:** Se utilizan para calcular y reestructurar datos, como una suma, una medida, etc. Se agrupan en dos tipos de información: uno son los títulos de filas que están ubicadas hacia abajo, en el lado izquierdo de la hoja de datos; y otro, son los títulos de las columnas a lo largo de la parte superior.
- **Consultas de parámetros:** Cuando se ejecuta, muestra un cuadro de diálogo que solicita información para recuperar registros o un valor que desea insertar en un campo. Podrá diseñar la consulta para que solicite más de un dato, por ejemplo, entre dos fechas. De esta forma, Access podrá recuperar todos los registros que se encuentren en ese período de tiempo.
- **Consulta SQL:** Una consulta SQL es aquella creada con una instrucción SQL. Puede utilizar el Lenguaje de consulta estructurado (SQL o *Structured Query Language*) para consultar, actualizar y administrar bases de datos relacionales, como Access. Cuando se crea una consulta en la vista Diseño de la consulta, Access construye en segundo plano las instrucciones SQL equivalentes. De hecho, la mayoría de las propiedades de consulta de la hoja de propiedades de la vista Diseño de ésta tienen cláusulas y opciones equivalentes a las que están disponibles en la vista SQL. Si lo desea, podrá ver o editar la instrucción SQL en la vista SQL. Sin embargo, después de hacer cambios en una consulta en la vista SQL, puede que su aspecto no sea el que tenía en la vista Diseño. Algunas consultas SQL, denominadas consultas específicas de SQL, no se pueden crear en la cuadrícula de diseño. En el caso de las consultas de paso a través, consultas de definición de datos y consultas de unión, deberá crear las instrucciones SQL directamente en la vista SQL. En el caso de las subconsultas, la instrucción SQL se escribirá en la fila Campo o en la fila Criterios de la cuadrícula de diseño de la consulta.

- **Consultas de acción:** Realiza cambios o desplazamientos de muchos registros en una sola operación. Hay cuatro tipos de consultas de acción:
  1. **Consultas de eliminación:** Suprime un grupo de registros de una o más tablas. Por ejemplo, quitar los productos que ya no se fabrican.
  2. **Consultas de actualización:** Realiza cambios globales en un grupo de registros de una o más tablas. Por ejemplo, aumentar un 5 por 100 los precios de los productos audiovisuales.
  3. **Datos anexados:** Agrega un grupo de registros de una o más tablas. Por ejemplo, tiene una tabla con información nueva de los proveedores. Para evitar escribir toda esa información en la base de datos, la puede anexionar en la tabla que ya existía de Proveedores.
  4. **Creación de tabla:** Crea una tabla nueva a partir de la totalidad o bien una parte de los datos de una o más tablas.

7.6.2. Crear consultas de selección sencilla

Una consulta de selección se puede usar para crear subconjuntos de datos que sirvan para responder a preguntas específicas. También se puede usar para suministrar datos a otros objetos de base de datos. Una vez creada una consulta de selección, se puede usar siempre que sea necesario.

Una consulta de selección es un tipo de objeto de base de datos que muestra información en una vista Hoja de datos. Una consulta puede obtener sus datos de una tabla o de varias, de consultas existentes, o de una combinación de ambas opciones. Las tablas o las consultas de las que una consulta obtiene sus datos se conocen como su origen de registros.

Ya cree consultas de selección sencillas mediante un asistente o trabajando en la vista Diseño, los pasos son, en esencia, los mismos. Debe elegir el origen de registros que desea utilizar y los campos que desea incluir en la consulta. Opcionalmente, puede especificar criterios para depurar los resultados.

Una vez creada la consulta de selección, puede ejecutarla para ver los resultados. Las consultas de selección son fáciles de ejecutar: sólo tiene que abrirlas en la vista Hoja de datos. Podrá reutilizarlas siempre que lo necesite; por ejemplo, como origen de registros para un formulario, un informe u otra consulta.

Generar la consulta

1. En la ficha Crear, en el grupo Consultas, haga clic en Asistente para consultas.
2. En el cuadro de diálogo Nueva consulta, haga clic en Asistente para consultas sencillas y, a continuación, haga clic en **Aceptar**.
3. En Tablas/consultas, haga clic en la tabla que contiene los datos que desea usar.
4. En Campos disponibles, haga doble clic en los campos que desee añadir. Esto los agrega a la lista Campos seleccionados. Una vez agregados los campos, haga clic en **Siguiente**.
5. Introduzca un nombre para la consulta y, a continuación, haga clic en **Finalizar**.

Access mostrará todos los registros de los contactos en la vista Hoja de datos. Los resultados incluyen los registros, pero sólo muestran los cuatro campos especificados en el asistente para consultas. Haga clic en vista SQL en la barra de estado de Access o con el botón derecho del ratón en la ficha de objeto de consulta y, a continuación, haga clic en vista SQL. Access abre la consulta en la vista SQL y muestra algo similar a lo siguiente:

```
SELECT Tabla3.[Id], Tabla3.[Campo1] FROM Tabla3;
```

Cierre la consulta. Tenga en cuenta que la consulta se guarda automáticamente.

> ***Nota:** Tal como puede ver, en SQL la consulta tiene dos partes básicas: la cláusula* `SELECT`*, que lista los campos que están incluidos en la consulta, y la cláusula* `FROM`*, que lista las tablas que contiene esos campos.*

Resumir los valores de la consulta

Resumir valores de una consulta es más fácil en Access 2010, si se compara con la misma tarea en versiones anteriores de Access. Puede agregar, contar o calcular otros valores agregados y mostrarlos en una fila especial (denominada la fila Total) que aparece debajo de la fila Asterisco (*) en la vista Hoja de datos. Puede usar una función de agregado diferente para cada columna. También puede optar por no resumir una columna.

Proceda según los siguientes pasos:

1. Abra la consulta en la vista Hoja de datos.
2. En la ficha Inicio, dentro del grupo Registros, haga clic en Totales.

3. Haga clic sobre la fila Total de la columna que desee totalizar.

En la lista desplegable, puede elegir entre los valores Ninguno y Cuenta.

4. Seleccione Cuenta para contar el número de contactos que se muestran en el resultado.
5. En el campo Edad, seleccione Promedio. Si el campo da como resultado un número, admitirá las funciones Suma, Promedio, Cuenta, Máximo, Mínimo, Desviación estándar y Varianza.

Para quitar el total de una columna, haga clic en la fila Total situada bajo la columna y, después, seleccione Ninguno en la lista desplegable. Para ocultar la fila Total, en la ficha Inicio, en el grupo Formato y tipo de datos, haga clic en Totales.

> **Nota:** *El uso de la fila* Total *no cambia la instrucción SQL base.*

7.6.3. Consultas con parámetros

Usar un parámetro en una consulta es tan fácil como crear una consulta que usa ciertos criterios. Puede diseñar una consulta de modo que solicite un solo dato, como un número de pieza, o varios datos, como dos fechas. Por cada parámetro, una consulta de parámetros muestra un cuadro de diálogo independiente en el que se solicita un valor para ese parámetro.

Para agregar un parámetro a una consulta:

1. Cree una consulta de selección y, a continuación, abra la consulta en la vista Diseño.
2. En la fila Criterios del campo al que desee aplicar un parámetro, escriba entre corchetes el texto que debe aparecer en el cuadro de diálogo del parámetro, por ejemplo: **[Fecha Inicio]**.
   Cuando ejecute la consulta de parámetros, el mensaje aparecerá sin corchetes en un cuadro de diálogo.
   También puede usar una expresión con las solicitudes de parámetros, por ejemplo: **Entre [Fecha de inicio] y [Fecha de finalización]**.

> **Nota:** *Aparece un cuadro de diálogo independiente para cada solicitud de parámetros. En el segundo ejemplo, aparecen dos cuadros de diálogo: uno para la fecha de inicio y uno para la fecha de finalización.*

3. Repita el paso 2 para cada campo al que desee agregar parámetros.

7.6.4. Ejecutar una consulta de acción

Una consulta de acción realiza cambios o desplazamientos de muchos registros en una sola operación. Hay cuatro tipos de consultas de acción:

- **Consultas de datos anexados:** Es un tipo de consulta que agrega los registros del conjunto de resultados de una consulta al final de una tabla existente.
- **Consultas de eliminación:** Es una instrucción SQL que quita las filas que coinciden con el criterio especificado de una o más tablas.
- **Consultas de actualización:** Instrucción SQL que modifica un conjunto de registros de acuerdo con los criterios (condiciones de búsqueda especificadas).
- **Consultas de creación de tabla:** Consulta que crea una nueva tabla y, posteriormente, crea registros (filas) en ella copiando registros de una tabla existente.

Salvo en el caso de las consultas de creación de tabla (que crean tablas nuevas), las consultas de acción realizan cambios en los datos de las tablas en las que se basan. Estos cambios no se pueden deshacer fácilmente, por ejemplo, presionando **Control-Z**.

Si realiza cambios mediante una consulta de acción que, más adelante, desea deshacer, normalmente tendrá que restaurar los datos a partir de una copia de seguridad. Por este motivo, asegúrese de tener siempre una copia de seguridad actualizada de los datos subyacentes antes de ejecutar una consulta de acción.

1. Vea la consulta de acción en la vista Hoja de datos antes de ejecutarla.
2. Para ello, abra la consulta en la vista Diseño, y clic en la Barra de estado de Access.
3. A continuación, haga clic en vista Hoja de datos en el menú contextual. Para volver a la vista Diseño, haga de nuevo clic en Ver.
4. Haga clic en vista Diseño en el menú contextual.
5. Cambie la consulta a una consulta de selección y, a continuación, ejecútela.

> ***Nota:*** *Asegúrese de anotar el tipo de la consulta de acción inicial (consulta de datos anexados, actualización, creación de tabla o eliminación) para que pueda cambiar la consulta a ese tipo después de obtener la vista previa de los datos con este método.*

7.6.5. Ejecutar una consulta de parámetros

Una consulta de parámetros pide al usuario un valor cuando se ejecuta la consulta. Cuando se proporciona el valor, la consulta de parámetros lo aplica como criterio de campo. El campo al que aplica el criterio viene especificado en el diseño de la consulta. Si no se proporciona ningún valor, la consulta de parámetros interpreta esa entrada de datos como una cadena vacía.

Una consulta de parámetros es siempre al mismo tiempo otro tipo de consulta. La mayoría de las consultas de parámetros son consultas de selección o de tabla de referencias cruzadas, pero también pueden ser consultas de datos anexados, de creación de tabla y de actualización.

Las consultas de parámetros se ejecutan de acuerdo con su otro tipo de consulta pero, en general, se sigue el procedimiento que se describe a continuación.

1. Busque la consulta en el panel de navegación, véase la figura 7.12.
2. Haga doble clic en la consulta que desee ejecutar.
3. Haga clic en la consulta que desee ejecutar y, a continuación, presione **Intro**.
   Cuando lo solicite la consulta, especifique el valor que se va a aplicar como criterio.

7.6.6. Ejecutar una consulta específica de SQL

SQL es una abreviatura de *Structured Query Languaje* (Lenguaje estructurado de consultas). Como su propio nombre indica, SQL es un lenguaje informático que se puede utilizar para interaccionar con una base de datos y más concretamente con un tipo específico denominado base de datos relacional.

Hay tres tipos principales de consulta específica de SQL: Consultas de unión (tipo de consulta que utiliza el operador `UNION` para combinar los resultados de dos o más consultas de selección.), Consultas de paso a través (consulta específica de SQL que se utiliza para enviar comandos directamente a un servidor de base de datos ODBC. Las consultas de paso a través permiten trabajar directamente con las tablas del servidor en lugar de hacer que el motor de base de datos Microsoft Jet procese los datos), y Consultas de definición de datos (consulta específica de SQL que contiene instrucciones DDL o lenguaje de definición de datos. Estas instrucciones permiten crear o alterar objetos de la base de datos.).

Figura 7.12. Ejecutar una consulta desde el panel de navegación.

- Las consultas de unión combinan los datos de dos o más tablas, pero no de la misma forma que las demás consultas. La mayoría de las consultas combinan los datos concatenando las filas mientras que las consultas de unión combinan los datos anexando las filas. Se diferencian de las consultas de datos anexados en que no cambian las tablas subyacentes ya que anexan las filas en un conjunto de registros que no se conserva después de cerrarse la consulta.
- Las consultas de paso a través no las procesa el motor de base de datos incluido con Access, sino que se pasan directamente a un servidor de bases de datos remoto que procesa y devuelve los resultados a Access.

- Las consultas de definición de datos son un tipo especial de consulta que no procesa los datos sino que crea, elimina o modifica otros objetos de base de datos como tablas, consultas, formularios, informes, páginas, macros y módulos.
- Las consultas específicas de SQL no se pueden abrir en la vista Diseño. Sólo se pueden abrir o ejecutar en la vista SQL, excepto en el caso de las consultas de definición de datos, al ejecutarse una consulta específica de SQL, ésta se abre en la vista Hoja de datos.

Para ejecutar una consulta específica de SQL, siga el siguiente procedimiento:

1. Ejecutar la consulta.
2. Busque la consulta en el panel de navegación.
3. Haga doble clic en la consulta que desee ejecutar.
4. Haga clic en la consulta que desee ejecutar y, a continuación, presione **Intro**.

7.7. Formularios

Un formulario es un objeto de base de datos que se puede usar para escribir, modificar o mostrar los datos de una tabla o consulta. Los formularios se pueden usar para controlar el acceso a los datos, como qué campos o filas de datos se van a mostrar. Por ejemplo, puede que algunos usuarios necesiten ver sólo algunos de los campos de una tabla que contiene numerosos campos. Si se proporciona a esos usuarios un formulario con sólo esos campos, les será más fácil usar la base de datos. Asimismo, se pueden agregar botones y otras funciones a un formulario con el fin de automatizar las acciones frecuentes.

Pueden considerarse a los formularios como ventanas por las que los usuarios ven y alcanzan las bases de datos. Un formulario eficaz acelera el uso de las bases de datos, ya que los usuarios no tienen que buscar lo que necesitan. Si un formulario es visualmente atractivo, resultará más agradable y más eficaz trabajar con una base de datos, además de ayudar a evitar que se introduzcan datos incorrectos.

Un formulario puede crearse de cinco formas diferentes:

1. Crear un nuevo formulario mediante la herramienta Formulario.

2. Crear un formulario dividido mediante la herramienta Formulario dividido.
3. Crear un formulario que muestre varios registros mediante la herramienta Varios elementos.
4. Crear un formulario mediante el empleo del Asistente para formularios.
5. Crear un formulario mediante la herramienta Formulario en blanco.

7.7.1. Crear un formulario mediante la herramienta Formulario

Puede usar la herramienta Formulario para crear un formulario con un solo clic. Cuando usa esta herramienta, todos los campos del origen de datos subyacente están colocados en el formulario. Puede comenzar a usar inmediatamente el nuevo formulario, o bien, puede modificarlo en la vista Presentación o Diseño para ajustarlo a sus necesidades.

Utilizar la herramienta Formulario para crear un nuevo formulario:

1. En el panel de navegación, haga clic en la tabla o consulta que contiene los datos que desee ver en el formulario.
2. En la ficha Crear, en el grupo Formularios, haga clic en Formulario (véase la figura 7.13).

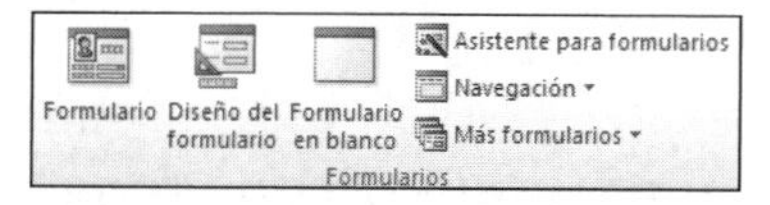

Figura 7.13. Crear un formulario.

7.7.2. Crear un formulario dividido mediante la herramienta Formulario dividido

Un formulario dividido proporciona dos vistas de los datos al mismo tiempo: una vista Formulario y una vista Hoja de datos (véase la figura 7.14). Las dos vistas están conectadas al mismo origen de datos y están en todo momento sincronizadas entre ellas. Si se selecciona un campo en una parte del formulario, se selecciona el mismo campo en la otra parte de éste. Se pueden agregar, editar o eliminar datos de ambas partes (siempre y cuando el origen de registros sea actualizable y el formulario no esté configurado para evitar estas acciones).

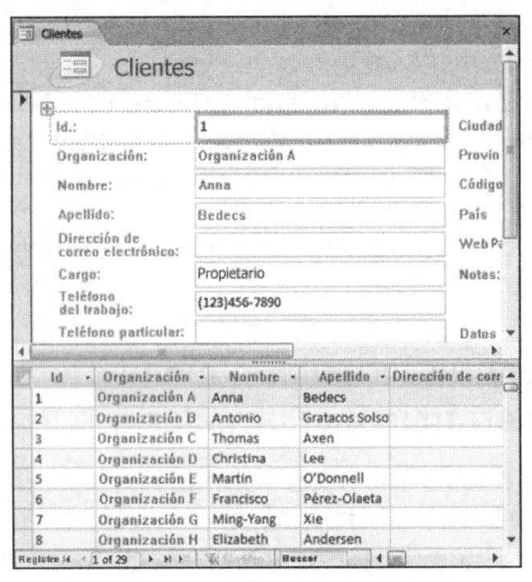

Figura 7.14. Formulario dividido.

Para crear un formulario dividido mediante la herramienta Formulario dividido:

1. En el panel de navegación, haga clic en la tabla o consulta que contiene los datos que desee incluir en el formulario. O bien, abra la tabla o consulta en la vista Hoja de datos.
2. En el grupo Formularios de la ficha Crear, haga clic en Más formularios y, a continuación, haga clic en Formulario dividido ( ).

7.7.3. Crear un formulario que muestre varios registros mediante la herramienta Varios elementos

Cuando se crea un formulario mediante la herramienta Formulario, ese formulario muestra un solo registro a la vez. Si se desea disponer de un formulario que muestre varios registros pero más personalizable que una hoja de datos, se puede usar la herramienta Varios elementos.

1. En el panel de navegación, haga clic en la tabla o consulta que contiene los datos que desee ver en el formulario.
2. En el grupo Formularios de la ficha Crear, haga clic en Más formularios y, a continuación, haga clic en Varios elementos ( ).

Cuando se usa la herramienta Varios elementos, el formulario creado por Access se parece a una hoja de datos. Los datos vienen organizados en filas y columnas y se ve más de un registro a la vez. Sin embargo, un formulario de varios elementos proporciona más opciones de personalización que una hoja de datos, como la posibilidad de agregar elementos gráficos, botones y otros controles.

7.7.4. Crear un formulario mediante el Asistente para formularios

Para seleccionar con mayor criterio los campos que van a aparecer en un formulario, puede usar Asistente para formularios en vez de las diversas herramientas de creación de formulario anteriormente mencionadas. Permite definir cómo se agrupan y se ordenan los datos, y usar campos de más de una tabla o consulta, definiendo con antelación las relaciones entre las tablas y consultas.

1. En la ficha Crear, en el grupo Formularios, haga clic en Asistente para formularios ( ). Aparecerá un cuadro de diálogo (véase la figura 7.15).
2. En el cuadro combinado Tablas y consultas, haga clic en el nombre de la consulta que desee usar como origen de registros del formulario.
3. En el cuadro de lista Campos disponibles, haga doble clic en cada uno de los campos que desee usar. Al hacer doble clic en un campo, éste se agrega al cuadro de lista Campos seleccionados.
4. Haga clic en **Siguiente** o en **Finalizar** cuando termine de agregar campos.

7.7.5. Crear un formulario mediante la herramienta Formulario en blanco

Si el asistente o las herramientas de creación de formulario no se ajustan a sus necesidades, puede usar la herramienta Formulario en blanco para crear un formulario. Puede ser una forma muy rápida de crear un formulario, especialmente si está pensando en incluir sólo unos pocos campos.

1. En la ficha Crear, en el grupo Formularios, haga clic en Formulario en blanco ( ).

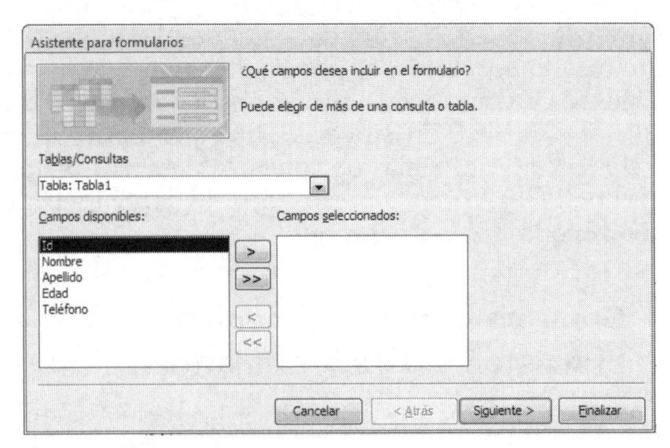

Figura 7.15. Asistente para formularios.

Access abre un formulario en blanco en la vista Presentación y muestra el panel Lista de campos, véase la figura 7.16.

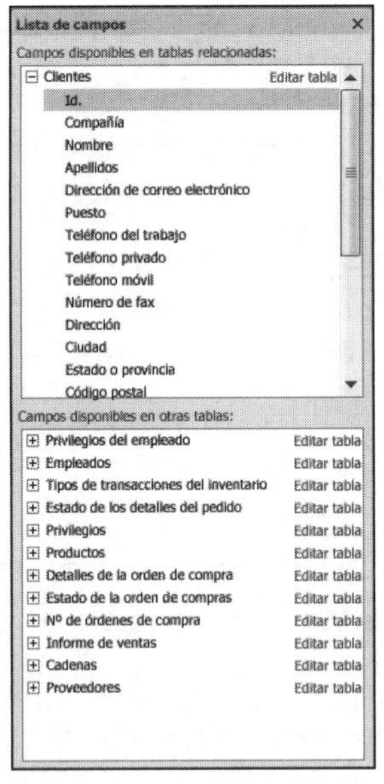

Figura 7.16. Panel Lista de campos.

2. En el panel Lista de campos, haga clic en el signo más (+) situado junto a la tabla o las tablas que contienen los campos que desee ver en el formulario.

3. Para agregar un campo al formulario, haga doble clic en él o arrástrelo hasta el formulario. Para agregar varios campos a la vez, mantenga presionada la tecla **Control** y haga clic en varios campos. A continuación, arrástrelos todos juntos hasta el formulario.

> ***Nota:*** *El orden de las tablas en el panel* Lista de campos *puede cambiar en función de qué parte del formulario esté seleccionada actualmente. Si no puede agregar un campo al formulario, seleccione una parte distinta del formulario y pruebe a agregar el campo de nuevo.*

> ***Nota:*** *Access crea los formularios y los muestra en la vista* Presentación. *En la vista* Presentación, *se pueden realizar cambios de diseño en el formulario mientras muestre datos. Por ejemplo, se puede ajustar el tamaño de los cuadros de texto para que quepan los datos si es necesario.*

7.7.6. Personalizar y presentar un formulario

Para personalizar un formulario para su presentación, es necesario hacerlo en la vista Diseño. Antes conviene explicar las características entre la vista Presentación y la vista Diseño.

La vista Presentación es la vista más intuitiva que se usa para modificar los formularios. Se puede utilizar para llevar a cabo casi todos los cambios en Access. En la vista Presentación, el formulario se está ejecutando, por lo que los datos se pueden ver de manera muy similar a como aparecen en la vista Formulario. Sin embargo, en esta vista, también se pueden realizar cambios en el diseño de formulario. Dado que se ven los datos durante la modificación de los formularios, se trata de una vista muy útil para configurar el tamaño de los controles o llevar a cabo casi todas las tareas que afecten a la apariencia y al uso del formulario.

Ajustar un formulario en la vista Diseño

El diseño de un formulario también se puede ajustar en la vista Diseño. Se pueden agregar nuevos controles y campos al formulario agregándolos a la cuadrícula de diseño. La Hoja de propiedades incluye un gran número de propiedades que se pueden configurar para personalizar el formulario. Para mostrar esta hoja, presione **F4**. Sin embargo, puede que algunas características que agregue mientras está en la vista Diseño no sean compatibles con la característica Publicar en Web. Si planea publicar el formulario en Web, deberá usar solamente las características disponibles en la vista Presentación.

> **Nota:** *Para cambiar a cualquiera de estas vistas, haga clic con el botón derecho del ratón sobre el nombre del formulario y seleccione la vista deseada.*

Guardar el trabajo

Tras guardar el diseño de un formulario, se puede guardar el formulario tantas veces como se desee. El diseño permanece intacto, pero los datos actuales se ven cada vez que se muestra el formulario. Si cambian sus necesidades, puede modificar el diseño o crear un nuevo formulario basado en el original.

7.8. Informes

Con Access 2010 puede crear una amplia variedad de informes, desde los más sencillos a los más complejos. Por ejemplo, debe comenzar por pensar en el origen de los registros del informe. Aunque el informe sea un listado sencillo de registros o un resumen agrupado de las ventas realizadas por zona comercial, primero debe determinar qué campos contienen los datos que desea ver en el registro y en qué tablas o consultas residen.

Se puede personalizar un informe de las formas que se describen a continuación:

- **Origen del registro:** Puede cambiar las tablas y consultas en que está basado un informe.
- **Agrupar y Ordenar datos:** Se pueden ordenar los datos en orden ascendente o descendente. También puede agrupar los registros de uno o más campos, y mostrar subtotales y totales en un informe.
- **Ventana Informe:** Se pueden agregar o quitar los botones **Maximizar** y **Minimizar**, cambiar el texto de la barra de título y otros elementos de la ventana Informe.
- **Secciones:** Se pueden agregar, quitar, ocultar o cambiar de tamaño los encabezados, pies y las secciones de detalles de un informe. También puede establecer propiedades de sección para controlar la presentación de un informe y el resultado que se obtiene al imprimirlo.

- **Controles:** Puede mover, cambiar el tamaño o establecer las propiedades de fuente de un control. También puede agregar controles para mostrar valores calculados, totales, la fecha y hora actuales, y otra información que sea de utilidad en un informe.

7.8.1. Elegir origen de registros

Los informes constan de información extraída de una tabla o consulta, así como de la información almacenada en el diseño del informe, como etiquetas, encabezados y gráficos. La tabla o consulta que proporciona los datos subyacentes también se conoce como origen de registros del informe. Si los campos que desea incluir se encuentran todos en una sola tabla, utilice dicha tabla como origen de registros. Si los campos se encuentran en más de una tabla, le será más conveniente utilizar una o más consultas como origen de registros. Puede que dichas consultas ya existan en la base de datos, o bien, puede ser necesario crear consultas específicas que cubran las necesidades del informe.

Hay tres maneras de crear un informe: crear un informe mediante la herramienta de informes, crear un informe mediante el Asistente para informes, o crear un informe utilizando la herramienta Informe en blanco.

7.8.2. Crear un informe con la herramienta de informes

La herramienta Informe es la manera más rápida de crear un informe, porque lo genera inmediatamente sin solicitarle ningún tipo de información. El informe muestra todos los campos de la tabla o consulta. La herramienta Informe puede no crear el producto final terminado que desea obtener en última instancia, pero resulta muy útil para ver rápidamente los datos subyacentes. Después, puede guardar el informe y modificarlo en la vista Presentación o en la vista Diseño para que se adapte mejor a sus propósitos.

1. En el panel de navegación, haga clic en la tabla o consulta en la que desea basar el informe.
2. En la ficha Crear, en el grupo Informes, haga clic en Informe. Access crea y muestra el informe en la vista Presentación (véase la figura 7.17).

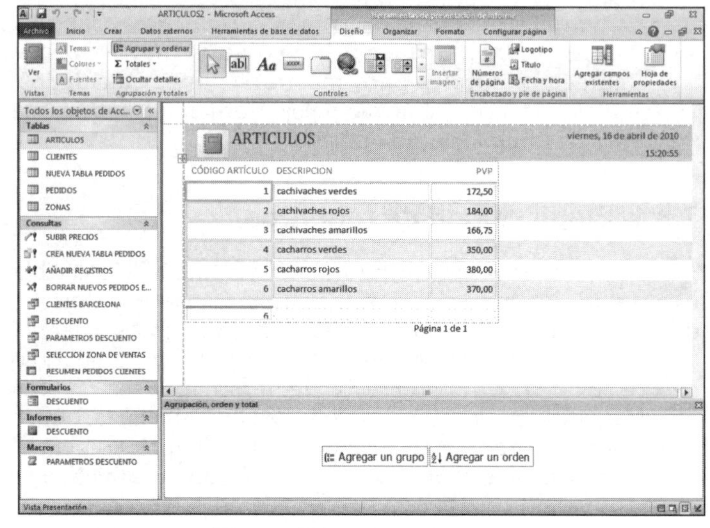

Figura 7.17. Informe creado.

Después de ver el informe, puede guardarlo y, a continuación, cerrar tanto el informe como la tabla o consulta que ha utilizado como origen de registros. La próxima vez que lo abra, Access mostrará los datos más recientes del origen de registros.

7.8.3. Crear un informe con el Asistente de informes

Puede utilizar el Asistente para informes para ser más selectivo acerca de los campos que van a aparecer en el informe. También puede especificar cómo se agrupan y se ordenan los datos, y puede utilizar los campos de más de una tabla o consulta, siempre que haya especificado de antemano las relaciones entre las tablas y consultas.

1. En la ficha Crear, en el grupo Informes, haga clic en Asistente para informes ( ).
2. Siga las instrucciones de las páginas del Asistente para informes. En la última, haga clic en **Finalizar**.

En la vista preliminar del informe, éste aparece tal y como se imprimirá. También puede ampliarlo para ver mejor determinados detalles.

7.8.4. Crear un informe con la herramienta informe en blanco

Si no está interesado en utilizar la herramienta Informe o el Asistente para informes, puede utilizar la herramienta Informe en blanco para crear un informe desde el principio. Puede resultar una forma muy rápida de crear un informe, especialmente si está pensando incluir sólo unos pocos campos en él. El siguiente procedimiento muestra cómo utilizar la herramienta Informe en blanco:

1. En la ficha Crear, en el grupo Informes, haga clic en Informe en blanco. Se muestra un informe en blanco en la vista Presentación y el panel Lista de campos se muestra a la derecha de la ventana de Access.
2. En el panel Lista de campos, haga clic en el signo que está más cerca de la tabla o tablas que contienen los campos que desea ver en el informe.
3. Arrastre cada campo al informe, de uno en uno, o mantenga presionada la tecla **Control** y seleccione varios campos y arrástrelos al informe al mismo tiempo.
4. Con las herramientas del grupo Controles en la ficha Diseño, se agrega logotipo, títulos, números de páginas o la fecha y hora del informe (véase la figura 7.18).

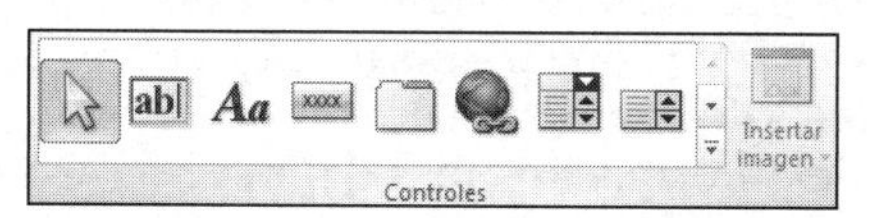

Figura 7.18. Grupo Controles para informes.

7.8.5. Secciones del informe

En Access, el diseño de los informes se divide en secciones. Puede ver las secciones del informe en la vista Diseño. Para crear informes útiles, debe comprender cómo funciona cada sección. Por ejemplo, la sección en la que eligió colocar un control calculado determina cómo calcula Access los resultados. En la lista siguiente se muestra un resumen de los tipos de sección y sus usos:

- **Encabezado del informe:** Esta sección se imprime una vez al principio del informe. El encabezado del informe se utiliza para ofrecer información que normalmente aparecería en una página de portada, como un logotipo o un título y una fecha. Cuando se coloca un control calculado que utiliza la función de agregado Sum (Suma) en el encabezado del informe, el resultado de la suma se calcula para todo el informe. El encabezado del informe se imprime antes del encabezado de página.

- **Encabezado de página:** Esta sección se imprime al principio de cada página. Por ejemplo, para repetir el título del informe en todas las páginas se utiliza el encabezado de página.
- **Encabezado de grupo:** Esta sección se imprime al principio de cada grupo de registros y se utiliza para imprimir el nombre del grupo. Por ejemplo, en un informe cuyos datos estén agrupados por productos, el encabezado de grupo se utiliza para imprimir el nombre de los productos. Cuando se coloca un control calculado que utiliza la función Suma en el encabezado de grupo, la cantidad resultante de la suma corresponde al grupo actual.
- **Detalle:** Esta sección se imprime una vez por cada fila del origen de registros. En ella se colocan los controles que constituyen el cuerpo principal del informe.
- **Pie del grupo:** Esta sección se imprime al final de cada grupo de registros. Los pies de grupo se utilizan para imprimir información de resumen para un grupo.
- **Pie de página:** Esta sección se imprime al final de cada página. Los pies de página se utilizan para imprimir números de página o información sobre cada página.
- **Pie del informe:** Esta sección se imprime una vez al final del informe. Los pies del informe se utilizan para imprimir totales de los informes u otra información de resumen de todo el informe.

> ***Nota:*** *En la vista* Diseño, *el pie del informe aparece debajo del pie de página. Sin embargo, cuando se imprime el informe o se obtiene la vista previa, el pie del informe aparece encima del pie de página, justo después del último pie de grupo o la última línea de detalle en la última página.*

7.8.6. Agregar campos y controles al informe

Algunos controles se crean automáticamente, como el control de cuadro de texto dependiente que se crea al agregar al informe un campo desde el panel Lista de campos. Se pueden crear otros controles en la vista Diseño mediante las herramientas del grupo Controles en la ficha Diseño.

Cuando cree un informe, lo más eficaz es agregar y organizar primero todos los controles dependientes, especialmente si son la mayoría de los controles del informe. Después puede agregar los controles independientes y calculados que completen el diseño utilizando las herramientas del grupo Controles en la ficha Diseño.

Los controles se enlazan con un campo especificando el campo del cual toma los datos el control. Puede crear un control enlazado con el campo seleccionado arrastrándolo desde el panel Lista de campos hasta el informe. El panel Lista de campos muestra los campos de la tabla o consulta subyacente del informe. Para mostrar el panel Lista de campos, en la ficha Diseño, en el grupo Herramientas, haga clic en Agregar campos existentes.

Para crear un control utilizando las herramientas del grupo Controles siga los siguientes pasos:

1. Haga clic en la herramienta correspondiente al tipo de control que desee agregar. (Coloque el puntero del ratón sobre la herramienta, Access le muestra el nombre y la función de la misma). Por ejemplo, para crear un botón de opción, haga clic en la herramienta **Botón de opción** (◉).
2. Haga clic en la cuadrícula del informe donde desea colocar la esquina superior izquierda del control.
3. Haga clic una vez para crear un control de tamaño predeterminado, o bien, haga clic en la herramienta y arrástrela en la cuadrícula de diseño para crear un control que tenga el tamaño deseado.

Si no coloca correctamente el control al primer intento, muévalo con la ayuda del procedimiento siguiente:

1. Haga clic en el control para seleccionarlo.
2. Sitúe el puntero sobre el control hasta que se convierta en una flecha de cuatro puntas.
3. Arrastre el control a la ubicación deseada.

Este procedimiento crea un control "independiente". Si el tipo de control puede mostrar datos (un cuadro de texto o casilla de verificación, por ejemplo), es necesario especificar un nombre de campo o una expresión en la propiedad Origen del control para el control antes de mostrar ningún dato.

- Para agregar campos del panel Lista de campos, arrastre uno de los campos desde el panel Lista de campos a la sección del informe donde desee mostrarlo.

- Para agregar varios campos al mismo tiempo, mantenga presionada la tecla **Control** y haga clic en los campos que desea. A continuación, arrastre los campos seleccionados hasta el informe.

Al colocar los campos en una sección del informe, Access crea un cuadro de texto dependiente para cada uno de esos campos e incluye un control de etiqueta junto a cada uno de ellos.

7.8.7. Crear etiquetas para un informe

Utilice el Asistente para etiquetas para crear fácilmente etiquetas de una amplia variedad de tamaños.

1. En el panel de navegación, abra la tabla o consulta que pasará a ser el origen de registros para las etiquetas haciendo doble clic en ella.
2. En la ficha Crear, en el grupo Informes, haga clic en Etiquetas ( ).
3. Siga las instrucciones de las páginas del Asistente para etiquetas. En la última, haga clic en **Finalizar**.

Access muestra las etiquetas en la vista preliminar para que pueda verlas tal como aparecerán cuando se impriman. Puede utilizar el control deslizante en la barra de estado de Access para ampliar sus detalles.

> ***Nota:*** *Vista preliminar es la única vista que se puede usar para ver varias columnas; las demás vistas muestran los datos en una sola columna.*

7.8.8. Ver y ajustar un informe

Ajustar el informe en la vista Presentación

Después de crear un informe, puede ajustar su diseño con precisión trabajando en la vista Presentación. Con los datos del informe como guía, puede ajustar el ancho de las columnas, reorganizarlas y agregar niveles de grupo y totales. Puede colocar nuevos campos en el diseño del informe y establecer las propiedades para el informe y sus controles.

- Para cambiar a la vista Presentación, haga clic con el botón derecho del ratón en el nombre del informe en el panel de navegación y, a continuación, haga clic en la vista Presentación ( ).

- Puede utilizar la hoja de propiedades para modificar las propiedades del informe así como de sus controles y secciones. Para mostrar la hoja de propiedades, presione **F4**.
- Puede usar el panel Lista de campos para agregar campos de la tabla o consulta subyacente al informe. Para mostrar el panel Lista de campos, realice una de las acciones siguientes:
  1. En la ficha Diseño, en el grupo Herramientas, haga clic en Agregar campos existentes.
  2. Presione **Alt-F8**.

  Se pueden agregar campos arrastrándolos desde el panel Lista de campos hasta el informe.

Ajustar el informe en la Vista Diseño

Puede ajustar el diseño del informe con precisión trabajando en la vista Diseño. Puede agregar nuevos controles y campos al informe agregándolos a la cuadrícula de diseño. La hoja de propiedades le permite tener acceso a un mayor número de propiedades que puede establecer para personalizar el informe.

- Para cambiar a la vista Diseño, haga clic con el botón secundario del ratón en el nombre del informe en el panel de navegación y, a continuación, haga clic en la vista Diseño.
- La hoja propiedades se utiliza para modificar las propiedades del informe en sí y los controles y secciones que contiene. Para mostrar la hoja de propiedades, presione **F4**.
- El panel Lista de campos se emplea para agregar al diseño del informe campos de la tabla o la consulta subyacentes. Para mostrar el panel Lista de campos, lleve a cabo una de las siguientes acciones:
  1. En la ficha Diseño, en el grupo Herramientas, haga clic en Agregar campos existentes.
  2. Presione **Alt-F8**.

  Se pueden agregar campos arrastrándolos desde el panel Lista de campos hasta el informe.

7.8.9. Guardar el trabajo

Una vez guardado el diseño del informe, puede usarlo siempre que lo necesite. El diseño del informe sigue igual, pero los datos se actualizan cada vez que imprime el informe. Si cambian las necesidades de éste, puede modificar el diseño del mismo o crear un nuevo y muy similar basado en el original.

Guarde el diseño del informe según los estos pasos:

1. Haga clic sobre la ficha Archivo y, a continuación, haga clic en Guardar.
2. También puede hacer clic en **Guardar** ( ) en la Barra de herramientas de acceso rápido.
3. Escriba un nombre en el cuadro Nombre del informe y haga clic en **Aceptar**.

7.9. Filtrar y Ordenar

Para buscar uno o varios registros específicos en un formulario o imprimirlos en un informe, una tabla o una consulta, puede usar un filtro.

Un filtro cambia los datos que muestra un formulario o informe en una vista sin cambiar el diseño de ese formulario o informe. Un filtro puede considerarse como un criterio o una regla que se especifica para un campo. El criterio identifica los valores de campo que el usuario desea ver. Cuando se aplica el filtro, se incluyen en la vista únicamente los registros que contienen los valores que se desean ver. El resto permanece oculto hasta que se quita el filtro.

Cuando se aplica un filtro, la vista se actualiza para mostrar únicamente los registros que coinciden con los criterios.

Office Access 2010 incluye varios filtros para cada tipo de datos. Estos filtros están disponibles como comandos de menú en las siguientes vistas: Hoja de datos, Formulario, Informe y Presentación. Además de estos filtros, también se puede filtrar un formulario o una hoja de datos rellenando un formulario (que se denomina Filtro por formulario).

7.9.1. Tipos de filtro

Existen cuatro métodos que podrá utilizar para filtrar registros en un formulario u hoja de datos: Filtro por entrada de datos (Filtro común), Filtro por selección, Filtro por formulario, y Filtro u orden avanzado. También se pueden filtrar registros en una página de acceso a datos.

7.9.2. Filtros comunes

Hay varios filtros comunes disponibles como comandos de menú contextual, de modo que el usuario no tiene que perder tiempo creando criterios de filtro correctos. Para obtener acceso a estos comandos, haga clic en el botón derecho del ratón en el campo que desee filtrar.

> ***Nota:*** *Si selecciona dos o más columnas o controles, no estarán disponibles las opciones de filtro. Si desea filtrar la vista por varios controles o columnas, deberá seleccionar y filtrar cada columna o control por separado, o bien, usar una opción de filtro avanzada. Vea las secciones Filtro por formulario y Filtros avanzados de este artículo para obtener más información.*

Salvo para los campos Objeto OLE y los campos que muestran valores calculados, todos los tipos de campo ofrecen filtros comunes. La lista de filtros disponibles depende del tipo de datos y de los valores del campo seleccionado.

Por ejemplo, para ver los filtros disponibles para un campo que contenga fechas:

1. En la ficha Inicio, en el grupo Ordenar y filtrar, haga clic en Filtro y luego en filtros de fechas (véase la figura 7.19).

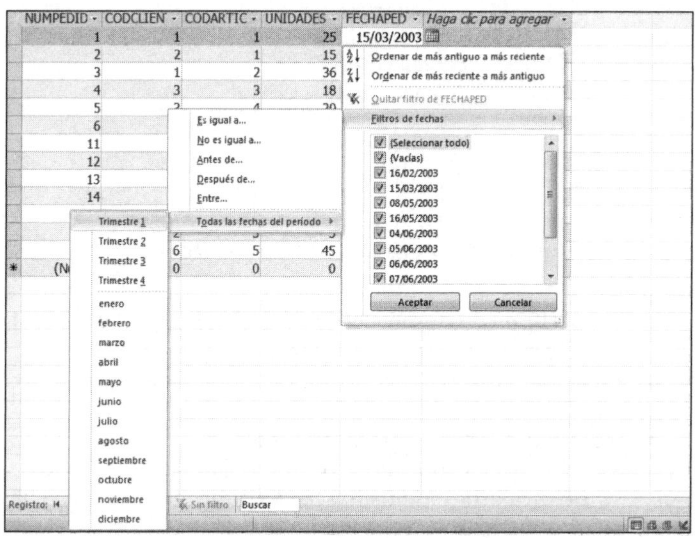

Figura 7.19. Filtros de fechas.

2. Para filtrar por valores específicos, use la lista de casillas de verificación. La lista incluye todos los valores que se muestran actualmente en el campo.
3. Para filtrar por un intervalo de valores, haga clic en uno de estos filtros y especifique los valores requeridos.

Por ejemplo, para ver los pedidos realizados entre la fecha de hoy y la semana pasada, haga clic en Entre y, a continuación, especifique las fechas inicial y final apropiadas en el cuadro de diálogo Entre.

Aplicar un filtro común

1. Abra una tabla, una consulta, un formulario o un informe.
2. Asegúrese de que aún no se ha aplicado ningún filtro a la vista. En la barra de selectores de registro, compruebe que está presente el icono **Sin filtrar** o el icono atenuado **Sin filtro.**

> ***Truco:*** *Para quitar todos los filtros de un objeto concreto, en la ficha* Inicio, *en el grupo* Ordenar y filtrar, *haga clic en* Opciones de filtro avanzadas *( ) y, a continuación, en* Borrar todos los filtros *(véase la figura 7.20).*

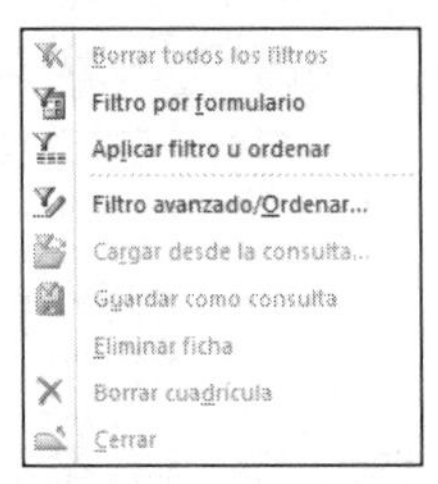

Figura 7.20. Opciones de filtro avanzadas.

3. Haga clic en cualquier parte de la columna o del control correspondiente al primer campo que desee filtrar.
4. En la ficha Inicio, en el grupo Ordenar y filtrar, haga clic en **Filtro.**
5. Siga uno de estos procedimientos:
   - Para aplicar un filtro común, elija Filtros de texto (o de números o de fechas) y, a continuación, haga clic en el filtro que desee. En el caso de los filtros Igual a y Entre, es preciso especificar los valores necesarios.

- Para aplicar un filtro basado en valores de campo, desactive las casillas de verificación junto a los valores por los que no desee filtrar y, a continuación, haga clic en **Aceptar**.

> ***Truco:*** *En el caso de una lista de valores exhaustiva, si desea filtrar por uno o sólo por algunos de esos valores, desactive primero la casilla de verificación (*Seleccionar todo*) y, a continuación, seleccione los valores que desee.*

- Para filtrar por valores nulos (un valor nulo indica la ausencia de datos) en campos de texto, números y fechas, en la lista de casillas de verificación, desactive Seleccionar todo y, a continuación, active la casilla de verificación junto a Vacías.

Repita nuevamente los tres pasos anteriores para cada campo que desee filtrar.

7.9.3. Filtros por selección

Si el valor que desea usar como base para un filtro está actualmente seleccionado, podrá filtrar rápidamente la vista haciendo clic en uno de los comandos de selección. Los comandos disponibles varían dependiendo del tipo de datos del valor seleccionado. Estos comandos también están disponibles en el menú contextual del campo, al que se obtiene acceso haciendo clic con el botón derecho del ratón en el campo.

Por ejemplo, si está seleccionado un número el campo denominado Numpedido, en la ficha Inicio, en el grupo Ordenar y filtrar, haga clic en Selección para mostrar el filtro por comandos de selección, véase la figura 7.21.

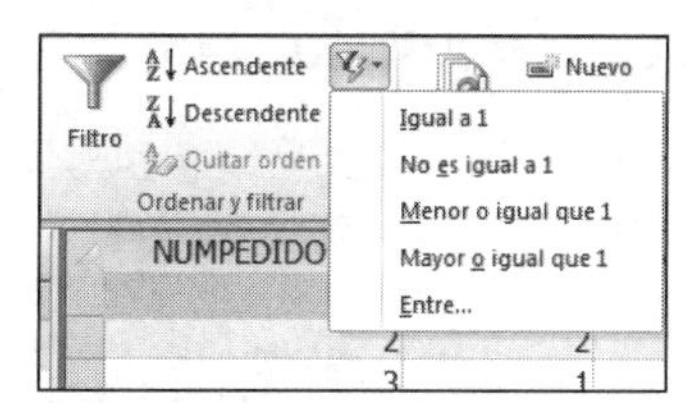

Figura 7.21. Filtros por selección.

La lista de comandos incluye automáticamente el valor actual, por lo que no hay que escribirlo. También depende de la porción del valor que se haya seleccionado. Por ejemplo, si se seleccionan sólo algunos de los caracteres del valor, se verá una lista diferente de comandos, dependiendo de la parte del campo que se haya seleccionado. (Véase la figura 7.22.)

Figura 7.22. Valores de campo.

Aplicar un filtro por selección

1. Abra una tabla, una consulta, un formulario o bien un informe.
2. Asegúrese de que aún no se ha aplicado ningún filtro a la vista. En la barra de selectores de registro, compruebe que está presente el icono **Sin filtrar** o el icono atenuado **Sin filtro**.
3. Vaya al registro que contiene el valor que desee usar como parte del filtro y, a continuación, haga clic dentro de la columna en la vista Hoja de datos, o del control en la vista Formulario, Informe o Presentación. Para filtrar basándose en una selección parcial, seleccione los caracteres que desee.
4. En la ficha Inicio, en el grupo Ordenar y filtrar, haga clic en Selección y, a continuación, haga clic en el filtro que desea aplicar.
5. Para filtrar otros campos basándose en una selección, repita los dos pasos anteriores.

7.9.4. Filtro por formulario

Esta técnica resulta útil cuando se desea filtrar por varios campos en un formulario o una hoja de datos, o bien, cuando se intenta buscar un registro específico. Access crea un formulario o una hoja de datos en blanco similar al formulario o a la hoja de datos original. A continuación, permite al usuario rellenar tantos campos como desee. Una vez finalizado, Access busca los registros que contengan los valores especificados.

Por ejemplo, si desea buscar todos los registros de cliente en los que el título de la persona de contacto resida en Madrid o en

Zaragoza, abra el formulario Clientes y, en la ficha Inicio, en el grupo Ordenar y filtrar, haga clic en Opciones de filtro avanzado y, a continuación, haga clic en Filtro por formulario.

Escoja el valor deseado de entre los que ofrece la lista desplegable situada en el campo Población (véase la figura 7.23).

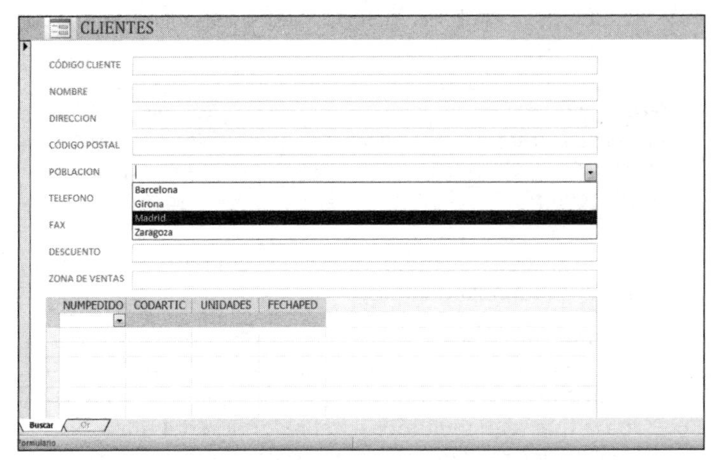

Figura 7.23. Filtro por formulario.

Aplicar un filtro rellenando un formulario

1. Abra una tabla o una consulta en la vista Hoja de datos o un formulario en la vista Formulario.
2. Asegúrese de que aún no se ha aplicado ningún filtro a la vista. En la barra de selectores de registro, compruebe que está presente el icono **Sin filtrar** o el icono atenuado **Sin filtro**.
3. En la ficha Inicio, en el grupo Ordenar y filtrar, haga clic en Opciones avanzadas y, a continuación, haga clic en Filtrar por formulario en el menú contextual.

   Según esté trabajando en la vista Hoja de datos o la vista Formulario, siga cualquiera de los siguientes procedimientos.

   En la vista Hoja de datos:

   1. Haga clic en la primera fila de la columna por la que desee filtrar.
   2. Haga clic en la flecha que aparece y seleccione un valor. Puede agregar más valores haciendo clic en la ficha O situada en la parte inferior de la hoja de datos y seleccionando otro valor.

En la vista Formulario:

1. Haga clic en la flecha que aparece en el control y seleccione el valor por el que desee filtrar. Puede agregar más valores haciendo clic en la ficha O situada en la parte inferior del formulario y seleccionando otro valor.
2. Haga clic sobre la ficha O para seguir agregando más valores adicionales.

> ***Nota:*** *No se pueden especificar valores para los campos multivalor mediante filtro por formulario, si bien se pueden especificar valores para cualquier campo que no sea multivalor en el conjunto de registros.*

Para filtrar registros mediante la selección de valores en un formulario o una hoja de datos:

1. En un campo de un formulario, subformulario, hoja de datos principal u hoja secundaria de datos, encuentre una aparición del valor que desea que contengan los registros para que sean incluidos en el resultado del filtro.
2. Seleccione todo el valor o una parte de éste en un campo siguiendo uno de estos procedimientos que se muestran a continuación. El modo en que se selecciona el valor determinará los registros que devuelve el filtro.
   - Buscar registros en los que el contenido del campo coincida totalmente con la selección. Seleccione el contenido completo de un campo, o bien, sitúe el punto de inserción en un campo sin seleccionar nada. Por ejemplo, seleccione el valor "Berlín" en el campo Ciudad para devolver todos los registros en los que se indique Berlín como la ciudad.
   - Buscar registros en los que el valor de ese campo comience por los mismos caracteres seleccionados. Seleccione parte de un valor que comienza por el primer carácter de un campo. Por ejemplo, seleccione sólo "Fran" en el campo NombreCompañía con el valor "France restauration" para devolver todos los registros que tienen un nombre de compañía que empiece por "Fran," como, por ejemplo, "Franchi S.p.A." o "Frankenversand".
   - Buscar registros en los que todo o parte del valor de ese campo contenga los mismos caracteres seleccionados. Seleccione parte de un valor que comienza después

del primer carácter de un campo. Seleccione las letras "Del" en el campo NombreCompañía con el valor "Old World Delicatessen" para devolver todos los registros que contengan "del" en cualquier parte del campo NombreCompañía como, por ejemplo "Ernst Handel", "Galería del gastrónomo" o "Qué Delicia".

3. Haga clic en Selección del grupo Filtro, en la ficha de Ordenar y filtrar.
4. Si desea afinar la búsqueda, deberá restablecer el filtro para mostrar todos los registros y, a continuación, repetir los pasos 2 y 3. Para restablecer el filtro, haga clic en Quitar todos los filtros.

7.9.5. Filtros avanzados

Es posible que desee aplicar un filtro no incluido en la lista de filtros comunes. Por ejemplo, si desea buscar los registros con fechas de los últimos siete días o los últimos seis meses, puede que tenga que escribir los criterios del filtro. El uso de esta característica requiere que el usuario esté familiarizado con las expresiones. Las expresiones son similares a las fórmulas que se escriben en Excel y a los criterios que se especifican cuando se diseña una consulta.

Por ejemplo, si desea buscar los nombres de los contactos cuyo cumpleaños se celebró en los últimos siete días, podrá usar un filtro avanzado:

1. En la ficha Inicio, en el grupo Ordenar y filtrar, haga clic en Opciones de filtro avanzadas.
2. A continuación, haga clic en Filtro avanzado en el menú contextual.
3. Agregue los campos del filtro a la cuadrícula de diseño y especifique los criterios de filtro en la fila Criterios.

Cuando haga clic en Aplicar filtro en el grupo Ordenar y filtrar de la ficha Inicio, Access mostrará los registros filtrados. Con el mismo ejemplo, si desea limitar más el resultado a los registros cuyo país o región es Estados Unidos, vuelva a la ficha de objetos Filtro, agregue el campo PaísRegión a la cuadrícula y, a continuación, especifique un criterio.

Para aplicar un filtro avanzado

1. Abra una tabla, una consulta, un formulario o bien un informe.

2. Asegúrese de que aún no se ha aplicado ningún filtro a la vista. En el explorador de registros, compruebe que Sin filtro aparece atenuado. Si no se ve la barra del explorador de registros, haga clic en Opciones de filtro avanzadas en el grupo Ordenar y filtrar de la ficha Inicio y, a continuación, haga clic en Borrar todos los filtros (si Borrar todos los filtros aparece atenuado, no hay ningún filtro aplicado).
3. En la ficha Inicio, dentro del grupo Ordenar y filtrar, haga clic en Opciones de filtro avanzadas y, a continuación, haga clic en Filtro avanzado/Ordenar en el menú contextual.
4. Agregue a la cuadrícula los campos por los que desee filtrar los resultados.
5. En la fila Criterios de cada campo, especifique un criterio. Los criterios se aplican como un conjunto y se mostrarán únicamente los registros que coincidan con todos los criterios de la fila Criterios. Si desea especificar criterios alternativos para un solo campo, escriba el primer criterio en la fila Criterios y el segundo criterio en la fila O, y así sucesivamente.
6. Haga clic sobre el botón Aplicar filtro ( ) para ver las filas filtradas.

Nota: *El conjunto de criterios de la fila* O *se aplica como alternativa al conjunto de criterios de la fila* Criterios. *Cualquier criterio que se desee aplicar en ambos conjuntos de criterios debe especificarse tanto en la fila* Criterios *como en la fila* O.

Truco: *Para aprender a escribir criterios, se recomienda aplicar un filtro común o un filtro basado en una selección que genere un resultado parecido a lo que esté buscando. A continuación, con el filtro aplicado a la vista, muestre la ficha de objetos* Filtro:

1. *En la ficha* Inicio, *en el grupo* Ordenar y filtrar, *haga clic en* Opciones de filtro avanzadas *y, a continuación, haga clic en* Filtro avanzado/Ordenar *en el menú contextual.*
2. *Revise el resultado y, a continuación, revise los criterios en la fila* Criterios *para que se pueda generar el resultado deseado.*

7.9.6. Agrupar y ordenar

Los registros de una tabla, una consulta un formulario o un informe se pueden ordenar por uno o varios campos. Con un trabajo de diseño mínimo, los usuarios pueden elegir cómo desean ordenar los registros.

- **Ordenación simple:** Ordena todos los registros en orden ascendente o descendente en vista Formulario, vista Hoja de datos o vista Página.
- **Ordenación compleja:** En la vista Diseño de un informe, se pueden ordenar registros en orden ascendente según algunos campos y en orden descendente según otros.

Si no tuvo en cuenta dónde especificó el orden, Access lo almacenará al guardar el informe. Si basa un nuevo informe en una tabla o consulta con un orden guardado, el nuevo informe heredará ese mandato. Para ordenar fechas y horas de más temprano a más tarde, use el orden ascendente.

Para agrupar y ordenar registros, siga estos pasos:

1. Abra el informe en la vista Diseño.
2. Haga clic en Agrupar y Ordenar, en la ficha contextual Diseño de las Herramientas de Diseño.
3. Seleccione el campo dentro del cual desee agrupar los registros. El campo de la primera fila es el primer nivel de agrupación. La segunda fila, es el segundo nivel de agrupación y así sucesivamente.
4. Cuando rellene las columnas Campo/Expresión, Microsoft Access establecerá automáticamente el Orden en el valor Ascendente. Para cambiar el tipo de orden, seleccione Descendente.
5. En la parte inferior del cuadro Agrupación, orden y total, hay unos cuadros: Agregar un grupo o Agregar un orden. Establezca uno u otro, o ambos para crear el nivel de grupo.

7.10. Elementos de aplicación para agregar funcionalidad a una base de datos existente

Puede agregar funcionalidad a una base de datos existente fácilmente mediante el uso de un elemento de la aplicación. Un elemento de aplicación es una plantilla que incluye parte de una base de datos, por ejemplo, una tabla con formato previo, o bien una tabla con un formulario y un informe asociados. Por ejemplo, si agrega un elemento de la aplicación Tareas a la base de datos, tendrá una tabla Tareas, un formulario Tareas y la opción de relacionar la tabla Tareas con otra tabla de la base de datos.

Para agregar un elemento de aplicación, haga clic en la ficha Crear y en el grupo Plantillas, haga clic en Elementos de aplicación. Encontrará plantillas de formularios y de tablas, véase la figura 7.24.

Figura 7.24. Elementos de aplicación.

Los diferentes elementos de aplicación son:

1. Formularios en blanco.
   - **1 Arriba:** Formulario de una columna de registro único con etiquetas arriba de los campos.
   - **1 Derecha:** Formulario de una columna de registro único con etiquetas a la derecha de los campos.
   - **2 Arriba:** Formulario de dos columnas de registro único con etiquetas arriba de los campos.
   - **2 Derecha:** Formulario de dos columnas de registro único con etiquetas a la derecha de los campos.
   - **Cuadromsj:** Formulario de cuadro de mensaje.
   - **Detalles:** Formulario de registro único con subformulario.
   - **Diálogo:** Formulario de cuadro de diálogo.
   - **Fichas:** Formulario de registro único con control ficha.
   - **Lista:** Formulario con varios elementos.
   - **Multimedia:** Formulario de registro único con marcador de posición para objetos multimedia.

2. Inicio rápido.
   - **Comentarios:** Tabla de comentarios.
   - **Contactos:** Tabla de contacto con formularios e informes.
   - **Problemas:** Tabla de problemas con formularios.
   - **Tareas:** Tabla de tareas con formularios.
   - **Usuarios:** Tablas de usuarios con formularios.

7.11. Imprimir documentos

7.11.1. Configurar impresora

Para que pueda imprimir documentos es necesario configurar la impresora. Para ello:

1. Haga clic sobre la ficha Archivo y, a continuación, haga clic en Imprimir.
2. Haga clic en Imprimir y aparecerá un cuadro de diálogo donde seleccionar la impresora con la que desea hacer la impresión, los intervalos y el número de copias.
3. Una vez configurada, haga clic en **Aceptar** (véase la figura 7.25).

Figura 7.25. Cuadro de diálogo Imprimir.

Establecer una impresora como predeterminada

Probablemente, le aparezcan por defecto varios iconos de impresoras. Para establecer una impresora como predeterminada:

1. Haga clic en el botón **Inicio** (situado en la esquina inferior izquierda de la pantalla) y haga clic en Panel de Control.
2. Haga clic en Dispositivos e Impresoras.
3. Mediante el botón derecho del ratón, haga clic sobre el icono de la impresora que desee utilizar como predeterminada.
4. Aparecerá un menú contextual, haga clic en Establecer como impresora predeterminada.
5. Si hay una marca de verificación junto al icono **Impresora**, ya está configurada como predeterminada.

7.11.2. Seleccionar datos o registros

La tabla 7.2 recoge técnicas del ratón para seleccionar datos o registros en la vista Hoja de datos:

Tabla 7.2. Técnicas de selección con el ratón en la vista Hoja de datos.

Para seleccionar	*Haga clic*
Datos en un campo	Donde desee empezar a seleccionar y arrastre el ratón por los datos.
Un campo completo	En el borde izquierdo del campo de una hoja de datos, donde el puntero cambia de forma.
Campos adyacentes	En el borde izquierdo de un campo y arrastre el ratón para poder extender la selección.
Una columna	En el selector de campo.
Columnas adyacentes	En el nombre del campo en la parte superior de la columna y después arrastre para extender la selección.
Un registro	En el selector de registro.
Varios registros	En el selector de registro del primer registro y arrastre el ratón para extender la selección.
Todos los registros	En el botón **Seleccionar todo**, situado en la esquina superior izquierda de la vista de cualquier elemento.

7.11.3. Imprimir la hoja de datos de una consulta, formulario o informe

Abra la tabla, consulta o formulario en la vista Hoja de datos, la vista Tabla dinámica o la vista Gráfico dinámico. A continuación, siga uno de estos dos procedimientos: imprimir toda la hoja de datos o los datos en la vista Tabla dinámica o Gráfico dinámico, o bien, imprimir sólo algunos registros de la Hoja de datos.

Si desea imprimir toda la hoja de datos o imprimir los datos en la vista Tabla dinámica o Gráfico dinámico:

1. Si la Hoja de datos contiene una hoja secundaria de datos que también desea imprimir, haga clic en el indicador de expansión (+) situado a la izquierda de cada fila cuya hoja secundaria de datos desee expandir.
2. Si expande todas las hojas secundarias de datos, Access puede devolver un número de registros inesperadamente elevado. No imprima después de expandir todas las hojas secundarias de datos, a no ser que esté seguro de que desea imprimir todos los registros resultantes.
3. Siga uno de estos procedimientos:
   - Para cambiar la configuración del cuadro de diálogo Imprimir antes de imprimir, en la ficha Archivo, seleccione Imprimir y seguidamente, haga clic en Imprimir. Seleccione las opciones que desee.
   - Para imprimir inmediatamente sin cambiar la configuración del cuadro de diálogo Imprimir, haga clic en Impresión rápida en Imprimir de la ficha Archivo.
4. En el cuadro de diálogo Imprimir, haga clic en **Aceptar**.

También puede imprimir sólo algunos registros de la hoja de datos. Para ello:

1. Seleccione los registros que desee imprimir.
2. En el cuadro de diálogo Imprimir, en Intervalo de impresión, seleccione la opción Registros seleccionados.

Para imprimir un informe:

1. Siga uno de estos procedimientos:
   - Seleccione el informe en el panel de navegación.
   - Abra el informe en la vista Diseño o en la vista Preliminar.

2. En la ficha Archivo, seleccione Imprimir y seguidamente, haga clic en Imprimir.
3. Escriba los valores que desea en el cuadro de diálogo Imprimir. En Impresora, especifique una impresora que esté predeterminada. En Intervalo de impresión, especifique todas las páginas o el intervalo de éstas. En Copias, especifique el número de copias y si desea que se intercalen.

7.11.4. Imprimir un formulario

Imprimir un formulario abierto:

1. En la ficha Archivo, seleccione Imprimir y, a continuación haga clic de nuevo en Imprimir.
2. En el cuadro de diálogo que aparece, seleccione las opciones de impresión que desee.

> ***Advertencia:*** *El resultado depende de la vista en la que esté abierto el formulario, excepto en la vista* Diseño. *Si el formulario está abierto en la vista* Diseño, *se imprimirá en la vista* Formulario.

Imprimir un formulario desde la ventana Base de datos:

1. Seleccione el formulario que desee imprimir.
2. En la ficha Archivo, seleccione Imprimir y, a continuación haga clic de nuevo en Imprimir.
3. En el cuadro de diálogo que aparece, seleccione las opciones de impresión que desee.

> ***Nota:*** *Access imprime el formulario en la vista especificada en la propiedad* Presentación Predeterminada *del formulario.*

Para imprimir los registros seleccionados en la vista Formulario u Hoja de datos:

1. Abra el formulario en la vista Formulario o en la vista Hoja de datos.
2. Seleccione los registros haciendo clic en el selector de registro. Para seleccionar varios registros, haga clic con el ratón en el primer selector de registro y arrástrelo hasta el último que desee imprimir. Si no aparece el selector

de registro, pulse **Mayús-Barra espaciadora**. Si está en el modo Edición, pulse **F2** antes de presionar **Mayús-Barra espaciadora**.

3. En la ficha Archivo, seleccione Imprimir y, a continuación haga clic de nuevo en Imprimir.
4. En el cuadro de diálogo que aparece en pantalla, en Intervalo de impresión, seleccione la opción Registros seleccionados.

7.11.5. Cancelar impresión

Si está desactivado el modo de impresión en segundo plano, haga clic en **Cancelar** o haga clic en la tecla **Esc**.

Si está activado el modo de impresión en segundo plano, haga clic en el icono de impresora situado en la barra de estado (en el margen inferior de la ventana de Word).

> ***Advertencia:*** *Si va imprimir un documento corto y está activado el modo de impresión en segundo plano, puede que el icono de impresora no aparezca en la barra de estado el tiempo suficiente para que pueda hacer clic en él y cancelar la impresión.*

8

Publisher

8.1. Introducción

Microsoft Publisher 2010 está diseñado para ayudarle a crear publicaciones de aspecto profesional de manera rápida y sencilla. Con Publisher, puede crear, diseñar y publicar material profesional de marketing y de comunicación para impresión, correo o combinaciones de correo electrónico. Se han agregado nuevas capacidades diseñadas para ayudarle a crear, imprimir y distribuir publicaciones y materiales publicitarios de calidad profesional. Esta nueva versión ofrece una interfaz de usuario actualizada, una experiencia de impresión mejorada que permite una impresión más eficaz, una nueva tecnología de alineación de objetos, nuevas herramientas de colocación y manipulación de fotos, bloques de creación de contenido y opciones avanzadas de tipografía, como versalitas reales, ligaduras y alternativas de estilo. Todo esto permite mejorar la experiencia de publicación de escritorio y obtener unos resultados más predecibles para que consiga las publicaciones que desee.

8.2. La ventana Publisher

La ventana inicial de Publisher aparece automáticamente cuando se abre la aplicación. Haga clic en el botón **Inicio**, seleccione Todos los programas, haga clic en la carpeta Microsoft Office y, a continuación, haga clic en Microsoft Publisher. Una vez iniciado la aplicación, haga clic en la ficha Inicio y aparecerá la siguiente ventana (véase la figura8.1).

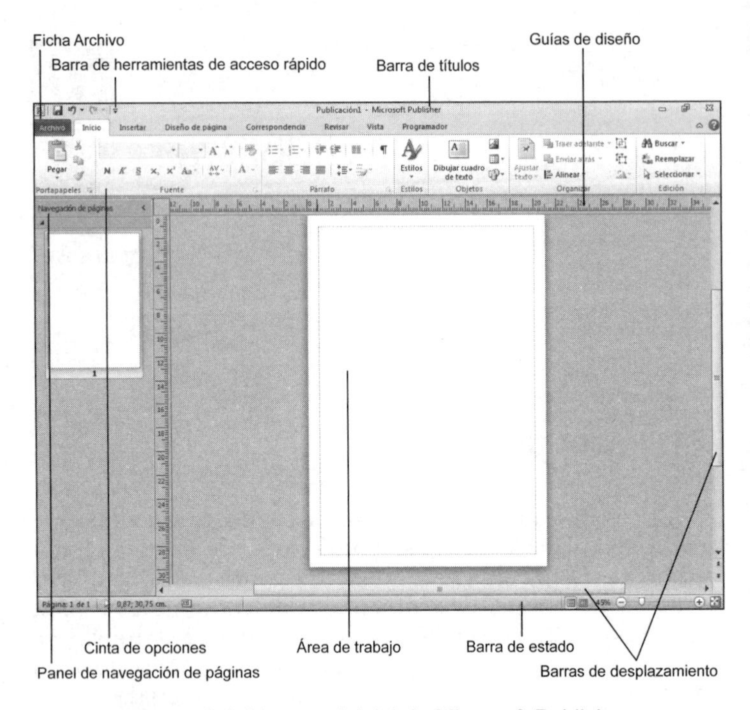

Figura 8.1. Ventana inicial de Microsoft Publisher.

1. **Barra de herramientas de acceso rápido:** Es una barra de herramientas que se puede personalizar y contiene un conjunto de comandos independientes de la ficha en la cinta de opciones que se muestra. Se le puede agregar o quitar botones que representan comandos. Ésta se encuentra en la esquina superior izquierda de la ventana.
2. **Barra de títulos:** Contiene el nombre que le ha asignado al documento una vez guardado. Si hasta el momento no lo ha guardado con ningún nombre, aparecerá como Publicación1 - Microsoft Publisher.
3. **Ficha Archivo:** Esta ficha reemplaza al Botón de Microsoft Office incluido en la versión anterior. Al hacer clic en la ficha Archivo, verá los comandos básicos, como abrir o imprimir un archivo.
4. **Cinta de opciones:** Compuesta por las fichas Inicio, Insertar, Diseño de página, Correspondencia, Revisar, Vista y Programador. Mantiene a la vista todas sus funciones para una rápida accesibilidad a sus distintas opciones.

5. **Panel de navegación de páginas:** Este panel permite visualizar las páginas de la publicación en miniatura.
6. **Área de trabajo:** Será donde escribirá y diseñará su publicación.
7. **Guías de diseño:** Ayudan a alinear los objetos en la publicación.
8. **Barras de desplazamiento:** Permiten moverse con rapidez por la zona de texto. Están situadas, una en la parte derecha de la ventana y otra, en la parte inferior.
9. **Barra de estado:** Muestra el número de hojas de la publicación, las coordenadas de ubicación del cuadro u objeto en el área de trabajo, opciones de zoom, entre otros. Esta barra es personalizable.

8.2.1. La cinta de opciones

La cinta de opciones aparece por primera vez en Microsoft Publisher, reemplazando una gran cantidad de menús. Se ha diseñado para ayudarle a encontrar fácilmente los comandos necesarios para completar una tarea. Los comandos se organizan en grupos y éstos a su vez en fichas. Cada ficha está relacionada con un tipo de actividad, como escribir o diseñar una página. Para reducir la aglomeración de elementos en pantalla, algunas fichas sólo se muestran cuando son necesarias, como por ejemplo la ficha Herramientas de imagen únicamente se muestra cuando se selecciona una imagen.

8.3. Tareas básicas para manejar archivos

8.3.1. Crear una publicación

Para crear una publicación, haga clic en la ficha Archivo y seguidamente, haga clic en Nuevo (véase la figura 8.2).

Puede crear una publicación en blanco o bien, utilizar una de las muchas que ofrece Publisher 2010.

Para crear una publicación en blanco:

1. Haga clic en la ficha Archivo, seleccione Nuevo y, a continuación, haga clic en **A4 en blanco (Vertical)** o en **A4 en blanco (Horizontal)**.
2. Si desea otro tamaño de página, haga clic en Más tamaños de páginas en blanco ( ).

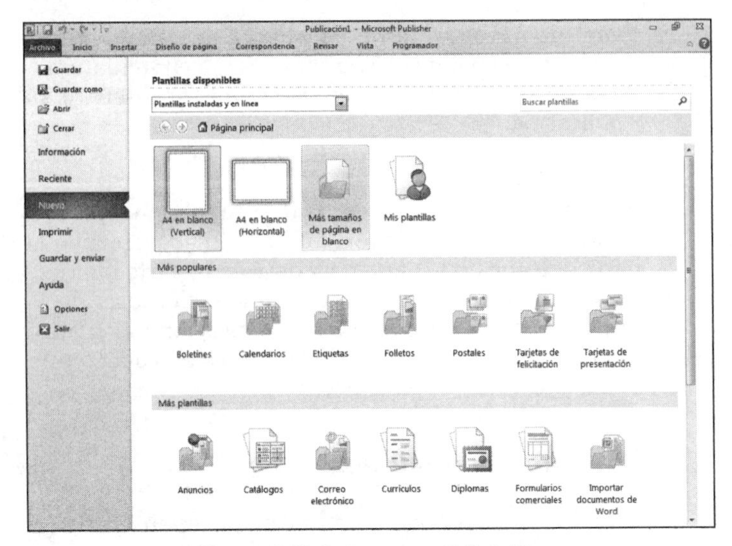

Figura 8.2. Crear una publicación.

3. Puede seleccionar un tamaño estándar, personalizar uno propio o elegir un tamaño que se adapte al tipo de publicación que desee crear.

Utilizar una plantilla para crear una publicación:

1. Haga clic en la ficha Archivo y,seleccione Nuevo.
2. Elija una plantilla de la galería, la cual dispone de plantillas predeterminadas con los tipos de publicaciones más comunes, como boletines, tarjetas de presentación, folletos, catálogos, entre otros.
4. Una vez seleccionada la plantilla, puede configurarla en la parte derecha de la ventana, véase la figura 8.3.
5. Haga clic en **Crear**.

> ***Nota:*** *Una plantilla puede constar de varias páginas, como por ejemplo una portada, una contraportada y varias páginas de ejemplo que integran cuadros de texto, imágenes dibujos u otros objetos.*

8.3.2. Guardar y cerrar una publicación

Una vez finalizado el trabajo, para guardar las publicaciones siga uno de los siguientes procedimientos:

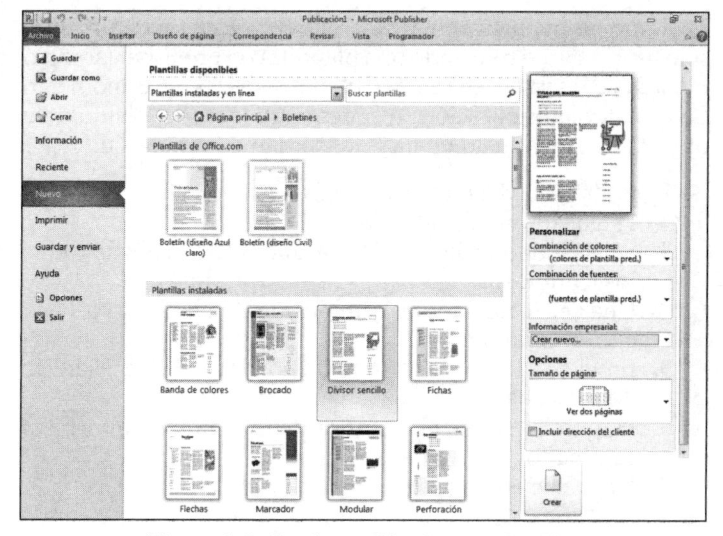

Figura 8.3. Configuración de una plantilla.

- Haga clic en la ficha Archivo y luego haga clic en Guardar. Si va a guardar el archivo por primera vez, debe darle un nombre al documento.
- Para guardar una copia de una publicación, haga clic en Guardar como de la ficha Archivo. Le aparecerá un cuadro de diálogo donde tendrá que seleccionar la ubicación donde quiera guardar el archivo. En el cuadro Nombre de archivo, escriba un nombre para el archivo y para finalizar, haga clic en **Guardar**.

8.3.3. Crear o cambiar una plantilla

Para crear una plantilla, siga estos pasos:

1. Cree la publicación que desee utilizar como plantilla.
2. En la ficha Archivo, haga clic en Guardar como.
3. En el cuadro Nombre de archivo, escriba un nombre para la plantilla.
4. En el cuadro Guardar como tipo, haga clic en Plantilla de Publisher (*.pub). La carpeta de destino pasará a llamarse `Plantillas`. Deberá guardar la plantilla en esta carpeta si desea que aparezca posteriormente en la vista preliminar de la galería de plantillas.
5. Haga clic en **Guardar**.

También puede cambiar una plantilla. Este procedimiento sólo funcionará si ha creado una plantilla con Publisher (si eligió Plantilla de Publisher en la lista Guardar como tipo en el momento de guardar la publicación) o si desea utilizar una plantilla de otros fabricantes creada para Publisher. A continuación:

1. En la ficha Archivo, haga clic en Nuevo.
2. Haga clic en Mis plantillas.
3. Seleccione la plantilla en la que desee realizar todos los cambios.
4. Una vez realizados los cambios, en la ficha Archivo, haga clic en Guardar.
5. En el cuadro Guardar como tipo, haga clic en Plantilla de Publisher.
6. Haga clic sobre el nombre de la plantilla que haya cambiado.
7. Haga clic en **Guardar**.

8.3.4. Crear un boletín

1. En la ficha Archivo, haga clic en Nuevo.
2. En Más populares, haga clic en Boletines.
3. Seleccione el diseño de boletín que desee. En el caso de la siguiente imagen (véase la figura 8.4), se ha seleccionado **Modular**.
4. Haga clic en **Crear**.
5. Utilice los comandos de la cinta de opciones para personalizar el boletín.
6. Si desea guardarla, en la ficha Archivo, haga clic en Guardar como. Escriba un nombre para la publicación y haga clic en **Aceptar**.

8.3.5. Crear una tarjeta de presentación

1. En la ficha Archivo, haga clic en Nuevo.
2. En Más populares, haga clic en Tarjetas de presentación.
3. Seleccione el diseño de tarjeta de presentación que desee. En el caso de la siguiente imagen (véase la figura 8.5), se ha seleccionado **Ondas**.
4. En Personalizar, si lo desea, puede modificar el aspecto original del diseño, la combinación de colores, las fuentes, el tamaño y la orientación de la página e incluir información empresarial o el logotipo.

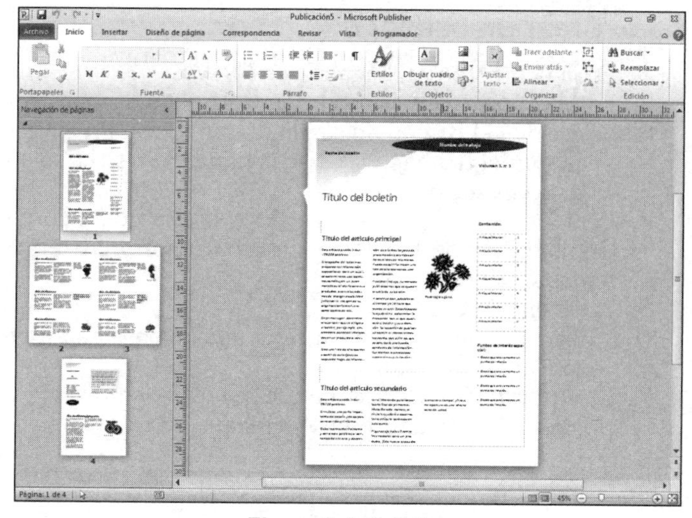

Figura 8.4. Boletín.

4. Haga clic en **Crear**.
5. Utilice los comandos de la cinta de opciones para personalizar la invitación.
6. En Archivo>Guardar como escriba un nombre para la publicación y haga clic en **Aceptar**.

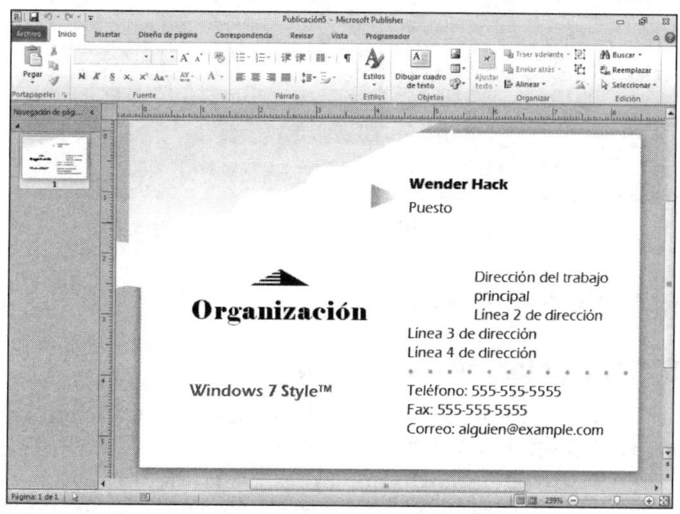

Figura 8.5. Tarjeta de presentación.

8.3.6. Crear un catálogo

1. En la ficha Archivo, haga clic en Nuevo.
2. En Más populares, haga clic en Catálogos.
3. Seleccione el diseño de catálogo que desee. En el caso de la siguiente imagen (véase la figura 8.6), se ha seleccionado **Estudio**.
4. Personalice las opciones de Combinación de colores, Combinación de fuentes, y otras opciones predeterminadas si lo desea.
5. Haga clic en **Crear**.
6. Utilice los comandos de la cinta de opciones para personalizar el catálogo.
7. En Archivo>Guardar como escriba un nombre para la publicación y haga clic en **Aceptar**.

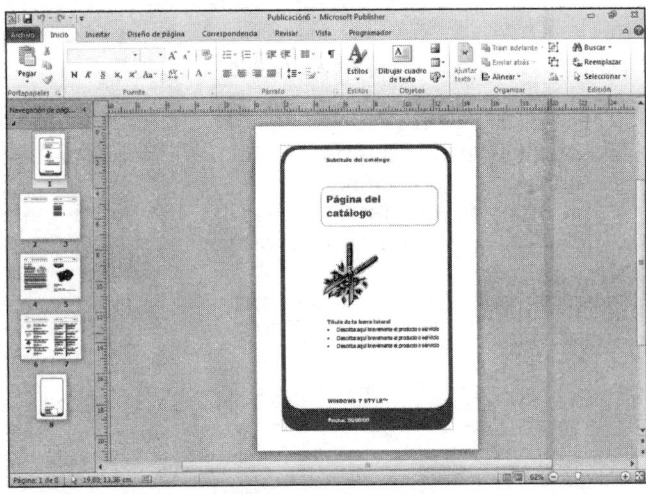

Figura 8.6. Catálogo.

8.4. Trabajar con texto

8.4.1. Copiar, cortar y pegar

Para copiar el texto de un cuadro de texto y pegarlo en otro, realice los siguientes pasos:

1. Seleccione el texto que desea copiar de un cuadro de texto y haga clic sobre él con el botón derecho del ratón. Haga clic en Copiar.

2. Seleccione el cuadro de texto en el que desea pegar el texto y haga clic donde decida pegarlo, a continuación, haga clic con el botón derecho del ratón y, por último, haga clic en Pegar. Puede elegir una de las opciones de pegado como mantener el formato de origen, combinar el formato o mantener sólo el texto.

> ***Nota:*** *Si desea mover un elemento en vez de copiarlo, en el menú contextual, haga clic en* Cortar *y no en* Copiar.

> ***Truco:*** *Para copiar también puede presionar las teclas* **Control-C**, *para cortar las teclas* **Control-X** *y para pegar las teclas* **Control-V**.

8.4.2. Modificar texto

Puede modificar texto directamente en Microsoft Publisher o Microsoft Word. Si sólo necesita modificar algunas palabras, resulta más rápido quedarse en Publisher. Si necesita modificar un artículo largo, puede resultar más fácil hacerlo en Word, además de beneficiarse de funciones como la revisión gramatical y el seguimiento de la revisión.

8.4.3. Buscar y reemplazar

Puede buscar una palabra o una frase y reemplazarla automáticamente por otra. Por ejemplo, puede reemplazar **Bici** por **Bicicleta**.

1. En la ficha Inicio, dentro del grupo Edición, haga clic en Buscar ().
2. En el cuadro Buscar y reemplazar, escriba el texto que desea buscar y haga clic en **Buscar siguiente**.
3. Para reemplazar, seleccione la opción Reemplazar en este mismo cuadro o, en el grupo Edición de la ficha Inicio, haga clic en Reemplazar ().
4. Escriba el texto que desea buscar en el cuadro Buscar, y el texto con el que desea sustituir el texto buscado en el cuadro Reemplazar con. Para buscar la siguiente aparición en el texto, haga clic en **Buscar siguiente** y para reemplazar una aparición en el texto, haga clic en **Reemplazar**. Tras hacer clic en **Reemplazar**, avanza a la siguiente aparición. Para reemplazar todas las apariciones, haga clic en **Reemplazar todas**.

8.4.4. Crear un cuadro de texto

En Microsoft Publisher, el texto no rellena el espacio existente entre los márgenes y el flujo de una página a la siguiente, como ocurre con los programas de procesamiento de texto. El texto se incluye en un contenedor denominado cuadro de texto.

Las publicaciones se crean distribuyendo los cuadros de texto en las páginas. Agregar texto nuevo a una publicación es un procedimiento de dos pasos:

1. Crear un nuevo cuadro de texto para contener el texto.
2. Escribir el texto que desee dentro del cuadro.

De esta forma Publisher le ofrece la posibilidad de:

- Colocar los cuadros de texto en cualquier lugar de las páginas y desplazarlo de un lado a otro en cualquier momento.
- Hacer que cada cuadro tenga el tamaño, formato, alineación, bordes y rellenos que desee y cambiarlos siempre que lo estime oportuno.
- Dividir un cuadro de texto en columnas.
- Conectar cuadros de texto, incluso cuadros de texto ubicados en distintas páginas.

Para crear un cuadro de texto, siga los siguientes pasos:

1. Haga clic en la ficha Insertar, y en el grupo Texto, haga clic en Dibujar cuadro de texto ( ).
2. En la publicación, haga clic en el lugar donde desee que aparezca una esquina del texto y, arrastre en diagonal hasta que el cuadro tenga el tamaño que desee.

Ajustar texto

Publisher puede reajustar el texto automáticamente en un cuadro de texto cuando éste no esté conectado a otros cuadros de texto. Para activar el ajuste de texto:

1. Haga clic en el cuadro de texto.
2. En la ficha Herramientas de cuadro de texto, en el grupo Texto, haga clic en Ajustar texto ( ).
3. Siga uno de estos procedimientos:
   - Para aumentar o reducir el tamaño del texto para que el cuadro de texto se rellene sin que se desborde, haga clic en Ajuste perfecto.

- Para reducir el tamaño de texto para que quepa dentro del cuadro de texto sin que se desborde, haga clic en Comprimir el texto al desbordarse.
- Para aumentar el tamaño del cuadro de texto para que quepa todo el texto con su tamaño de fuente actual sin que se desborde, haga clic en Expandir cuadro de texto hasta ajustar.
- Si desea que el texto no se ajuste automáticamente, haga clic en No autoajustar.

Texto en columnas

1. En la ficha Herramientas de cuadro de texto, en el grupo Alineación, haga clic en Columnas ( ).
2. Seleccione el número de columnas que desee. Si no aparece el número que necesita en el control, haga clic en Más columnas.
3. En el cuadro de diálogo Columnas, especifique el número de columnas y el espaciado entre ellas.

Vínculos entre cuadros de texto

Cuando se conectan cuadros de texto, el texto que no se ajuste en el primer cuadro, fluye al siguiente. Una cadena de cuadros de texto conectados, también denominada artículo, puede abarcar varias páginas diferetnes. Utilice cuadros conectados para:

- Continuar un artículo en otro cuadro de texto.
- Crear columnas con anchos diferentes.
- Mover texto en desbordamiento a otro cuadro.

Para vincular un cuadro de texto con otro:

1. Haga clic en el cuadro de texto que desea que aparezca en primer lugar en el artículo.
2. En la ficha Herramientas de cuadro de texto, en el grupo Vinculando, haga clic en Crear vínculo ( ). El puntero del ratón se convierte en una jarra ( ).
3. Haga clic en el cuadro de texto que desea que aparezca a continuación en el artículo.

Este cuadro de texto está conectado ahora al primer cuadro y el texto que se encontraba en el desbordamiento ahora se muestra en el siguiente cuadro. Para conectar más cuadros de texto al artículo, repita los pasos 2 y 3.

8.4.5. Agregar texto a una forma

Algunas formas, como las líneas, los conectores y algunos dibujos de formas libres, no tienen espacio para incluir texto. Aunque no se puede agregar texto a la forma, puede colocarlo cerca de ella. Sólo tiene que agregar un cuadro de texto, colocarlo cerca de la forma y escribir el texto en él.

1. Haga clic en la ficha Insertar, y en el grupo Ilustraciones, haga clic en Formas.
2. Haga clic en la forma para agregar el texto y comience a escribir.

Agrupar objetos:

1. Haga clic en el objeto y mantenga presionada la tecla **Mayús** mientras hace clic en cada uno de los objetos que desee incluir en el grupo.
2. En Herramientas de dibujo, en el grupo Organizar, haga clic en Agrupar ( ).

Desagrupar objetos:

1. Seleccione los objetos agrupados que desee desagrupar.
2. En Herramientas de dibujo, en el grupo Organizar, haga clic en Desagrupar ( ).

Truco: *Puede seleccionar un objeto de un grupo de objetos sin desagruparlo. Mantenga presionada la tecla* **Mayús** *mientras hace clic en el objeto que desee seleccionar.*

8.4.6. Ortografía

Para revisar la ortografía automáticamente mientras escribe, en la ficha Archivo, haga clic en Opciones. Seleccione Revisión en el menú de la izquierda y en Al corregir la ortografía en Publisher, active la casilla de verificación Revisar ortografía mientras escribe. Los subrayados con líneas rojas onduladas en el texto indicarán posibles errores ortográficos. Para corregir un error, haga clic con el botón derecho del ratón en una de las palabras subrayadas con una línea roja ondulada y, a continuación, haga clic en la opción que desee del menú contextual.

Comprobar la ortografía de una publicación

1. Haga clic en el cuadro de texto, marco de tabla o forma que desee comprobar.

2. En la ficha Herramientas, en el grupo Revisión, haga clic en Ortografía.
3. En el cuadro de diálogo Revisar la ortografía (véase la figura 8.7), haga clic en la opción que desee para cada palabra que aparezca en el cuadro No está en el diccionario. Puede dejar la ortografía de la palabra como está, cambiarla o agregar la palabra al diccionario. Puede omitir o suprimir las palabras repetidas.
4. Para detener la revisión ortográfica antes de que haya terminado, haga clic en **Cerrar**.

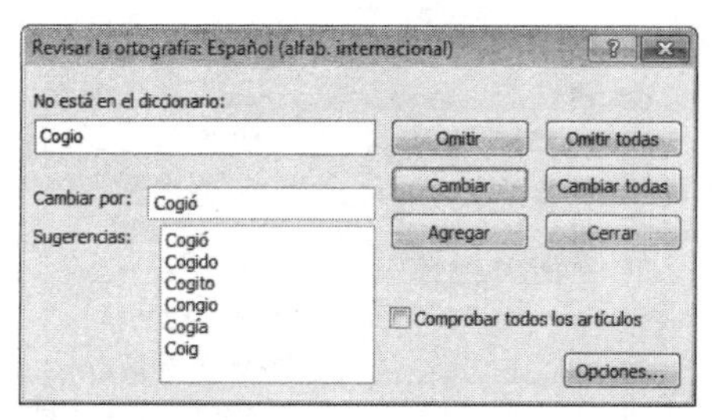

Figura 8.7. Cuadro de diálogo Revisar la ortografía.

> ***Nota:*** *Publisher comprueba si existen palabras mal escritas o repetidas en los cuadros de texto, marcos de tablas y formas, pero no comprueba los campos* Combinación de correspondencia *ni los objetos WordArt.*

8.5. Estilo y formato de texto

Un estilo de texto es un conjunto de características de formato que se pueden aplicar a un texto párrafo por párrafo. Un estilo contiene la información de formato del texto: fuente y tamaño de fuente, color de fuente, sangrías, espaciado, interlineado, tabulaciones y formatos especiales, como listas numeradas.

8.5.1. Estilos de texto

Aplicar un estilo a un texto:

1. Seleccione el texto o fragmento de texto al que desea aplicar el estilo.

2. En la ficha Inicio, dentro del grupo Estilos, haga clic sobre la opción Estilos.
3. Seleccione el estilo que desee.

Para crear un estilo de texto nuevo:

1. Seleccione el texto al que desea aplicar el nuevo estilo.
2. En la ficha Inicio, dentro del grupo Estilos, haga clic sobre la opción Estilos.
3. En la lista desplegable, haga clic en Nuevo estilo.
4. Seleccione las opciones que desee en el cuadro de diálogo Estilo nuevo (véase la figura 8.8).

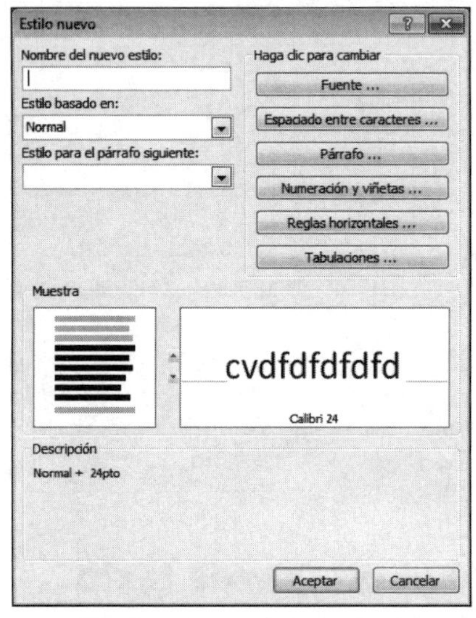

Figura 8.8. Cuadro de diálogo Estilo nuevo.

5. Haga clic en **Aceptar**.

Cambiar estilo de texto:

1. En la lista desplegable Estilos, haga clic con el botón derecho del ratón sobre el estilo que desee modificar.
2. En el menú contextual, haga clic en Modificar.
3. En el cuadro de diálogo Modificar un estilo, realice los cambios que desee.
4. Haga clic en **Aceptar**.

Puede importar estilos que haya utilizado en otra publicación o en un documento de Microsoft Word. Esto ayuda a que todas las publicaciones relacionadas tengan una presentación y efecto general comunes.

1. En la ficha Inicio, dentro del grupo Estilos, haga clic sobre la opción Estilos.
2. En la lista desplegable, haga clic en Importar estilos.
3. Haga clic en la publicación o el documento que contenga los estilos que desea importar.
4. Haga clic en **Aceptar**. Se importa cada estilo de la otra publicación o documento.

> ***Nota:*** *Si importa estilos de un archivo creado con Publisher 2000 o con una versión anterior, el estilo conocido como* Sin estilo *se convierte en el estilo* Normal.

8.5.2. Formatos de texto

Cambiar el color, tamaño y fuente del texto:

1. En Herramientas de cuadro de texto, en el grupo Fuente, haga clic en el Iniciador del cuadro de diálogo Fuente (véase la figura 8.9).

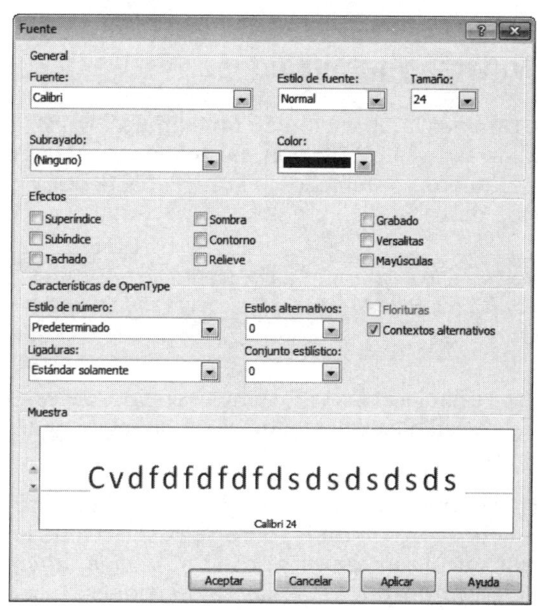

Figura 8.9. Cuadro de diálogo Fuente.

2. Elija el tipo de fuente, el tamaño y el color del texto. Puede añadirle efectos, como sombreado o contorno.

Espaciado entre caracteres:

1. Seleccione el texto que desea cambiar el espacio de caracteres.
2. En Herramientas de cuadro de texto, en el grupo Fuente, haga clic en Espaciado entre caracteres (AV).
3. Seleccione una de las opciones de la lista desplegable. Si ninguna se ajusta a sus necesidades, haga clic en Más espacio.
4. En el cuadro de diálogo Espaciado entre caracteres, ajuste las opciones como desee.
5. Haga clic en **Aplicar** y luego en **Aceptar**.

Convertir el texto en vertical:
Puede cambiar la dirección del texto para que fluya verticalmente en vez de horizontalmente. Para ello:

1. Seleccione el cuadro de texto, forma o tabla donde desea cambiar la dirección del texto.
2. En Herramientas de cuadro de texto, en el grupo Texto, haga clic en Dirección del texto ().

8.5.3. Viñetas y tabulaciones

Para cambiar la ubicación de una tabulación existente, en la regla, arrastre la tabulación existente que desea cambiar hacia la izquierda o derecha de la regla hasta que encuentre la posición deseada.

> ***Nota:*** *La regla debe estar visible para poder definir o borrar las tabulaciones. En la ficha* Vista, *en el grupo* Mostrar, *haga clic en* Reglas.

Si desea establecer las tabulaciones en posiciones concretas que no logra establecer haciendo clic en la regla, siga este procedimiento:

1. Haga doble clic en la tabulación situada en la regla.
2. En el cuadro de diálogo Párrafo, seleccione la tabulación que desea cambiar de la lista y haga clic en **Borrar**. Si desea borrar todas las tabulaciones, haga clic en **Borrar todo**.

3. Escriba la medida para la nueva posición de tabulación y haga clic en **Establecer**.
4. Para aplicar los cambios, haga clic en **Aceptar**.

Fijar tabulaciones

Puede utilizar la regla para fijar tabulaciones manualmente a la izquierda, derecha o en el centro de las publicaciones.

- Una tabulación izquierda fija la posición inicial de un texto que se extenderá hacia la derecha al escribir.
- Una tabulación central fija la posición en el centro del texto. El texto se centra en esta posición al escribir.
- Una tabulación derecha fija la posición en el extremo derecho del texto. Al escribir, éste se extiende hacia la izquierda.
- Una tabulación decimal alinea los números en torno al punto decimal, éste siempre mantendrá la misma posición.

Crear una lista con viñetas

1. En Herramientas de cuadro de texto, en el grupo Párrafo, haga clic en Viñetas.
2. Seleccione una de las mostradas en la lista desplegable o bien, haga clic en Numeración y viñetas.
3. Ajuste las opciones a sus necesidades y haga clic sobre el botón **Aceptar**.
4. Escriba el primer elemento de la lista y, a continuación, realice una de las acciones siguientes:
   - Para comenzar una línea nueva con una viñeta, presione la tecla **Intro**.
   - Para comenzar una línea nueva sin una viñeta, presione las teclas **Mayús-Intro**.
   - Para finalizar una lista con viñetas, presione la tecla **Intro** dos veces.

Crear una lista numerada

1. En Herramientas de cuadro de texto, en el grupo Párrafo, haga clic en Numeración.
2. Seleccione una de las mostradas en la lista desplegable o bien, haga clic en Numeración y viñetas.
3. Ajuste las opciones a sus necesidades y haga clic sobre el botón **Aceptar**.

4. Escriba el primer elemento de la lista y, a continuación, realice una de las acciones siguientes:
   - Para comenzar una línea nueva con un número, presione la tecla **Intro**.
   - Para comenzar una línea nueva sin un número, presione las teclas **Mayús-Intro**.
   - Para finalizar una lista numerada, presione la tecla **Intro** dos veces.

8.6. Diseño de páginas

8.6.1. Elegir un tamaño de página

En la pestaña Diseño de página, utilice la lista Tamaño del grupo Configurar página para seleccionar un tamaño de página o crear uno nuevo personalizado para la publicación. Puede elegir cualquier tamaño de página, si el tamaño de página que desea aparece en otra categoría diferente de tipos de publicación.

Por ejemplo, si está creando un menú, los tamaños de página predeterminados para los menús aparecen en la plantilla Menú. No obstante, puede hacer un menú de tamaño de pancarta haciendo clic en la plantilla Pancartas y seleccionando un tamaño de página o puede hacer clic en el botón **Crear tamaño de página personalizado** en la lista Tamaño para crear un menú con el tamaño que desee.

Seleccionar un tamaño de página estándar

Tras crear una publicación, haga clic en la ficha Diseño de página y, en el grupo Configurar página, haga clic en Tamaño.

1. Haga clic sobre el icono que representa el tamaño de página que desea utilizar. Por ejemplo, haga clic en **Carta 21,59 x 27,94 cm**.
2. Si no ve el tamaño que desea, puede desplazarse hacia abajo y elegir un tamaño de otro tipo de publicación. Por ejemplo, si desea imprimir el menú como pancarta, puede ir a Tamaño y hacer clic en **Más tamaños de página preestablecidos**, escoja **Pósteres** y, a continuación **Pancarta**.

Crear un tamaño de página personalizado

Si desea usar un tamaño de página diferente para una publicación, como un tamaño de 12,7 x 22,86 cm para un anuncio, puede crear un tamaño de página personalizado.

Al crear un tamaño de página personalizado, se agrega automáticamente a la lista de tamaños de página de la categoría de tipo de publicación.

Tras crear una publicación, haga clic en la ficha Diseño de página y, a continuación, en el grupo Configurar página, haga clic en Tamaño.

Al final de la lista, haga clic sobre la opicón Crear nuevo tamaño de página.

> **Nota:** *Si hace clic en* Crear nuevo tamaño de página *en un tipo de publicación, el nuevo tamaño de página aparecerá en ese tipo de publicación. Por ejemplo, si hace clic en* Crear nuevo tamaño de página *en* Anuncios, *el nuevo tamaño de página aparecerá ahí.*

1. En el cuadro de diálogo Crear nuevo tamaño de página, seleccione las opciones que desee, escriba un nombre para el tamaño de página personalizado y haga clic en **Aceptar** (véase la figura 8.10).
2. Tras crear un tamaño de página personalizado, puede cambiarlo, duplicarlo o eliminarlo eligiendo el tamaño de página personalizado, haciendo clic con el botón derecho del ratón sobre él y seleccionando Editar, Eliminar o Guardar como personalizado para guardarlo con otro nombre diferente.

> **Nota:** *Si reduce los márgenes de una publicación para dejar más espacio en la página, es posible que desee mover los objetos al área agregada. Aunque haya cambiado los márgenes, debe asegurarse de que los objetos que desea imprimir siguen en el área imprimible para una determinada impresora.*

8.6.2. Márgenes de página o de cuadro de texto

Hay dos tipos de márgenes en Publisher. Los márgenes de página que determinan la distancia desde los bordes de una página con los objetos que contiene dicha página, y los márgenes de cuadro de texto que determinan la distancia desde el borde del cuadro de texto al texto que contiene el cuadro. Puede especificar los márgenes de página en la ficha Diseño de página, haciendo clic en Márgenes en el grupo Configurar página. Para especificar los márgenes de un cuadro de texto, deberá crear el cuadro de texto desde la ficha Insertar y, una vez creado, desde la ficha Herramientas de cuadro de texto, haga clic en Márgenes y seleccione el que más se ajuste a sus necesidades (véase la figura 8.11).

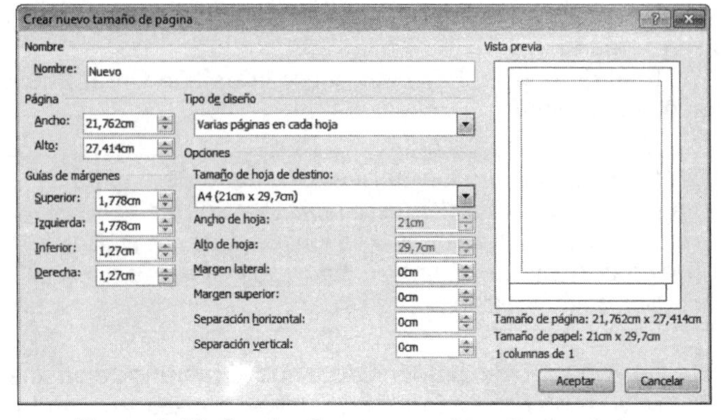

Figura 8.10. Cuadro Crear nuevo tamaño de página.

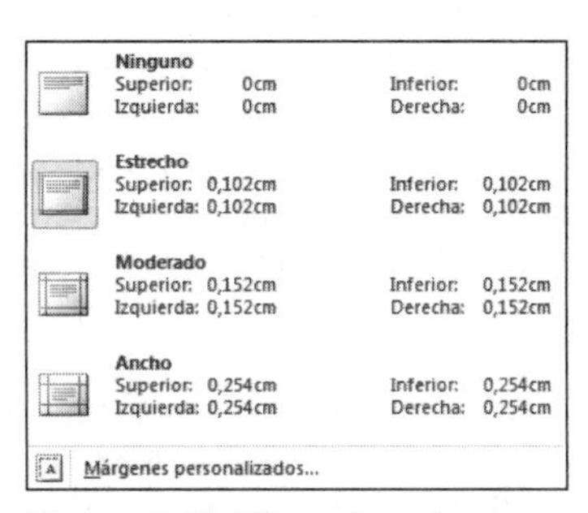

Figura 8.11. Tipos de márgenes.

> ***Truco:*** *Las impresoras de escritorio suelen tener una zona no imprimible en torno a los bordes del papel, que suele tener entre 4,3 mm y 12,7 mm de ancho. No se imprimirá nada de lo que haya situado en esa zona. Si establece los márgenes de página para su publicación de manera que coincidan con el margen mínimo admitido por su impresora, primero debe averiguar el tamaño de la zona no imprimible de la impresora.*

Establecer los márgenes dentro de un cuadro de texto

1. Haga clic con el botón derecho del ratón sobre un cuadro de texto y, a continuación, haga clic en Formato de cuadro de texto.

2. En el cuadro de diálogo Formato de cuadro de texto, haga clic en la ficha Cuadro de texto.
3. En Márgenes de cuadro de texto, escriba o seleccione los valores de los márgenes Izquierdo, Derecho, Superior e Inferior.
4. Haga clic en **Aceptar**.

8.6.3. Sangría e interlineado

Los márgenes de cuadro de texto determinan el ancho global del área de texto principal (es decir, el espacio entre el texto y el borde del cuadro de texto). La sangría determina la distancia del párrafo al borde derecho o izquierdo del cuadro de texto. Dentro de los márgenes, podrá aumentar o reducir la sangría de un párrafo o grupo de párrafos. También podrá crear una sangría negativa, que mueva el párrafo hacia el margen izquierdo si el sentido del texto es de izquierda a derecha o hacia el margen derecho si el sentido del texto es de derecha a izquierda. Otra posibilidad es crear una sangría francesa, en la que no se sangra la primera línea del párrafo pero sí las líneas siguientes.

Puede establecer la sangría en la ficha Inicio del grupo Párrafo mediante los comandos Aumentar posición de sangría ( ) y Disminuir posición de sangría ( ).

- **Alineación:** La alineación horizontal del texto determina la apariencia y la orientación de los bordes izquierdos y derecho del párrafo con respecto a los márgenes del cuadro de texto (y las sangrías existentes). Las alineaciones más frecuentes son izquierda, derecha, centrar y justificar.
  Puede establecer la alineación en la ficha Inicio en el grupo Párrafo. Las opciones de alineación de texto son las siguientes:
  - **Izquierda:** El carácter del extremo izquierdo de cada línea se alinea con el margen izquierdo y las posiciones de los caracteres del borde derecho de cada línea son desiguales.
  - **Centrar:** Se alinea el centro de cada línea de texto con el punto central de los márgenes derecho e izquierdo del cuadro de texto y los bordes izquierdos y derecho de cada línea quedan desiguales.
  - **Derecha:** El carácter del extremo derecho de cada línea se alinea con el margen derecho y las posiciones

de los caracteres del borde izquierdo de cada línea son desiguales. Es la alineación predeterminada para párrafos en los que el sentido del texto es de derecha a izquierda.

- **Justificar:** Se alinean el primer y el último carácter de cada línea (excepto la última) con los márgenes izquierdo y derecho y se llenan las líneas agregando o quitando espacio entre palabras y en ellas.
- **Distribuida:** Se alinean el primer y el último carácter de cada línea (excepto la última) con los márgenes izquierdo y derecho y se llenan las líneas agregando o quitando la misma cantidad de cada carácter.
- **Distribuir todas las líneas:** Se alinean el primer y el último carácter de cada línea (incluida la última línea del párrafo) con los márgenes izquierdo y derecho y se llenan las líneas agregando o quitando la misma cantidad de cada carácter.
- **Además de la alineación horizontal:** Puede alinear texto verticalmente, para ello diríjase a la ficha Herramientas de cuadro de texto y en el grupo Alineación, seleccione el tipo de alineación que desee (véase la figura 8.12).

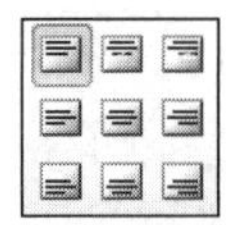

Figura 8.12. Tipos de Alinaciones.

- **Interlineado:** Determina la cantidad de espacio vertical entre las líneas de texto de un párrafo. Si una línea contiene un carácter de texto o un gráfico grande, Publisher aumentará el espaciado para esa línea. Para espaciar todas las líneas uniformemente, deberá especificar una cantidad exacta de espaciado escribiendo un valor y una unidad de medida.

8.6.4. Guías de diseño

Las guías se clasifican en guías de márgenes, columnas, filas y líneas de base. Se utilizan para crear una cuadrícula en una página principal. Esta cuadrícula aparece en todas las páginas en que se utilice dicha página principal. Las guías de diseño permiten organizar el texto, las imágenes y demás objetos en columnas y filas para que la publicación tenga un aspecto uniforme. Puede configurar las guías de diseño en Grupo diseño en la lista Guías de diseño.

Las guías de márgenes, las guías de columnas y las guías de filas se representan mediante líneas punteadas azules, las guías de líneas de base se representan mediante líneas punteadas doradas y las guías de regla se representan mediante líneas punteadas verdes.

Para estructurar la página con guías de diseño, en la ficha Diseño de página, haga clic en Guías de diseño y después realice una de las acciones siguientes:

- Configurar las guías de filas y columnas:
  1. Haga clic en Guía de cuadrícula y línea base.
  2. En el campo Guías de columnas, escriba el número de columnas y después escriba el valor del espaciado que desee.
  3. En Guías de filas, escriba el número de filas y después el valor del espaciado que desee.
- Configurar las guías de líneas de base:
  1. Haga clic en la ficha Guías de líneas de base.
  2. En Línea de base horizontal, escriba o seleccione el valor de espaciado que desee y después escriba el valor de desplazamiento que desee entre la primera guía de línea de base y el margen superior.
  3. Haga clic en **Aceptar**.

También puede configurar las columnas de texto con las guías de diseño. Este procedimiento resulta útil si trabaja en una publicación que no tiene columnas de texto prediseñadas (por ejemplo, está creando un boletín desde el principio y no a partir de una plantilla prediseñada).

8.6.5. Insertar, mover o eliminar una página

Cuando agregue o elimine páginas, deberá trabajar en el primer plano de la publicación. Si no es así, en la ficha Diseño de página, haga clic en Páginas principales ( ) y, a continuación, haga clic en **Ninguno**.

Para agregar una página:

1. En la publicación abierta, vaya a la página que va a estar antes o después de las páginas que desea agregar.

2. En la ficha Insertar, en el grupo Páginas haga clic en Página y, a continuación, en **Insertar página**.
3. En el cuadro de diálogo Insertar página (véase la figura 8.13), seleccione las opciones que desee y haga clic sobre el botón **Aceptar**.

> ***Nota:*** *Si se encuentra en la vista de dos páginas, es mejor agregar páginas en múltiplos de cuatro.*

También puede agregar una página duplicada. En el panel de navegación de páginas, haga clic con el botón derecho del ratón en la página que desee copiar.

En el menú contextual, haga clic en Insertar página duplicada. La página duplicada se insertará en la publicación inmediatamente después de la página seleccionada.

Puede alternar cualquiera de estos procedimientos tanto para crear una nueva página, como para crear una página duplicada.

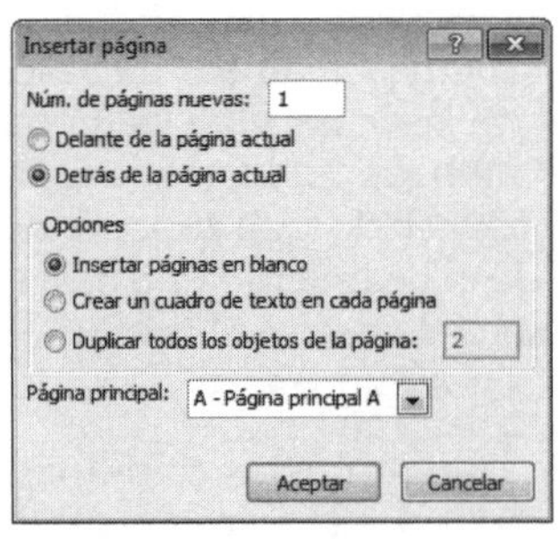

Figura 8.13. Cuadro de diálogo Insertar página.

> ***Nota:*** *Si se encuentra en la vista de dos páginas, se insertará una nueva vista de dos páginas inmediatamente después de la vista de dos páginas seleccionada.*

Al eliminar una página, sólo se eliminará con ella el texto y los objetos específicos de la página. Por ejemplo, si la página contiene texto procedente de una cadena de marcos conectados, el texto simplemente se moverá a una página adyacente.

Para eliminar una página de una publicación siga el siguiente procedimiento:

1. En la publicación abierta, mediante el panel de navegación de páginas vaya a la página que desee eliminar.

2. Haga clic con el botón derecho del ratón en ella y, seguidamente haga clic en Eliminar.
3. Si se encuentra en la vista de dos páginas, aparecerá el cuadro de diálogo Eliminar página. Seleccione la opción que desee y, a continuación, haga clic en **Aceptar** (véase la figura 8.14).

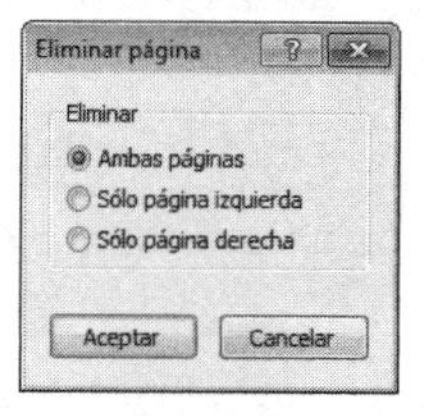

Figura 8.14. Cuadro de diálogo Eliminar página.

> ***Nota:*** *Si se encuentra en la vista de dos páginas, es mejor eliminar páginas en múltiplos de cuatro.*

Para mover una página de su ubicación, puede hacerlo desde el panel de navegación de páginas, haciendo clic con el botón derecho del ratón sobre la página que desea mover y, a continuación, haciendo clic en Mover (véase la figura 8.15).

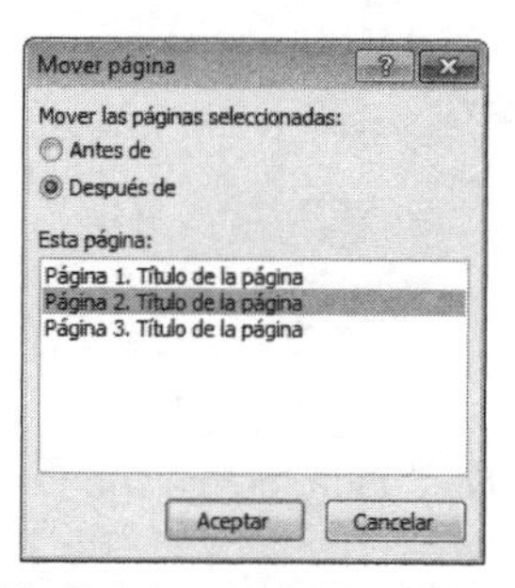

Figura 8.15. Cuadro de diálogo Mover página.

8.6.6. Cambiar nombre de una página

Puede cambiar el nombre de la página que desee mediante el siguiente procedimiento:

1. En la publicación abierta, mediante el panel de navegación de páginas vaya a la página a la que desee cambiar el nombre.

2. Haga clic con el botón derecho del ratón en ella y, seguidamente haga clic en Cambiar nombre (véase la figura 8.16).
3. Escriba el nombre que desee para la página y haga clic en **Aceptar**.

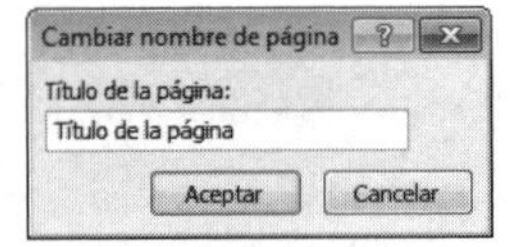

Figura 8.16. Cuadro de diálogo Cambiar nombre de página.

8.7. Tablas

Crear una tabla y escribir texto en ella

1. En la ficha Insertar, haga clic en Tabla, dentro del grupo Tablas.
2. Aparecerá una lista en la que podrá insertar directamente una tabla de hasta 10x8, pero si lo prefiere puede hacer clic en Insertar tabla para crear una tabla a su gusto.
3. Aparecerá el cuadro de diálogo Crear tabla (véase la figura 8.17).
4. Seleccione las opciones que desee y, a continuación, haga clic en **Aceptar**.

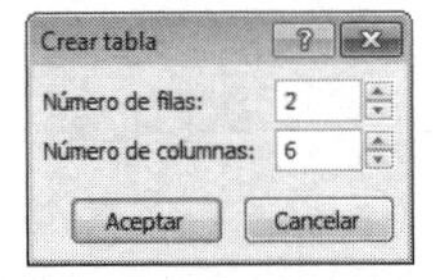

Figura 8.17. Cuadro de diálogo Crear tabla.

Ajustar el tamaño de la tabla:

1. Seleccione la tabla, coloque el puntero del ratón sobre un asa de selección hasta que aparezca el icono **Tamaño** y, a continuación, arrastre para cambiar el tamaño de la tabla.
2. En la tabla, haga clic en la celda donde desee agregar texto y comience a escribir.

Para poder agregar texto a otra celda, haga clic dentro de esa celda.

Las celdas se expanden para ajustar el texto, a menos que bloquee el tamaño de la tabla desactivando la casilla de verificación situada junto a la opción Aumentar para ajustar el texto situada en la ficha Diseño de herramientas de tabla, en el grupo Tamaño.

Crear una tabla a partir de texto existente

1. Si el texto se encuentra en una tabla, seleccione las celdas que desee.
2. Si el texto está incluido en un cuadro de texto, asegúrese de que haya una tabulación o una coma entre las entradas de las filas y una marca de párrafo al final de cada fila. Resalte el texto.
3. Haga clic en el texto resaltado con el botón derecho del ratón y, a continuación, haga clic en Copiar.
4. En la ficha Inicio, haga clic en Pegar y, a continuación en Pegado especial (véase la figura 8.18).
5. Se abrirá un cuadro de diálogo, seleccione Nueva tabla.
6. Para finalizar, haga clic en **Aceptar**.

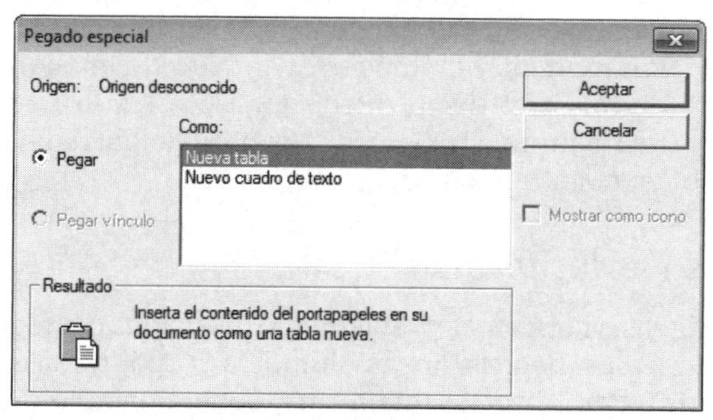

Figura 8.18. Cuadro de diálogo Pegado especial.

8.8. Trabajar con imágenes

8.8.1. Marcador de posición de imagen

Deberá insertar un marco de imagen vacío para reservar un espacio para las imágenes que desea agregar más tarde. Para ello en la ficha Insertar, haga clic en Marcador de posición de imagen en el grupo Ilustraciones.

8.8.2. Insertar imagen

Puede insertar imágenes desde la Galería multimedia o la Galería de diseño. Para, ello tiene que buscar el clip multimedia que desee insertar. Siga estos pasos:

1. En la ficha Insertar, dentro del grupo Ilustraciones, haga clic en Imágenes prediseñadas.
2. En el cuadro Buscar escriba una palabra o frase que describa el clip que desea. Para limitar los resultados de la búsqueda a un tipo concreto de archivo, en la lista Los resultados deben ser, active la casilla de verificación situada junto a los tipos de clips que desee buscar.
3. Haga clic en Buscar.
4. En Resultados, haga clic en el clip para insertarlo.

Para insertar una imagen desde un archivo:

1. En la ficha Insertar, haga clic en comando Imagen ( ).
2. En el cuadro de diálogo Insertar imagen busque la carpeta que contiene la imagen que desea insertar y, después, haga clic en el archivo de imagen.
3. Lleve a cabo uno de los procedimientos siguientes:
   - Para incrustar la imagen, haga clic en **Insertar**.
   - Para vincular la imagen al archivo de imagen guardado en el disco duro, haga clic en la flecha situada junto a **Insertar** y, a continuación, haga clic en Vincular al archivo.

8.8.3. Insertar formas

Puede insertar formas previamente diseñadas como rectángulos y círculos, flechas, líneas, símbolos de diagrama de flujo y llamadas. Para insertar una forma, deberá hacerlo desde la pestaña Insertar, haciendo clic en el comando Formas, dentro del grupo Ilustraciones. Se desplegará una lista en la que podrá elegir las formas que más se ajusten a sus necesidades.

8.9. Imprimir

8.9.1. Establecer una impresora como predeterminada

Para que pueda imprimir documentos, es necesario configurar la impresora.

1. Haga clic en la ficha Archivo y, luego, haga clic en Imprimir.
2. Haga clic en la flecha del apartado Impresora y se desplegará una lista donde podrá seleccionar la impresora deseada. Si no aparece la impresora que desea utilizar, haga clic en Agregar impresora.
3. Siga las instrucciones del asistente.

Probablemente, le aparezcan por defecto varios iconos de impresoras. Para establecer una impresora como predeterminada:

1. Haga clic en el botón **Inicio** (situado en la esquina inferior izquierda de la pantalla) y haga clic en Panel de Control.
2. Haga clic en Dispositivos e Impresoras.
3. Con el botón derecho del ratón, haga clic en el icono de la impresora que desee utilizar como predeterminada.
4. Aparecerá un menú contextual, haga clic en Establecer como impresora predeterminada.
5. Si hay una marca de verificación junto al icono **Impresora**, ya está configurada como predeterminada.

8.9.2. Configuración para imprimir una publicación

Puede obtener una vista previa e imprimir presentaciones en un solo lugar, apareciendo automáticamente las propiedades de la impresora predeterminada y de la página en la primera sección, y la vista preliminar de su presentación en la segunda sección.

Para visualizar las páginas a imprimir antes de ser impresas, utilizamos la vista preliminar.

1. Haga clic sobre la ficha Archivo y, a continuación, haga clic en Imprimir.
2. En la parte derecha de la ventana aparecerá el documento o los documentos a imprimir. Utilice los botones de **Página siguiente** o **Página anterior** para cambiar a una página diferente.
3. Puede acercar o alejar la página utilizando el control deslizante de zoom, situado en la esquina inferior derecha. Si desea tener una vista preliminar de todas las páginas de la publicación, haga clic en Ver varias hojas y seleccione el número de páginas que desee ver.

Para imprimir un número de copias de un documento o seleccionar sólo algunas páginas para que sean impresas, se necesita una configuración previa. Seleccione las opciones que desee en Configuración, como el intervalo de páginas, la distribución del contenido, orientación y tamaño de página, entre otros.

8.9.3. Cancelar impresión

Si está desactivado el modo de impresión en segundo plano, haga clic en **Cancelar** o haga clic en la tecla **Esc**.

Si está activado el modo de impresión en segundo plano, haga clic en el icono de impresora situado en la barra de estado (en el margen inferior de la ventana de Publisher).

> ***Advertencia:*** *Si va imprimir un documento corto y está activado el modo de impresión en segundo plano, puede que el icono de impresora no aparezca en la barra de estado el tiempo suficiente para que pueda hacer clic en él y cancelar la impresión.*

9

Otras Herramientas de Office

9.1. InfoPath

Microsoft InfoPath es una herramienta que permite a los equipos de trabajo y las organizaciones reunir de forma efectiva la información que necesitan a través de formularios completos y dinámicos. La información recopilada puede ser integrada con una amplia variedad de procesos debido a que InfoPath es compatible con cualquier esquema *Extensible Markup Language* (XML), definido por el cliente y se integra con los servicios XML Web. Microsoft InfoPath 2010 incluye muchas características y capacidades nuevas para ayudarle a diseñar formularios avanzados, incluso si no ha usado nunca esta aplicación. La automatización y el flujo de trabajo simplificado, le permitirá comenzar a diseñar formularios sencillos de forma más rápida y sencilla. Presenta mejoras en diseño y distribución, como la nueva cinta de opciones que ofrece una interfaz de usuario más despejada y simple para aquellas personas que rellenan y diseñan formularios, mostrando los comandos en una estructura de fichas organizadas por tareas relacionadas con una actividad específica. Le permitirá encontrar fácilmente las herramientas necesarias para crear formularios atractivos y eficaces. Ofrece una mayor integración con SharePoint y proporciona un mayor soporte para las características y controles de los formularios de explorador, facilitando el uso de Web para recopilar y mantener información.

Para iniciar InfoPath, haga clic en el botón **Inicio**, situado en la esquina inferior izquierda, seleccione Todos los programas, haga clic en la carpeta `Microsoft Office` y, a continuación, haga clic en Microsoft InfoPath.

9.1.1. Trabajar con plantillas

Abrir una plantilla de formulario almacenada en su equipo

1. Haga clic en la ficha Archivo y haga clic en Abrir ( ).
2. En el cuadro de diálogo Abrir en modo Diseño, seleccione la plantilla de formulario que desee abrir.
3. Por último, haga clic en **Abrir**.

Plantillas de formulario

Puede elegir una de las plantillas de formularios que ofrece InfoPath 2010, ayudándole a diseñar el formulario adecuado a sus necesidades. Para simplificar el proceso de diseño, algunas plantillas incluyen la tabla de diseño predeterminada o configuración automática de opciones.

1. Plantillas de formulario más comunes:
   - **Lista de SharePoint:** Personaliza un formulario ya usado para ver y modificar elementos en una lista de SharePoint.
   - **Biblioteca de formularios de SharePoint:** Diseña un formulario para recopilar datos que se van a guardar en una biblioteca de formularios SharePoint.
   - **Correo electrónico:** Diseña un formulario que puede ser distribuido y enviado por correo electrónico.
   - **Formulario en blanco:** Comenzar un formulario en blanco, permitiéndole elegir un diseño, aplicarle un formato, entre otras cosas.
   - **Formulario en blanco (InfoPath Filler):** Comenzar un formulario en blanco que sólo puede rellenarse con Microsoft InfoPath Filler.
2. Plantillas de formulario avanzadas:
   - **Base de datos:** Diseña un formulario para recopilar datos que se almacenan en una base de datos de Access o de Microsoft SQL Server.
   - **Servicio Web:** Diseña un formulario para enviar y recibir consultas hacia un servicio Web.
   - **XML o esquema:** Diseña un formulario basado en un archivo XML o de esquema.
   - **Archivo de conexión de datos:** Diseña un formulario para consultar un origen de datos de SharePoint definido en un archivo de conexión de datos.
   - **Convertir formulario existente:** Convierte automáticamente un formulario existente en una plantilla de formulario de InfoPath.

- **Panel de información del documento:** Personaliza un formulario usado para editar las propiedades de los documentos de Microsoft Office almacenados en una biblioteca de documentos de SharePoint.

Para abrir cualquiera de estas plantillas, haga clic en la ficha Archivo y seguidamente, haga clic en Nuevo. Seleccione la plantilla que desee y haga doble clic en ella, o bien haga clic en el botón **Diseñar formulario**.

9.1.2. Crear un formulario

A continuación, verá un ejemplo de creación de formulario a partir de una plantilla existente, que integra una serie de elementos y controles habituales. Puede servir de base modelo para el diseño de sus propios formularios.

Abra un formulario almacenado en su equipo siguiendo los pasos anteriormente explicados. Hemos escogido un modelo de formulario prediseñado, véase la figura 9.1

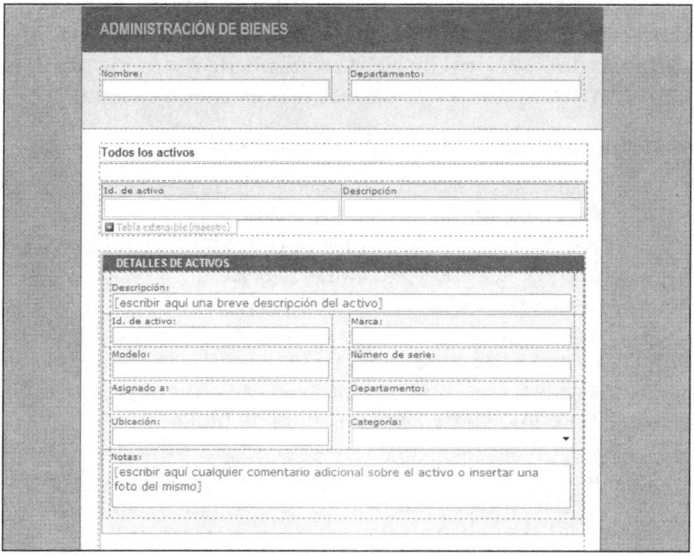
ADMINISTRACIÓN DE BIENES
Nombre:
Departamento:
Todos los activos
Id. de activo
Descripción
Tabla extensible (maestro)
DETALLES DE ACTIVOS
Descripción:
[escribir aquí una breve descripción del activo]
Id. de activo:
Marca:
Modelo:
Número de serie:
Asignado a:
Departamento:
Ubicación:
Categoría:
Notas:
[escribir aquí cualquier comentario adicional sobre el activo o insertar una foto del mismo]

Figura 9.1. Modelo de formulario prediseñado.

En este formulario prediseñado puede identificar diferentes controles, como cuadros de texto, listas desplegables, imágenes, expresiones y tablas.

Existe una gran variedad de elementos que nos permiten diseñar y estructurar formularios muy completos.

- **Diseño:** Podrá utilizar los diseños de página y las plantillas de tablas que ofrece InfoPath.
- **Controles:** Utilice la lista de controles para capturar la información en un formulario. Los más utilizados son la caja de texto, el campo de lista desplegable, el control de archivo (nos permite incluir cualquier archivo dentro de nuestro formulario), etc.
- **Vistas:** Puede visualizar la información en diferentes vistas, donde cada una de ellas es una hoja distinta en el formulario.
- **Publicar plantilla de formulario:** Puede publicar una plantilla de formulario para permitir que los usuarios lo rellenen en un explorador Web.

9.1.3. Diseño de un formulario

Para diseñar una plantilla de formulario que sea visualmente atractiva y fácil de usar, las tablas de diseño pueden ayudarle a lograr ambos objetivos. InfoPath ofrece una colección de tablas de diseño prediseñadas que puede usar en la plantilla de formulario para proporcionar una estructura visual.

Insertar una tabla de diseño predefinida

1. En la plantilla de formulario, coloque el cursor donde desee insertar la tabla de diseño.
2. En la ficha Insertar, en el grupo Tablas, haga clic en Más para ver la galería de tablas de diseño.
3. Seleccione la que desee y haga clic en ella.
4. Para agregar más filas y columnas a la tabla, haga clic en una celda de la tabla en la plantilla de formulario y, después, haga clic en las opciones que desee la ficha Presentación de Herramientas de tabla.

Truco: *Para eliminar filas, columnas o la tabla, haga clic con el botón derecho del ratón en cualquier lugar de la tabla, seleccione* Eliminar *y, después, haga clic en la opción que desee.*

Insertar una tabla de diseño personalizada con dimensiones específicas

1. En la plantilla de formulario, coloque el cursor donde desee insertar la tabla de diseño.

2. En la ficha Insertar, en el grupo Tablas, haga clic en Tabla personalizada y seguidamente, haga clic en Tabla de diseño.
3. En el cuadro de diálogo Insertar tabla, escriba el número de filas y columnas que desee incluir en la tabla.

Dibujar una tabla de diseño personalizada

1. En la plantilla de formulario, coloque el cursor donde desee dibujar la tabla de diseño.
2. En la ficha Insertar, en el grupo Tablas, haga clic en Tabla personalizada y, a continuación, haga clic en Dibujar tabla.
3. El puntero adoptará la forma de un lápiz. Para definir los límites exteriores de la tabla, dibuje un rectángulo en la plantilla de formulario y, después, dibuje los límites de las columnas y filas dentro del rectángulo.

> **Nota:** *Para borrar una línea o un bloque de líneas, haga clic en* Borrador *en el grupo* Dibujar *de* Herramientas de tabla *y, después, haga clic y arrastre el borrador por la línea que desee borrar.*

También podrá utilizar plantillas de diseño de página y añadirle colores a éstas. Para ello, haga clic en Plantillas de diseño de página en la ficha Diseño de página. Seleccione la plantilla que desee, y si quiere añadirle color, asígnele un tema. Podrá ver la galería completa haciendo clic en Más.

9.1.4. Controles

InfoPath agrega automáticamente controles y etiquetas cuando insertamos una tabla de diseño a la plantilla de formulario. Determina el tipo de control que se debe agregar, en función del tipo de datos del campo o grupo.

La nueva galería de controles proporciona un medio rápido para agregar nuevos controles y modificar las propiedades de control. InfoPath 2010 incluyen los siguientes controles nuevos (véase la figura 9.2):

- **Botón de imagen:** Use una imagen personalizada como botón.
- **Selector de fecha y hora:** Con este control, puede escribir una fecha y una hora o seleccionar una fecha de un calendario en pantalla.

- **Hipervínculo:** Insertar hipervínculos al rellenar un formulario.
- **Selector de persona o grupo:** Escriba o seleccione una persona de una lista de SharePoint.
- **Línea de firma:** Le permite poder firmar digitalmente el formulario.
- **Selector de datos externos:** Escriba o seleccione elementos de sistemas externos a través de Servicios de conectividad empresarial (BCS).
- **Selector de metadatos administrados:** Seleccione valores de un conjunto de términos de metadatos administrados.

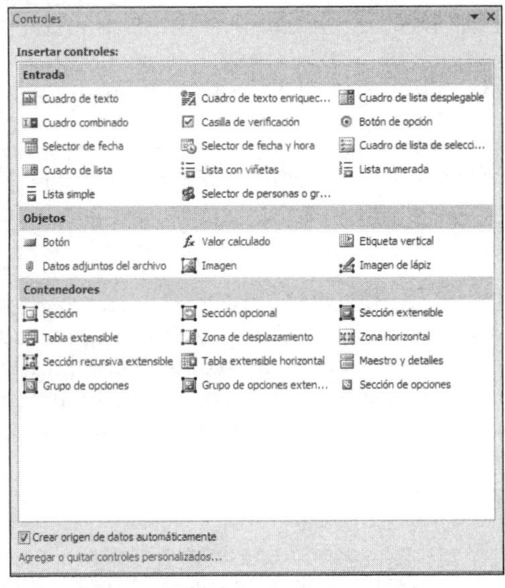

Figura 9.2. Galería de Controles.

Para agregar controles en una plantilla de formulario, en la ficha Inicio, en el grupo Controles, haga clic en la flecha para desplegar la galería de controles. Inserte tantos controladores como desee.

9.1.5. Vistas

Al diseñar varias vistas de formulario, puede ofrecer presentaciones diferentes de los datos. Por ejemplo, puede crear una vista especial optimizada para la impresión, o una vista de resumen que prescinda de algunos detalles de una plantilla de formulario compleja.

En la ficha Diseño de página, en el grupo Vistas, puede agregar o eliminar tipos de vista y cambiar de una vista a otra. Haciendo clic en Propiedades, puede personalizar la configuración de la vista seleccionada. Por ejemplo, puede crear o asociar una vista de impresión para diferenciarla de otro tipo de vista.

9.1.6. Publicar un formulario

1. Haga clic en la ficha Archivo y seleccione Publicar.
2. Seleccione uno de los siguientes tipos de publicación:
   - **Publicación rápida:** ( ) Actualice el formulario en su ubicación de publicación actual.
   - **SharePoint Server:** ( ) Publique el formulario en una biblioteca de formularios en SharePoint, donde otros usuarios podrán tener acceso a este formulario en línea.
   - **Correo electrónico:** ( ) Cree un nuevo mensaje de correo electrónico que contenga el formulario. Use esta opción cuando los destinatarios no tengan acceso a formularios de SharePoint.
   - **Ubicación de red:** ( ) Publique el formulario en una ubicación compartida para que otras personas de la organización puedan rellenarlo. Use esta opción cuando no tenga acceso a un servidor de SharePoint.

> ***Nota:*** *Los usuarios deben tener instalado InfoPath Filler para rellenar los formularios publicados por correo electrónico y los ubicados en una red.*

9.1.7. Archivar formularios

En InfoPath, puede archivar un formulario abriéndolo y exportándolo a uno de los formatos siguientes:

- PDF (*Portable Document Format*). PDF es un formato electrónico de archivos de diseño fijo que conserva el formato del documento y permite el uso compartido de archivos. El formato PDF asegura que cuando un archivo se ve en línea o se imprime, conserva el formato exacto pretendido y que los datos del archivo no se pueden copiar ni modificar fácilmente.

- XPS (*XML Paper Specification*). XPS es un formato electrónico de archivos que conserva el formato del documento y permite el uso compartido de archivos. El formato XPS asegura que cuando un archivo se ve en línea o se imprime, conserva el formato exacto pretendido y que los datos del archivo no se pueden copiar ni modificar fácilmente.

  Podrá guardar como un archivo PDF o XPS de un programa Microsoft Office 2007 únicamente después de instalar o habilitar un complemento.
- MHTML. También puede exportar un formulario completado como página Web, en formato de Página Web de un solo archivo (MHTML: Documento HTML guardado en formato MHTML que integra gráficos en línea, subprogramas, documentos vinculados y otros elementos de apoyo a los que se hace referencia en el documento). Este tipo de archivo permite a las personas leer (pero no modificar) el contenido de un formulario en un explorador.

9.2. OneNote

OneNote es un bloc de notas digital que ofrece un único lugar donde puede reunir todas sus notas e información, con los beneficios agregados de poderosas funciones de búsqueda para encontrar lo que busca con rapidez, además de bloc de notas fáciles de usar que le permiten administrar la sobrecarga de información y trabajar junto con otras personas de manera eficaz. A diferencia de los sistemas basados en papel, los programas de procesamiento de texto, los sistemas de correo electrónico u otros programas de productividad, OneNote ofrece la flexibilidad necesaria para reunir y organizar texto, imágenes, escritura digital, grabaciones de audio y vídeo, y más, todo en un bloc de notas digital en su equipo. Microsoft OneNote 2010 ofrece varias características nuevas, además de mejoras y optimizaciones de características presentadas en versiones anteriores.

Algunas de sus novedades son:

- **Acceso universal a toda su información:** Tiene acceso a sus notas e información prácticamente de manera ininterrumpida, ya que ofrece la capacidad de tener acceso a sus archivos desde cualquier parte, ya sea en el trabajo, en su casa o en otro lugar.

- **Mejores opciones para compartir y colaborar:** Admite la edición simultánea de blocs de notas por parte de varios usuarios. Esta función es útil para los usuarios individuales que desean trabajar con un bloc de notas en un equipo de escritorio y en uno portátil al mismo tiempo.
- **Mejores maneras de organizar y encontrar notas:** OneNote 2010 ofrece varias mejoras en cuanto a organización y a búsqueda de información, como mejoras de la pestaña de sección y página o una rápida búsqueda para una fácil navegación.
- **Investigación y toma de notas con vínculos más sencillas:** Se han mejorado algunas características para que, a la hora de investigar y recopilar información de otros archivos o de Internet, tenga una mejor experiencia. OneNote minimiza la cinta de opciones y muestra sólo la página actual junto a las otras ventanas, pudiendo vincular las notas, por ejemplo, con una página Web.
- **Mejoras de edición:** También ofrece varias mejoras en las funciones de edición: galería de estilos básicos, lista con viñetas mejoradas, ecuaciones matemáticas y un minitraductor que le permite ver la traducción de una palabra en otros idiomas.
- **Mejoras en la interfaz de usuario:** Incluye una nueva interfaz, un sistema visual totalmente personalizable de herramientas y comandos.

Para iniciar OneNote, haga clic en el botón **Inicio**, situado en la esquina inferior izquierda, seleccione Todos los programas, haga clic en la carpeta Microsoft Office y, a continuación, haga clic en Microsoft OneNote (véase la figura 9.3).

9.2.1. Insertar una nueva página

1. Haga clic en el botón **Nueva página** (), situado en la parte derecha de la ventana, encima de las fichas de página y, haga clic en la flecha que está junto al botón para crear una nueva página, una subpágina en un grupo de páginas o crear una página a través de una plantilla.
2. En el cuadro Título de la parte superior de la página, escriba un título para dicha página. El título que escribe aparece en la ficha de página en el margen de la ventana de OneNote.

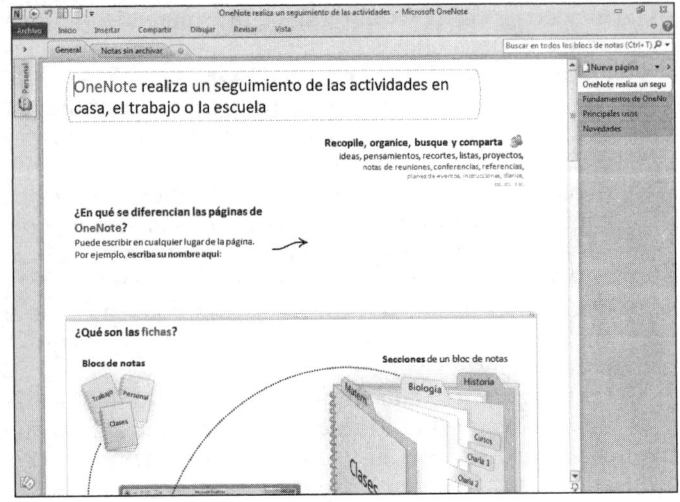

Figura 9.3. Ventana inicial de OneNote.

Cambiar el orden de las páginas

Para mover una página dentro de una sección, haga clic y arrastre la ficha de página ligeramente hacia la derecha hasta que aparezca una flecha pequeña y, a continuación, arrastre la ficha de página hacia arriba o hacia abajo para colocarla en una nueva ubicación de la sección actual.

Agregar espacio a una página

1. Haga clic en la ficha Insertar y, a continuación, haga clic en Insertar espacio.
2. En la página, haga clic donde desee insertar más espacio y, a continuación, arrastre el puntero en la dirección indicada por la flecha para agregar el espacio que desee.
3. Arrastre para agregar espacio en los bordes de la página o entre líneas de texto.

Para eliminar una página, haga clic con el botón derecho del ratón sobre la ficha de la página que desee eliminar y haga clic en Eliminar.

9.2.2. Crear una nueva sección

Puede crear una nueva sección (▭) o un grupo de secciones (▭). Para ello, siga cualquiera de los puntos que se describen a continuación:

- Haga clic en el botón **Crear una nueva sección** (⁂) y asígnele un nombre.
- Haga clic con el botón derecho sobre la barra de fichas de secciones y, en el menú contextual que aparece, haga clic en Nueva sección, asignándole un nombre a la sección.
- Para crear un grupo de secciones, realice el punto anterior, haciendo clic en Nuevo grupo de secciones. Una vez asignado un nombre, puede crear secciones dentro del grupo de secciones, y así sucesivamente.

> ***Nota:*** *Para salir de un grupo de secciones, haga clic en la flecha verde situada al lado de la ficha del grupo de secciones, o bien, seleccione la sección a la que desea ir en el panel de blocs de notas, situado a la izquierda de la ventana.*

9.2.3. Escribir y guardar notas

Para hacer notas escritas, haga clic en cualquier parte de la página en la que desee que aparezcan las notas y luego escríbalas. OneNote crea un contenedor de notas para cada bloque de texto que escriba a mano o con el teclado. Para utilizar un dispositivo de entrada con lápiz, haga clic en la ficha Dibujar y elija entre los diferentes tipos de pluma de la galería. Para ver más tipos de plumas, haga clic en Más. También podrá utilizar el cursor del ratón para dibujar. Si desea escribir una nota con el teclado, haga clic en la ficha Dibujar y, a continuación, haga clic en Seleccionar y escribir. Para mover texto en una página siga uno de estos procedimientos:

1. Para mover texto dentro de la misma página, desplace el puntero sobre el texto.
2. Cuando aparezca el contenedor de notas, haga clic en el borde superior del contenedor de notas y, a continuación, arrástrelo a una nueva ubicación en la página.
3. Para copiar o mover el texto desde una página a otra, haga clic con el botón derecho del ratón en la parte superior del contenedor de notas, haga clic en las opciones Copiar o Cortar del menú contextual y, a continuación, pegue las notas en la página que desee.

Guardar notas

OneNote guarda el trabajo de forma automática mientras esté trabajando, incluso cuando cambie a otra página o sección, y al cerrar las secciones y blocs de notas. No es necesario guardar las notas manualmente.

9.2.4. Insertar tablas, imágenes o archivos

Para insertar una tabla:

1. Haga clic en la ficha Insertar y haga clic en Tabla.
2. Haga clic en Insertar tabla e introduzca el número de columnas y filas que desee.

> ***Truco:*** *Puede crear una tabla dibujándola. En la ficha* Insertar, *haga clic en* Tabla *y arrastre el puntero hacia abajo y hacia la derecha para especificar el número de filas y columnas que desea. También puede presionar la tecla* **Tab** *para crear una tabla mientras escribe. Para insertar una nueva fila, pulse* **Intro**.

Insertar imágenes o archivos

Puede añadir a sus notas imágenes y archivos desde su equipo, para ello:

1. Si desea añadir una imagen, haga clic en la ficha Insertar, y en el grupo Imágenes, haga clic en Imagen. Busque la carpeta donde se encuentra la imagen, selecciónela, y haga clic en **Abrir**.
2. Para insertar un archivo, ya sea una imagen o un documento, en el grupo Archivos de la ficha Insertar, haga clic en Adjuntar archivo. Búsquelo en su equipo, y una vez seleccionado, haga clic en **Insertar**. Éste aparecerá en la página con el icono correspondiente y su nombre. Puede abrir el archivo haciendo doble clic en él.

9.2.5. Insertar grabación de audio y de vídeo

Las grabaciones de audio y vídeo pueden ser herramientas útiles para la toma de notas en diversas situaciones, como por ejemplo en una reunión o en una charla.

Para insertar una grabación de audio:

1. En la ficha Insertar, en el grupo Grabación, haga clic en Grabar audio ( ).
2. La grabación comenzará automáticamente. Puede pausar, detener, rebobinar y avanzar la grabación, seleccionando los correspondientes comandos en la ficha Reproducción.

Para insertar una grabación de vídeo:

Conecte el dispositivo con el que va a efectuar la grabación. Una vez instalado correctamente en su equipo, siga los siguientes pasos:

1. Haga clic en Grabar vídeo (), en el grupo Grabación de la ficha Insertar.
2. La grabación comenzará automáticamente. Puede pausar, detener, rebobinar y avanzar la grabación, seleccionando los correspondientes comandos en la ficha Reproducción.

9.2.6. Agregar o modificar un hipervínculo

OneNote crea automáticamente un hipervínculo siempre que escriba o pegue una dirección URL de Internet o *World Wide Web* en las notas.

Para agregar un hipervínculo siga cualquiera de estos procedimientos:

- En las notas, escriba o pegue la dirección de Internet a la que deba hacer referencia el hipervínculo. Por ejemplo, para agregar un hipervínculo al sitio Web de Microsoft, escriba **http://www.microsoft.com**.
- En la ficha Insertar, haga clic en Vínculo, y en el cuadro de diálogo que aparece, especifique la dirección de Internet en el cuadro Dirección y, a continuación, especifique el nombre que aparecerá en la nota en el cuadro Texto para mostrar.

9.2.7. Insertar hora y fecha

Dependiendo de cómo utilice OneNote, puede utilizar la fecha y hora actuales de su equipo en las notas para marcar o realizar el seguimiento de los eventos cronológicos. Por ejemplo, puede mantener un registro de las llamadas telefónicas recibidas a determinadas horas del día, o marcar entradas del diario o de los registros Web de OneNote con la fecha actual.

Coloque el puntero donde desee agregar una marca de fecha y hora. Siga uno de estos procedimientos:

- En la ficha Insertar, en el grupo Marca de tiempo, haga clic en Fecha y hora.
- Para insertar la fecha y hora actuales, presione la combinación de teclas **Alt-Mayús-F**.
- Para insertar sólo la fecha, presione **Alt-Mayús-D**.
- Para insertar sólo la hora, presione **Alt-Mayús-T**.

> ***Truco:*** *OneNote agrega automáticamente una marca de fecha y hora bajo el título de la página siempre que se crea una nueva página. Para cambiar la marca de fecha y hora de una página, haga clic en la fecha u hora y en el icono de calendario o de reloj que aparece. OneNote utilizará la nueva marca de fecha y hora cuando busque notas en la página.*

9.2.8. Etiquetas

Puede añadir etiquetas a las notas para mejorar la organización de éstas. Para ello:

1. Seleccione el párrafo que desea etiquetar.
2. En la ficha Inicio, en el grupo Etiquetas, despliegue la lista haciendo clic en **Más**. Seleccione la etiqueta que desee (véase la figura 9.4).
3. Después de agregar etiquetas a sus notas, puede buscar entre ellas los elementos etiquetados, así como agruparlos en función de su nombre de etiqueta.

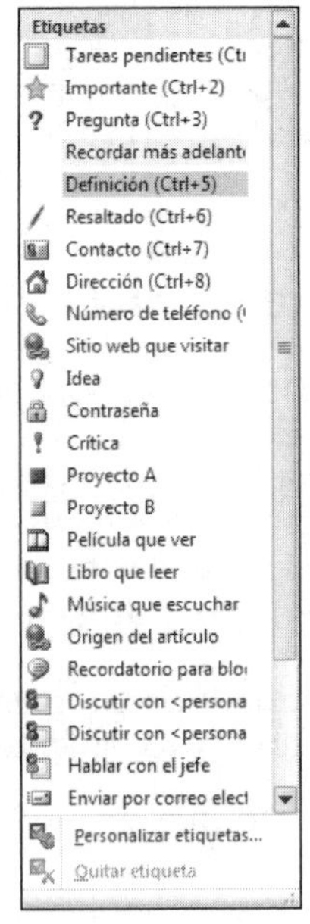

Figura 9.4. Etiquetas.

Índice alfabético

A

A mano alzada, 121
Abrir, 35-36, 42, 386
como de sólo lectura, 287
en modo
Diseño, 376
exclusivo, 288
la serie, 248
Acceso universal, 382
Access, 319
Acciones, 243, 247, 249, 267
Aceptar, 30, 32, 40, 367-371
Actualizar
sólo los números de página, 112
tabla, 112
toda la tabla, 112
add-on, 21
Adjuntar
archivo, 231, 386
elemento, 232
Administrar
el calendario de otro usuario, 247
tareas, 260
Agregar
a Contactos, 39
a la barra de herramientas de acceso rápido, 42
aviso, 237, 259
campos existentes, 325, 327
cuenta, 225
firma digital a mensajes salientes, 279
impresora, 126, 176, 217, 274, 373
integrantes, 254
márgenes de encuadernación, 76
nuevo campo, 292
nuevo integrante, 254
o quitar botones, 266
o quitar funciones, 31
otra cuenta, 226
sección, 191
texto, 111
a una forma, 120
un grupo, 337
un libro plegado, 76
un orden, 337
Agrupación, orden y total, 337
Agrupar
formas seleccionadas, 120
por, 260
y Ordenar, 337
datos, 320
Ajustar
a la ventana, 188
área de impresión, 133
el tamaño de las formas, 121
texto, 354
Ajuste
del texto, 124
perfecto, 354
Aleatoriamente, 297

Alineación, 133, 147, 365-366
Alinear los objetos en el lienzo, 122
Alrededor, 124
Alto de fila, 148
Ambas, 302
Analizar, 286
Ancho
  de Columna, 148
  de página, 61
  estándar de columna, 149
  predeterminado, 149
Anclar a la lista, 43
Animaciones, 182, 211-212
Anterior, 60, 68
Año Nuevo, 248
Aplicar
  estilos, 112
  filtro, 335-336
  mientras escribe, 99
  un estilo a una forma, 121
Archivado como, 238
Archivo
  de conexión de datos, 376
  de datos, 227
  Opciones
    Mostrar, 61
    Personalizar cinta de opciones, 48
Área de trabajo, 47, 132, 347
Argumentos de función, 162
Arte, 103
Ascendente, 259, 337
Asistente para
  búsquedas, 296
  consultas, 309
    sencillas, 309
  formularios, 315, 317
  informes, 322
  programación, 250
Asterisco, 309
Asunto, 229, 255-256, 266
Audio
  de archivo, 207
  de imágenes prediseñadas, 207
Auditoria de fórmulas, 133, 174
Aumentar
  para ajustar el texto, 371
  posición de sangría, 365
  sangría, 235
Autoajustar
  alto de fila, 148-149
  ancho de Columna, 148
Autocorrección, 72, 196
Autoformato mientras escribe, 88, 92, 99
Automático, 152
Autonumeración, 297
Autonumérico, 295
Autosuma, 168
Avanzadas, 62, 67, 78, 195
Aviso, 237, 247, 255
Ayuda, 41

B

Bajar sección, 191
Bandeja de
  entrada, 232, 245, 249, 280
  salida, 232-233
Barra
  de desplazamiento, 132
  de estado, 47, 132, 183, 347
  de fórmulas, 131-132
  herramientas de acceso rápido, 46, 93, 346
  de mensajes de seguridad, 47
  de títulos, 46, 130, 182, 285, 346
  espaciadora, 99
Base de
  búsqueda, 241
  datos, 342, 376
  datos en blanco, 286, 291
Biblioteca de
  formularios de SharePoint, 376
  funciones, 133
Bici, 353
Bicicleta, 353
Blancos y negros puros, 219

Boletines, 350
Bordes
de página, 102
y sombreado, 101
Borrador o vista Normal, 125
Borrar
formato, 88
de búsqueda, 146
todos los filtros, 330, 336
Botón de
imagen, 379
opción, 325
Buscar, 41, 68-69, 72, 372
Buscar
dentro de, 145
formato, 145
siguiente, 69, 145, 196, 353
todos, 145
una función, 162
y reemplazar, 146, 353
y seleccionar, 145
Búsquedas
instantáneas, 269-270
recientes, 270

C

Caduca después del, 230
Calculado, 293
Cálculo, 133
Calendario, 247, 269-270, 274
Cambiar
a la vista, 293
el tipo de archivo, 54
estilos, 88
forma, 120
nombre, 137, 191, 244, 370
de sección, 191
una forma, 120
Cambios, 50, 134
Campo/Expresión, 337
Campo, 83, 85, 307
de fecha y hora disponibles, 267
disponibles, 309, 317
seleccionados, 309, 317
usados frecuentemente, 267
Cancelar, 70, 128, 179, 374
Captura de pantalla, 154, 202
Carácter, 236
Carpetas
activas, 223
de búsqueda, 232-233
Carta 21,59 x 27,94 cm, 362
Catálogos, 352
Categorías de color, 263
Categorizar, 244
CC, 229, 242
CCO, 229
Celdas, 133, 136, 148-149
Centrar, 365
Centro de confianza
de Microsoft Outlook, 278
Cerrar, 34, 54, 120, 357
base de datos, 288
búsqueda, 269
Certificado de firma, 279
Cifrar contenido, 280
Cinta de opciones, 46, 182, 223, 346
Citas
periódicas, 248
y bibliografía, 50
Ciudad, 334
Clasificación de diapositivas, 188
Clasificador de diapositivas, 187, 189-191, 215
Clasificar, 263
Clave principal, 298
Código, 134
Color
de marcador, 157, 159
de minigráfico, 157, 159
de relleno, 147
y líneas, 104
Columnas, 82, 267, 355
Combinación de
colores, 352
correspondencia, 357
fuentes, 352

Combinar, 115
celdas, 115
Comentarios, 50, 134, 145, 339
Comienzo, 248
Comparar, 50
Complementos
de Excel, 171
disponibles, 171
Comunicar, 255, 266
Confidencial, 236-237
Configuración
de Autocorrección, 92
de celdas ocultas y vacías, 160
de cuenta, 226
de impresión, 274-275
de la cuenta, 225-227, 240-241
de la presentación, 215
de la vista, 259-260, 267
de seguridad, 281
del Centro de confianza, 278-281
Configurar
botones, 266
página, 50, 76-80, 362-363
Conservar viñetas y números, 67
Constantes, 162
Consultas, 286, 302, 309
de acción, 308
de actualización, 308, 311
de creación de tabla, 311
de datos anexados, 311
de eliminación, 308, 311
de parámetros, 307
de selección, 307
SQL, 307
Contabilidad, 129, 166
Contactos, 243, 254-255, 339
de la misma compañía, 253
Contorno de forma, 121
Controles, 56-57 323-325, 380
Conversión, 166
Convertir
formulario existente, 376
texto a, 113
en tabla, 113
cookies, 277
Copiar formato, 88, 146
Copias, 127, 342
Correo
cifrado, 279
electrónico, 376, 381
cifrado, 278, 280-281
no deseado, 232-234, 271-272
grande, 233
Correspondencia, 47, 50, 346
Cortar, 38, 66, 132-133, 385
Cortar, Copiar y Pegar, 67
Creación de tabla, 308
Crear
documento PDF/XPS, 54
nuevo, 55
tamaño de página, 363
tabla, 370
tamaño de página
personalizado, 362
una nueva sección, 385
vídeo, 208-210
vínculo, 355
Criterios, 307, 310, 335-336
Cuadro de
nombres, 131
texto, 193, 365
Cuadromsj, 338
Cualquier cantidad de texto, 63
Cuentas, 310
de correo electrónico, 227
Currency, 295

D

D2:D5, 165
Datos
adjuntos, 232, 276, 295
anexados, 308
externos, 285-286
Definición de presupuestos, 129
Definir
estilos de impresión, 275
presentación personalizada, 214

Dentro de dos semanas, 248
Derecha, 365
Derecho, 77, 365
Desactivado, 258
Desagrupar, 356
Descargar, 184
Descartar todos los cambios, 120
Descendente, 259, 337
Desde
el principio, 216
la diapositiva actual, 216
Deshacer, 42, 93
Desplazar las celdas hacia
arriba, 143
la izquierda, 143
Desplazarse
a la derecha, 58
a la izquierda, 58
a la página anterior, 58
a la página siguiente, 58
a una página específica, 58
hacia la izquierda, 59
una línea hacia abajo, 58
una línea hacia arriba, 58
Destino, 172
Desviación estándar, 310
Detalles, 324
de conexión, 241
Día, 245, 260
Diálogo, 338
Diapositivas, 199
de la ficha, 191
de la presentación
personalizada, 214
de página completa, 219
Diario, 252, 266, 270
Dibujar
bordes, 107
cuadro de texto, 354
en el documento, 120
tabla, 107, 379
Dirección del texto, 360
Disco Duro, 27
Diseñar formulario, 377
Diseño
de herramientas de tabla, 371
de impresión, 103, 126
de lectura, 126
de página, 46, 77-80, 381
Web, 124-126, 176
Disminuir posición de sangría, 365
Dispositivos
e Impresoras, 126, 176, 340, 373
periféricos, 27
portátiles, 209
Distribuida, 366
Distribuir todas las líneas, 366
Dividir
celdas, 115
tabla, 115
Doble, 90
Documento en blanco, 55
Documentos/Archivos
de Outlook, 228
Dos o más hojas
adyacentes, 140
no adyacentes, 140
Dos páginas, 61
por hoja, 79
Duración, 212-213, 268

E

E-mail Publishing, 58
Edición
Estilos, 133
y gestión de imágenes, 20
Editar
datos, 160
Firma, 238
forma, 120
Efectos
artísticos, 118-119
de énfasis, 210
de entrada, 210
de formas, 122
de la imagen, 118
de salida, 210

Eje, 158
Elegir
idioma de traducción, 74
un Gráfico SmartArt, 200
Elementos
de aplicación, 338
eliminados, 232-233
enviados, 232-233
rápidos, 83, 85
Eliminar
celdas, 109, 142
columnas, 110-111
de hoja, 143
diapositiva, 185
filas, 110
de hoja, 143
hoja, 136
marca, 120
página, 369
sección y diapositivas, 191
tabla, 111
todas las secciones, 191
Encabezado
de grupo, 324
de página, 324
del informe, 323
Encuadernación, 79
Ensayar intervalos, 215
Ensayo, 215
Entrada
de blog, 57
del Diario, 266-267
Enviar
calendarios, 246
y recibir, 223, 233, 273
Equipo y procesador, 27
Escala de
grises, 219
tiempo, 267
Escribir e insertar campos, 50
Espaciado
antes de, 91
después de, 91
entre caracteres, 360
Especial, 69, 91, 95
Esquema, 124-126, 133, 219
Estadísticas, 166
Estilo
de celda, 147
de fondo, 198
de forma, 121-122
de imagen, 118
de párrafo de lista, 100
de tabla, 114
de título integrados, 111
nuevo, 358
rápidos, 235
Estudio, 352
Etiquetas, 236-237, 244, 388
EUROCONVERT, 174
Exacto, 90
Excepciones para, 71
Exigir integridad referencial, 303-304
Exportar, 286
Extensible Markup Language, 375
Exterior, 78

F

Facturación y ventas Excel, 129
Fecha
personalizada, 255
y hora, 166, 295
Fichas
Acciones, 267
Animaciones, 211-212
Archivo, 20, 34-36, 99, 381
de datos, 227
Autoformato mientras escribe, 88, 92, 99
Bordes, 101, 104
Buscar, 241
Cita, 247, 249
periódica, 248
Colores y líneas, 104
Complementos, 134
Contacto, 266
Contactos, 255

Correspondencia, 50
Crear, 286, 292, 309, 338
Cuadro de texto, 365
Datos, 133
Datos externos, 286
Diapositiva, 199
Diapositivas, 185, 188, 205, 212
Dibujar, 385
Diseño, 83-86, 324-325, 327
de herramientas de tabla, 371
de página, 77-80, 82, 379, 381
E-mail Publishing, 58
Entrada del Diario, 267
Enviar y recibir, 273
Esquema, 187-189, 193
Firma de correo electrónico, 238
Formato, 118-123, 161, 206
de Imagen, 152
de texto, 234-235
Fórmulas, 133, 174
General, 300
Grupo de contactos, 254
Guías de líneas de base, 367
Herramientas, 357
de base de datos, 302, 305
de búsqueda, 269
de imagen, 48, 202, 347
Tarea, 256
Transiciones, 212-213
Ver, 259-260, 267
Vista, 60-61, 187-188, 270
Filas y columnas, 108-110
FileName, 85
Filtrar por formulario, 333
Filtros
avanzado, 335
avanzado/Ordenar, 336
de texto, 330
por formulario, 333
Fin, 267
Finalización, 248
Finalizar, 50, 225-226, 241, 326
Financieras, 166
Firma de correo electrónico, 238

G

General, 300
Girar texto, 147
Grabación, 386-387
Grabar
audio, 386
también archivos de, 266, 268
vídeo, 387
Gráficos, 133, 155
dinámicos, 341
Grupo
de contactos, 254
diseño, 367
Guardar
como, 53-56, 136, 349-352
personalizado, 363
tipo, 349-350
datos adjuntos, 228
y cerrar, 247, 254, 256, 267
y enviar, 54, 208
y nuevo, 253
Guías de
columnas, 367
cuadrícula y línea base, 367
diseño, 347, 367
filas, 367
líneas de base, 367

H

Habilitar diccionarios personalizados, 73
Herramientas
de audio, 208
de base de datos, 285, 302, 305
de búsqueda, 269-270
de cuadro de texto, 354-355
de datos, 133
de dibujo, 356
de imagen, 48, 118-119, 347
de minigráficos, 158
de Office, 34
de tabla, 64, 107-110, 378-379

I

Icono, 263
Id. digitales (Certificados), 278
IdCliente, 297
Idioma, 50, 62, 74-75, 134
Igual a, 330
ILOVEYOU, 275
Ilustraciones, 49, 116-117, 371-372
Imágenes, 104, 117, 152, 386
 prediseñadas, 116, 152, 202, 372
Importar
 estilos, 359
 y vincular, 286
Impresión rápida, 341
Impresora, 126-127, 176, 373
Imprimir
 a un archivo, 178
 diapositiva actual, 218
 intervalo personalizado, 128
 página actual, 128
 selección, 128, 218
 todas las diapositivas, 218
 todas las páginas, 128
Incluir contenido de Office.com, 116
Incrementalmente, 297
Índice, 50
Indizado, 304-305
Inferior, 77, 365
Información del usuario, 29
Informes
 con Excel, 129
 en blanco, 323
Iniciar
 combinación de correspondencia, 50
 presentación con diapositivas, 214, 216
 temporizador, 267
Inicio, 30, 33-34, 365, 383
Insertar
 a la derecha, 109
 a la izquierda, 109
 celdas, 108, 141
 columnas
  a la derecha, 109
  a la izquierda, 109
  de hoja, 142

J

Justificar, 366

L

Lectura de pantalla completa, 124, 176
Libre, 247
Libretas de direcciones, 240-241, 254
 adicionales, 241
Libro, 145
 en blanco, 134
 plegado, 76, 79
Líneas, 121, 152
 de base horizontal, 367
 de firma, 380
Lista
 de campos, 300, 318-319, 323-325
 de carpetas, 264, 270
 de entradas, 268
 de notas, 263
 de SharePoint, 376
 multinivel, 235
Listas automáticas con
 números, 99
 viñetas, 99
Luego por, 259

M

Macros, 286
 y código, 286
mailing, 50
Mantener cambios, 120
Mapa del Documento, 126
Marca de tiempo, 387
Marcadores de posición
 de imagen, 371

Marcar
como completada, 260
las áreas para mantener, 120
las áreas para quitar, 120
Márgenes
de cuadro de texto, 365
personalizados, 77-80, 149
simétricos, 79
Más
acciones, 243
columnas, 82, 250, 355
comandos, 42
configuraciones, 241
elementos, 262
espacio, 360
formularios, 316
opciones, 230
populares, 350, 352
tamaños de páginas
preestablecidos, 362
en blanco, 347
tamaños de papel, 81
Matemático, 165
Máxima_precisión, 172
Maximizar, 320
Máximo, 310
Mayús, 59, 63, 136-137, 356
Mañana, 248
Mejoras
de edición, 383
en la interfaz, 20
en la interfaz de usuario, 383
Memo, 295
Memoria, 27
Mensaje
de correo, 232
instantáneo, 242
Menú, 362
Microsoft
Access, 284
Excel, 130
InfoPath, 375
Office, 30, 33-34, 45, 383
Communicator, 244
OneNote, 383
Outlook, 222
PowerPoint, 181
Publisher, 345
Word, 45
MIME para todos los mensajes
S/MIME firmados, 280
Miniatura, 126
Minibarra de herramientas, 285
Minigráficos, 133, 158
Minimizado, 258
Minimizar, 320
Mínimo, 90, 310
Minitraductor, 75
MINUSC, 166
Mis Documentos/Archivos
de Outlook, 228
Mis plantillas, 135, 184, 350
Modificar
estilo, 100
relaciones, 303
un estilo, 358
Mostrar
Contenido del documento, 78
fórmulas, 174
Límites de texto, 78
Mover
antes, 212
datos, 286
después, 212
gráfico, 155, 160
Multimedia, 204-205, 207, 338
Múltiple, 90

N

Navegación, 85
Necesario, 250
Ninguna, 212
Nivel 1, 111
Nombre
de archivo, 53, 136, 286-287, 349
de archivo de salida, 178
de campo, 85

O

Objeto
  con fichas, 285
  en, 156
  OLE, 295, 329
Obtener
  datos externos, 133
  un id. digital, 278
Ocultar
  diapositiva, 191
  errores de gramática, 71-72
  errores de ortografía, 71-72
Ocupado, 247
Omitir
  áreas de impresión, 178
  todas, 70
Ondas, 350
OneNote, 388
online, 21
Opcional, 250
Opciones
  avanzadas, 333
  de autocorrección, 72, 88, 98
  de búsqueda, 241

P

Page, 85
Páginas
  anteriores, 127, 217, 373
  de notas, 187, 202
  pares e impares diferentes, 86
  principales, 367
  siguientes, 85, 127, 217, 373
PaísRegión, 335
Pancartas, 362
Panel de
  Control, 126, 176, 340, 373
  diapositivas, 182
  diapositivas y esquema, 182
  exploración, 223
  información del documento, 377
  navegación, 285
  navegación de páginas, 347
  notas, 182
Pantalla, 27
Papel, 81
Párrafo, 48, 50, 360-361, 365
Pausa, 215
Pausar temporizador, 267
Pegado especial, 169, 371
Pegar
  dentro del mismo documento, 67
  desde otras aplicaciones, 67
  entre documentos, 67
  nombre, 163
  todo, 38, 67
  valores, 144
Películas, 205
Pérdida y ganancia, 158-159
Periodicidad, 247-250
Permiso, 279
Personalizado, 102
Personalizar
  cinta de opciones, 56
  encabezado, 151
  pie de página, 151
Pie
  de página, 84, 199, 324
  del grupo, 324
  del informe, 324
Planeación Excel, 130
Plantillas
  de diseño de página, 379
  de ejemplo, 184, 287
  de Office, 135, 184
  de Publisher (*.pub), 349
  de Word 97-2003, 56
  disponibles, 134-135
  habilitada con macros
    de Word, 56
  instaladas, 135
Población, 333
Por
  columnas, 145
  filas, 145
Portable Document Format, 381

Portadas, 105
Portapapeles de Office, 37
Posición del margen interno, 79
Pósteres, 362
Precisión_de_triangulación, 173
Preferencias de configuración de seguridad, 279
Preliminar, 341
Presentación
- con diapositivas, 182, 187-188, 214-216
- en blanco, 183
- personalizada, 214
- Predeterminada, 342

Presentaciones personalizadas, 214

Q

Quitar
- de la lista, 260-261
- Fondo, 119
- portada actual, 105
- sección, 191
- tabla de contenido, 112
- todos los filtros, 335

R

Raíz, 161
Rango de datos, 158
Rango personalizado, 218
Re Pág, 59
Recibido, 233
Reciente, 42, 46, 130
Recopilar Datos, 286
Recortar
- audio, 208
- vídeo, 206

Recorte de pantalla, 123, 154, 202
Recortes, 20
Rectángulos, 152
Recursos, 250
Reducir sangría, 235
Retroceso, 93, 99
Reunión, 249-250, 255
Revisar
- gramática con ortografía, 71
- la ortografía, 357
- ortografía mientras escribe, 356

Revisión, 40, 70-73, 356-357

S

S/MIME, 279
Salas, 249
Salir, 34
Saltos de sección, 85
Sangría
- de primera línea, 97
- derecha, 92
- francesa, 93, 97
- izquierda, 92, 95
- y espaciado, 91, 93-94

Secciones, 320
- central, 151
- derecha, 151
- izquierda, 151

Seguimiento, 50, 130, 237, 259

T

Tab, 92-93, 97-99, 386
Tabla
- de contenido, 50, 111-112
- de diseño, 379
- dinámica, 341
- personalizada, 379
- rápidas, 106
- seleccionada, 178
- y consultas, 317

Tabulaciones predeterminadas, 98
Tamaño
- de celda, 148-149
- de diapositivas para, 199
- del campo, 300-301

Tareas, 256
- pendientes, 256-258, 260

Tarjeta de presentación, 238, 255

Teléfono, 255, 259
Temas, 50, 133, 198
Temporizador, 267
Texto
enriquecido, 56
para mostrar, 387
seleccionado, 77, 80-82
Tiempo de exposición, 215
Título, 383

U

Ubicación de red, 381
Último punto, 159
Unidades, 27
UNION, 312
Usar
caracteres comodín, 69
cortar y pegar
inteligentemente, 67
la tecla Insert para pegar, 67
modo Sobrescribir, 62
narraciones e intervalos
grabados, 210
sombras y efectos
tridimensionales (3D), 121
Uso de calendarios, 130
Usuarios, 339

V

Vacías, 331
Valor predeterminado, 300
del campo, 299
Valores, 102, 145, 169
Varianza, 310
Varias páginas, 79
Varios
elementos, 315-317
párrafos, 63
Ventanas
disponibles, 123, 154, 202
Informe, 320
Ventas!C20:C30, 163
Ver
calendarios, 246
regla, 93, 95
varias hojas, 373
Vertical, 79-80
Vídeos, 116, 202
de archivo, 204
de imágenes prediseñadas, 205
desde sitio web, 205
Vincular
a archivo, 240
al anterior, 85
al archivo, 117, 372
Vínculos, 387
Texto, 133
Vista
actual, 259-260, 267-268
Borrador, 125
de documento, 51
de lectura, 187-188
de presentación, 187
del libro, 134
Diseño de Impresión, 125
Diseño de página, 175
Diseño Web, 125
en miniatura, 125
Esquema, 125
Normal, 175

W

Windows
Live Messenger, 243
on Windows, 27
WordArt, 89, 193-194

X

XML Paper Specification, 382

Z

Zonas horarias, 249
Zoom, 51, 60-61, 134, 294